T4-AJR-250

Aux sources du monachisme colombanien

I

VIE DE SAINT COLOMBAN
ET DE SES DISCIPLES

Aux sources du monachisme colombanien

I

JONAS DE BOBBIO

VIE DE SAINT COLOMBAN ET DE SES DISCIPLES

Introduction, traduction et notes
par
Adalbert de VOGÜÉ
moine de la Pierre-qui-Vire

en collaboration avec Pierre SANGIANI

VIE MONASTIQUE, n° 19
ABBAYE DE BELLEFONTAINE

Collection VIE MONASTIQUE

F. 49122 Bégrolles-en-Mauges (Maine-et-Loire)
ISBN 2.85589.069.1
ISSN 0768.4215

In Loving Memory
of
Bridget Mary Byrne
(1892-1982)

Avant-Propos

Vers la fin du VIe siècle, un souffle puissant, venu d'Irlande, passa sur la Gaule mérovingienne. Après y avoir tourbillonné pendant une vingtaine d'années, il s'éloigna vers l'Est, passa les Alpes et descendit sur l'Italie. Ce cyclone, qui remua bien des choses dans l'Église et dans la société, est celui du moine Colomban. A une chrétienté rongée par le péché et entourée de peuples encore païens, ce moine celte apportait les «remèdes de la pénitence», comprise de façon neuve, et le zèle missionnaire. La jeune foi de l'Irlande, un vigoureux idéal de renoncement, une observance monastique sans compromission faisaient la force de ce barbare cultivé, capable de bâtir autant que de prêcher. Intransigeant et obstiné, non moins attaché à son particularisme irlandais qu'à l'Évangile universel qu'il annonçait, il se heurta aux rois et aux évêques, subit persécution et bannissement, mais sa sainteté s'imposa à tous et son œuvre prospéra par l'épreuve.

Cette grande personnalité, qui attirait sur elle, partout où elle passait, l'attention des souverains, a trouvé un biographe de valeur en Jonas de Suse, moine de Bobbio. Aussi, avant de présenter la principale œuvre monastique de Colomban – ses deux Règles –, qui occupera un volume à part, donnons-nous ici la Vie de Colomban et de ses premiers successeurs, telle qu'elle fut écrite un quart de siècle après sa mort, quand l'importance du mouvement colombanien s'affirmait déjà nettement, en Gaule surtout.

La Vie de Colomban et ses Règles : le mérite de cette double publication revient avant tout au Père Pierre Sangiani, qui prit l'initiative de traduire la biographie et la législation du saint de Luxeuil, où il résidait lui-même. Il y fut aidé, en ce qui concerne la Vie, par l'existence d'une édition et d'une version italiennes, publiées en 1965 par son compatriote Mgr Tosi [1]. Cependant, si utile qu'ait été cette édition de Plaisance, basée sur un excellent manuscrit qui venait d'être retrouvé, ce témoin unique ne peut prévaloir contre la multitude de ceux que B. Krusch a rassemblés au début du siècle. Une révision s'imposait donc. Elle a occasionné une refonte de la traduction. Celle-ci, d'ailleurs, comme le manuscrit de Metz édité par Tosi, ne comprenait pas les «Miracles d'Éboriac», morceau d'un singulier intérêt qui forme le cœur du Livre II. Avec l'autorisation de l'Abbaye de Faremoutiers, nous avons reproduit, moyennant de légères retouches, l'excellente version de ces chapitres publiée en 1956 par les moniales de ce monastère [2].

L'œuvre de Jonas se trouve donc ici au complet. C'est la première fois, sauf erreur, que paraît en français, voire en une langue moderne, la Vie entière de Colomban et de ses disciples. Au XVIIe siècle, la «traduction» d'Arnauld n'était en fait qu'un résumé, lui-même lacuneux [3]. Quant à la version de Barthélemy, parue au siècle dernier, elle omet aussi plusieurs passages, sans doute jugés trop merveilleux [4]. Ces deux ouvrages s'en tenaient d'ailleurs à la Vie de Colomban proprement dite, c'est-à-dire au Livre Ier. Il en est de même pour la récente traduction allemande de K. S. Frank [5], à laquelle manque en outre le Prologue. Quand nous aurons rappelé que l'édition Tosi

1. JONAS, *Vita Columbani et discipulorum eius*, Testo a cura di Michele TOSI, Versione italiana di E. CREMONA et M. PARAMIDANI, Presentazione di E. FRANCESCHINI e J. LECLERCQ, Plaisance 1965.

2. En appendice à l'article de J. O'CARROLL, *Sainte Fare et les origines*, dans *Sainte Fare et Faremoutiers*, Faremoutiers 1956, p. 3-35 (voir p. 25-35).

3. ARNAULD D'ANDILLY, *Vie de plusieurs saints illustres de divers siècles*, t. I, Paris ^{2}1665, p. 560-581.

4. Ch. BARTHÉLEMY, *Les Vies de tous les saints de France*, t. VII, Versailles 1866, col. 590-645. Nous y avons relevé huit omissions, certaines de quelques lignes, d'autres d'une page entière.

5. Voir la Bibliographie.

n'a pas la section sur les moniales de Faremoutiers (II,11-22), il apparaîtra que le présent volume innove heureusement en traduisant l'œuvre intégrale de Jonas, hymnes comprises.

En mettant la dernière main à ce volume, notre reconnaissance va d'abord à celui qui l'a commencé. Sans l'impulsion donnée par le P. Sangiani et le labeur considérable qu'il a fourni, nous n'aurions pas le diptyque colombanien que publient à présent les éditions de Bellefontaine. Au responsable de celles-ci, le P. Étienne Baudry, nous sommes redevables d'une aide multiforme, allant de son amicale confiance jusqu'au prêt d'outils indispensables. Si, grâce à lui, nous avons pu travailler sur le texte de Jonas édité par Krusch, il a fallu se contenter, pour l'ensemble des Vies mérovingiennes, des vieux *Acta* de Mabillon, aujourd'hui remplacés par les *Monumenta Germaniae*. Nous ne le regrettons qu'à moitié, car les textes du XVIIe siècle, reproduits ou non par Migne, restent les seuls qu'on trouve en mainte bibliothèque de monastère.

Des remerciements non moins chaleureux sont dus à Sœur Jean-Baptiste Juglar, moniale de Vénières, qui a sagacement déchiffré et patiemment mis au net nos brouillons lourdement raturés; à Sœur Johanna, de Faremoutiers, pour la précieuse documentation qu'elle nous a fournie sur son monastère; au Frère Jacques Marcotte, de Saint-Wandrille, grâce auquel nous avons connu les traductions françaises antérieures, et au Père Maurice Bogaert, de Maredsous, qui nous a procuré une réédition de celle d'Arnauld; enfin au Frère Noël Denay, de la Pierre-qui-vire, qui a dessiné nos cartes avec son obligeance accoutumée.

Le dernier mot de cet Avant-Propos sera pour un problème qui ne peut manquer d'inquiéter une conscience d'historien, au moment de livrer aux lecteurs de notre temps le récit de Jonas. La vérité de celui-ci n'est pas admise par tous. Depuis le plaidoyer de Godefroid Kurth en faveur de la reine Brunehaut [6], on lui reproche souvent d'avoir calom-

6. G. KURTH, *La Reine Brunehaut*, dans *Revue des questions historiques* 29 (1891), p. 5-79. Voir en particulier p. 62-65 et 67.

nié cette femme en la présentant comme une furie persécutrice de Colomban. En réalité, elle aurait montré beaucoup de sang-froid et de modération vis-à-vis d'un adversaire provocant, qui fut simplement renvoyé dans son pays en vertu d'une sentence d'évêques et traité avec douceur jusqu'au moment où on le laissa libre.

Accordons à Kurth que Jonas se laisse emporter par la rhétorique et noircit à plaisir sa « Jézabel ». Mais les deux points sur lesquels l'historien belge rejette le témoignage du biographe de Colomban nous paraissent moins assurés qu'il ne le pensait. Que Brunehaut soit pour quelque chose, voire pour beaucoup, dans l'inconduite de son petit-fils Thierry et dans l'exécution de son autre petit-fils Théodebert, ces affirmations de Jonas concordent trop avec celles de Frédégaire [7] pour qu'on soit en droit de les récuser au nom de simples vraisemblances. Kurth avait une confiance excessive dans sa capacité de « critiquer » les témoignages anciens. Convaincant lorsqu'il oppose à Frédégaire les données de Grégoire de Tours [8], il l'est bien moins quand il ne peut lui objecter, à lui et à Jonas, que ses propres conjectures. Aussi, tout en appréciant sa défense de Brunehaut, continuons-nous à tenir la *Vie de Colomban* pour digne de foi, réserve faite de certains silences dont nous reparlerons [9]. Jonas n'est pas seulement de bonne foi, comme Kurth le reconnaît lui-même, mais encore assez sérieusement informé pour qu'on puisse le suivre sans crainte d'erreur grave dans son récit des faits et gestes d'un grand serviteur de Dieu.

7. Comparer JONAS, *Vie de Colomban* I,18 (31) avec FRÉDÉGAIRE, *Chron.* IV,30 : Brunehaut fait échouer l'union de Thierry et d'Ermenberge (son rôle négatif en cette affaire est confirmé par le violent ressentiment de Sisebut contre elle aussi bien que contre Thierry) ; JONAS, *Vie de Colomban* I,28 (57) avec FRÉDÉGAIRE, *Chron.* 42 : Clotaire rend Brunehaut responsable de la mort de Théodebert (confirmé par *Chron.* 19,27 et 35, qui attestent une longue brouille de Brunehaut avec Théodebert et sa femme Blichilde).

8. G. KURTH, *art. cit.*, p. 42.

9. Silences au sujet de la Règle bénédictine (*Introd.*, III) et de la querelle pascale (*Introd.*, IV). Voir aussi *Introd.*, II (chronologie des années de jeunesse), ainsi que les menues erreurs signalées dans les notes sous le texte.

ÉLÉMENTS DE BIBLIOGRAPHIE

I. TEXTES ANCIENS

Sauf indication contraire, les Vies de saints sont citées d'après les *Acta Sanctorum* de Mabillon.

Acta Sanctorum Ordinis S. Benedicti, éd. J. MABILLON, t. II, Paris 1669.

Adomnan's Life of Columba, éd. A. O. et M. O. ANDERSON, Londres 1961.

ADSON DE MONTIÉRENDER, *Vita Bercharii, PL* 137,667 ; *Vita Waldeberti, Ibid.*, 687.

Antiphonaire de Bangor, éd. L. MURATORI, *PL* 72,583 ; éd. F. E. WARREN, t. I-II, Londres 1893 (Henry Bradshaw Society 4 et 10).

BAUDONIVIE, *Vita Radegundis* II, *PL* 72,663.

Sancti Columbani Opera, éd. G. S. M. WALKER, Dublin 1957 (Scriptores Latini Hiberniae 2).

Le Pénitentiel de Saint Colomban, éd. J. LAPORTE, Desclée 1958 (Monumenta Christiana Selecta 4).

Concilia Galliae (511-695), éd. C. DE CLERCQ, *CC* 148 A.

ÉGILBERT, *Vita Ermenfridi, AS Sept.* 7,106.

FORTUNAT, *Vita Radegundis* I, *PL* 72,651.

FRÉDÉGAIRE, *Chronicum, PL* 71,609.

JONAS DE BOBBIO, *Vita Columbani*, éd. J. MABILLON, *Acta Sanctorum OSB*, t. II, p. 5 (Colomban), 116 (Eustaise), 123 (Attale), 160 (Bertulfe), 439 (Fare) = *PL* 87,1011 ; éd. B. KRUSCH, Hanovre 1905 (Scriptores rerum germanicarum in usum scholarum), p. 144 ; éd. M. TOSI, Plaisance 1965.

JONAS DE BOBBIO, *Vita Iohannis Reomaensis*, éd. B. KRUSCH, *op. cit.*, p. 326.

—, *Vita Vedastis*, éd. B. KRUSCH, *op. cit.*, p. 309.

Miracula S. Columbani, éd. J. MABILLON, *Acta Sanctorum OSB*, t. II, p. 40.

SISEBUT, *Vita Desiderii, PL* 80,377.

Vita Caesarii, éd. G. MORIN, *S. Caesarii Arelatensis Opera*, t. II, Maredsous 1942, p. 296.

Vita Euphrasiae, PL 73,623.

Vita Frontonii, PL 73,437.

Vita Patrum Emeritensium, PL 80,115.

Vita Patrum Iurensium, éd. F. MARTINE, *SC* 142.

WALBERT DE LUXEUIL, *Regula uirginum, PL* 88,1053.

WETTI, *Vita Galli, AS Oct.* 7,884.

II. AUTEURS MODERNES

H. M. DELSART, *Sainte Fare. Sa Vie et son Culte*, Paris 1911.

M. M. DUBOIS, *Saint Colomban*, Paris 1950.

L. DUCHESNE, *Fastes épiscopaux de l'ancienne Gaule*, t. I-III, Paris 1907-1915.

K. S. FRANK, *Frühes Mönchtum im Abendland*, t. II, Zurich 1975 (p. 169-230 : Vie de Colomban).

J. B. GAI, *L'influence de saint Colomban sur la société mérovingienne*, dans *Vie spirituelle* 57 (1942), p. 366-389.

J. GUÉROUT, art. *Fare*, dans *DHGE* 16 (1967), col. 505-531.

—, art. *Faremoutiers (Fondation)*, dans *DHGE* 16 (1967), col. 534-537.

—, *Les origines et le premier siècle de l'abbaye*, dans *L'Abbaye royale Notre-Dame de Jouarre*, Paris 1961, p. 1-67.

—, *Le testament de sainte Fare*, dans *RHE* 60 (1965), p. 761-821.

A. JACOBS, *Grégoire de Tours et Frédégaire*, t. II, Paris 1861.

G. KURTH, *La reine Brunehaut*, dans *Revue des questions historiques* 26 (1891), p. 5-79.

M. de LAUGARDIÈRE, *L'Église de Bourges avant Charlemagne*, Bourges 1951.

J. LECLERCQ, *Un recueil d'hagiographie colombanienne*, dans *Analecta Bollandiana* 73 (1955), p. 193-196.

—, *L'univers religieux de S. Colomban et de Jonas de Bobbio*, dans *RAM* 42 (1966), p. 15-30.

Mélanges Colombaniens. Actes du Congrès international de Luxeuil (20-23 Juillet 1950), Paris 1951.

B. MERDRIGNAC, *Colomban*, dans *Histoire des saints et de la sainteté chrétienne*, t. IV, *Les voies nouvelles de la sainteté (605-814)*, éd. P. RICHÉ, Paris 1986, p. 112-121.

G. MOYSE, *Monachisme et réglementation monastique en Gaule avant Benoît d'Aniane*, dans *Sous la Règle de saint Benoît*, Genève-Paris 1982 (Hautes Études médiévales et modernes 47), p. 3-19.

J. ROUSSEL, *Le* Monasterium Salicis *et son identification*, dans *Revue Charlemagne* 1 (1911), p. 65-80.

—, *Saint Colomban et l'épopée colombanienne*, t. II, Paris 1941-1942.

J. RYAN, *Irish Monasticism*, Shannon [2] 1972.

Sainte Fare et Faremoutiers. Treize siècles de vie monastique, Faremoutiers 1956.

K. SCHÄFERDIEK, *Columbans Wirken im Frankenreich (591-612)*, dans *Die Iren und Europa im früheren Mittelalter*, éd. H. LÖWE, Stuttgart 1982, p. 171-201.

D. SCHALLER, *Die Siebensilberstrophen «de mundi transitu» – eine Dichtung Columbans ?*, dans *Die Iren und Europa*, p. 468-483.

A. de VOGÜÉ, *La Règle de Donat pour l'abbesse Gauthstrude*, dans *Benedictina* 25 (1978), p. 219-313.

—, *En lisant Jonas de Bobbio. Notes sur la Vie de saint Colomban*, dans *Studia Monastica* 30 (1988).

SIGLES

AS	*Acta Sanctorum* (Bollandistes).
AS OSB	*Acta Sanctorum Ordinis S. Benedicti* (Mabillon).
FRÉD.	FRÉDÉGAIRE, *Chronicum*, Livre IV.
V.	*Vita.*
*	A. de VOGÜÉ, *En lisant Jonas de Bobbio.*

INTRODUCTION

I

JONAS HAGIOGRAPHE ET ÉCRIVAIN

L'historien de Colomban est né au pays où celui-ci est mort. Sa ville natale était Suse, au pied des Alpes, à quelque 140 milles (210 km) de Bobbio, comme il le note lui-même[1]. D'après le même récit, il avait déjà passé neuf ans au monastère quand il fut envoyé, un certain mois de février, en visite chez les siens par l'abbé Attale mourant. Si l'on admet que ce dernier est décédé le 10 mars 626, l'entrée de Jonas à Bobbio doit se placer au début de 617 au plus tard, soit un an environ après la mort de Colomban. Un autre fait de sa jeunesse monastique peut être daté approximativement. «Serviteur» d'Attale[2], il reçut de celui-ci une lettre à conserver, qu'il perdit plusieurs années après par sa négligence[3]. Or cette lettre émanait du moine Agrestius, qui venait de passer au schisme d'Aquilée et allait s'affronter à l'abbé Eustaise au concile de Mâcon. Ce synode s'étant réuni en 626, semble-t-il, la réception de la lettre a eu lieu peu de temps avant.

Ce «service» de l'abbé, qui avait été assuré auprès de Colomban par des hommes aussi distingués qu'Eustaise, Chagnoald et Attale lui-même[4], Jonas semble l'avoir continué auprès du troisième supérieur de Bobbio, l'abbé Ber-

1. *Vita Col.* II,5 (6). La distance est de 190 km à vol d'oiseau.
2. II,2 (3) : *beati uiri ministerio deputatus.*
3. II,9 (7).
4. I,15 (30) et 27 (55) : Chagnoald; I,20 (31) : Eustaise; II,1 (1) : Attale. Seul, Domoal ne semble pas avoir «percé» : voir I,9 (16) et 19 (34).

tulfe, qu'il suivit dans son voyage à Rome en juin 628 [5]. Cependant il séjournait à Faremoutiers (Éboriac) quand y mourut la moniale Gibitrude, fait qui peut dater de 633 ou 634 [6]. On le retrouve à Bobbio en 639, peu avant la mort de Bertulfe, qui lui commande alors d'écrire la Vie de Colomban. Cette besogne l'occupa pendant trois ans, durant lesquels il fut à la fois gêné et aidé par une autre tâche : l'assistance qu'il prêtait à l'évêque-missionnaire Amand [7]. Si les voyages sur la Scarpe et l'Escaut concurrençaient le travail littéraire, ce séjour prolongé en Gaule lui faisait mieux connaître le pays où Colomban avait passé plus de vingt ans.

On aimerait savoir comment Jonas entra en contact avec Amand et fut entraîné dans son sillage. Successivement moine à l'île d'Yeu, clerc à Tours, reclus à Bourges pendant quinze ans, pèlerin à Rome, évêque itinérant à travers la Gaule [8], cet Aquitain fervent et inquiet n'appartenait pas à la famille colombanienne. Mais son apostolat dans la région de l'Escaut était soutenu par Acharius, évêque de Noyon et de Tournai [9], un des quatre évêques sortis de Luxeuil que Jonas mentionne comme des fruits insignes de l'abbatiat d'Eustaise [10]. Saint Éloi, qui lui succéda en mai 641, appartenait également, quoique à un autre titre, au mouvement colombanien, dont il avait favorisé l'essor par ses fondations du Limousin et de Paris [11]. Le diocèse de Tournai, où œuvraient Amand et Jonas, eut donc pour évêques, en ces années, des hommes dont le premier était un ancien moine de Luxeuil, et le second un ami du grand monastère. L'un et l'autre n'a pu que favoriser la collaboration de Jonas avec Amand. Peut-être le premier l'a-t-il suscitée.

5. II,23 (6) : *in cuius obsequium ego interfui*; cf. 23 (8-9).
6. II,12 (5). Voir J. GUÉROUT, art. « Fare », dans *DHGE* 16 (1967), col. 524.
7. Prol. (1) : *ante hoc ferme triennium... per triennium.*
8. *Vita Amandi* 8, dans MABILLON, *AS OSB* II, Paris 1669, p. 713.
9. *V. Amandi* 11.
10. *V. Col.* II,8 (5).
11. II,10 (17).

La figure d'Amand, qui dominait alors l'existence de Jonas, n'était pas sans rapport avec celle du saint dont il écrivait la Vie. Prêcheur lui aussi, Colomban avait été expulsé de Bourgogne par le roi Thierry à cause de son francparler. La même aventure était arrivée à Amand, chassé des états de Dagobert pour lui avoir reproché ses dérèglements [12]. Dans les deux cas, l'homme de Dieu avait été banni en raison de sa fermeté à rappeler au roi les exigences du mariage chrétien. Jonas a pu se souvenir d'Amand en racontant l'exil de Colomban. Les deux phases de la vie continentale du saint, successivement cénobite et prophète ambulant, se retrouvent dans la carrière de son biographe, d'abord moine à Bobbio, puis coopérateur d'un missionnaire qui frayait avec les rois et avait souffert de sa franchise prophétique.

Cependant Amand s'était réconcilié avec Dagobert, qui lui avait même, en 630, accordé l'insigne honneur de baptiser à Orléans son fils Sigebert [13]. Avec l'appui royal, il venait de fonder, entre l'Elnon et la Scarpe [14], le monastère qui porterait son nom. Ce monastère de Saint-Amand, au «marais croupissant de l'Elnon», comme dit Jonas, est le lieu où celui-ci rédigea sans doute la plus grande partie de sa *Vita Columbani*. Poursuivie pendant trois ans, cette rédaction a dû s'achever par l'Épître dédicatoire à Walbert et à Bobolène, écrite en 642. De fait, deux événements rapportés au Livre II datent certainement de 641 : la mort d'Éga, maire du palais de Neustrie, et le sacre d'Éloi comme évêque de Vermand-Noyon [15].

En remontant la Scarpe à partir de Saint-Amand, Jonas a trouvé deux lieux qui ont marqué son existence.

12. *V. Amandi* 15; HUCBALD, *V. Rictrudis* 3, dans *AS OSB* II, p. 940 (précise les motifs du bannissement). Cf. *V. Col.* II,18-20 (31-39).

13. *V. Amandi* 16. Cf. FRÉDÉGAIRE, *Chron.* 62 (ne mentionne pas Amand).

14. Mentionné tardivement dans *V. Amandi* 24 : *monasterium... Helnonem*, nom emprunté au cours d'eau qui l'arrosait (MILON, *Suppl.* 11, p. 726). Cf. *V. Col.*, Prol. (2) : *lenta palus Elnonis*.

15. Mort d'Éga : II,17 (12); cf. FRÉD. 83 (début de 641). Sacre d'Éloi : II,10 (17); cf. *V. Eligii* II,2, *PL* 87,512 B (13 mai 641).

Le plus lointain est Arras, dont il célèbre, dans sa courte *Vita Vedastis*, un illustre évêque du temps de Clovis. Bruno Krusch, qui lui a restitué cette œuvre anonyme, la croit à peu près contemporaine de la Vie de Colomban [16]. L'autre site, Marchiennes, n'est qu'à une dizaine de kilomètres de Saint-Amand. C'est là qu'en 647, une noble veuve dirigée par Amand, sainte Rictrude, fonda un monastère où elle se retira. Sa Vie, écrite par Hucbald d'Elnon, ne date que de 907, mais incorpore des informations sérieuses. Or Hucbald rapporte qu'Amand nomma supérieur, à Marchiennes, un certain Jonatus, qui y fut inhumé [17]. Cet abbé avait mission de constituer une communauté de moines, mais il préféra réunir des moniales.

Jonatus, abbé de Marchiennes, n'est-il pas notre Jonas de Bobbio ? La proximité des deux noms, dans l'entourage immédiat d'Amand, rend l'identification très vraisemblable. Dès l'époque où il écrivait la Vie de Colomban, Jonas montrait un vif intérêt pour la vie religieuse féminine, à laquelle il consacre la section centrale de son second Livre. N'est-ce pas le même intérêt qui l'aura poussé à modifier les plans de son évêque, en faisant de Marchiennes une communauté de moniales ?

En tout cas, le dernier renseignement qu'on aît sur lui recoupe en bonne partie cette notice de la *Vita Rictrudis*. Une note préliminaire de sa dernière œuvre, la Vie de Jean de Réomé, lui donne le titre d'*abbas*, sans préciser de quel monastère il était abbé [18]. C'est en novembre 659 qu'il passa à Réomé et y rédigea, à la demande des moines, la biographie du saint fondateur. La même note indique qu'il se rendait à Chalon-sur-Saône, où l'avaient envoyé ou convoqué le roi Clotaire III et la reine Bathilde sa mère, quand il fit cette halte au monastère de Saint-Jean. La direction du

16. B. KRUSCH, *Ionae Vitae Sanctorum*, Hanovre 1905, p. 295.

17. HUCBALD, *V. Rictrudis* 10. D'après *Chronicon Marcianense* I,20 (*AS OSB* II, p. 951, par. 3), le tombeau de l'abbé Jonatus se voyait encore « au temps du roi Lothaire ».

18. *V. Iohannis Reomaensis*, p. 328,8 Krusch : *Ionas abbas*.

voyage, du nord au sud, et la «fatigue» du voyageur suggèrent que le point de départ se trouvait assez loin au nord, dans le prolongement de la ligne Réomé-Chalon. Or tel est bien le cas de Marchiennes.

Il est donc assez probable que l'auteur de la Vie de Colomban a terminé sa carrière comme abbé d'une communauté double où dominait l'élément féminin, à la manière de Jouarre et de Faremoutiers. De son côté, Amand continuait à évangéliser les Sicambres et leurs voisins. L'année qui suivit la fondation de Marchiennes [19], il fut nommé évêque du diocèse de Tongres-Maëstricht, fonction dont il se démit au bout de trois ans pour reprendre sa liberté de moine et de missionnaire itinérant.

La Vie de Colomban est de beaucoup le plus important ouvrage de Jonas : quelque 150 pages de l'édition de Krusch, alors que la Vie de Vaast n'en compte qu'une dizaine, et celle de Jean une vingtaine. Cette disparité s'explique aisément. Les deux petites Vies traitent de personnages antérieurs d'un siècle et non liés à l'auteur par une relation personnelle; la *Vita Columbani* relate des faits récents, concernant des personnes qui touchent à Jonas de très près. Cependant les trois Vies ne diffèrent pas quant à l'essentiel. Si nourrie d'informations directes et d'intérêt personnel que soit celle de Colomban, elle relève du même genre que les deux autres : l'hagiographie. Avant toute analyse de son contenu, il importe de reconnaître ce propos hagiographique qui la façonne.

La *Vita Columbani* est donc une Vie de saint, et d'un si grand saint qu'il entraîne à sa suite une pléiade de saints mineurs, hommes et femmes, issus de sa grâce [20]. Comme Benoît, dans les *Dialogues* grégoriens, se dresse au-dessus

19. Fin 648-début 649, d'après A. DIERKENS, *Saint Amand et la fondation de l'abbaye de Nivelles*, dans *Saint Géry et la christianisation dans le nord de la Gaule (Ve-IXe s.)*, éd. M. ROUCHE, Lille 1986 (*Revue du Nord* 68/2), p. 325-334.

20. Cf. les formules presque identiques de I,5 (11); 14 (22); 26 (50).

d'une foule de petits thaumaturges, de même Colomban domine les figures d'Attale, d'Eustaise et de Bertulfe, des moniales d'Éboriac et des moines de Bobbio. Mais ceux-ci, à la différence des personnages secondaires de Grégoire, sont tous les disciples du héros principal, dont ils prolongent la geste merveilleuse. Aussi le géant de sainteté n'est-il pas chez Jonas, comme dans les *Dialogues*, au milieu de ses semblables, mais à leur tête, ouvrant le cortège.

Souvent appelé « saint homme » *(uir sanctus)* et plus souvent encore « homme de Dieu » *(uir Dei)*, Colomban incarne un certain type de personnage, à la fois humain et divin, qui vient en droite ligne de la Bible à travers une tradition chrétienne multiséculaire. Comme ses prédécesseurs, l'hagiographe colombanien ne se soucie aucunement de portraiturer un individu en faisant apparaître les traits singuliers de son être physique et moral. C'est presque sans le vouloir qu'il laisse entrevoir un homme rude et audacieux, au parler cru, qui traite de « chien » le roi Thierry, et ses enfants de « fils de lupanar [21] ». Ce n'est pas à de telles particularités que s'intéressent Jonas et ses lecteurs, mais au modèle idéal qui s'est une fois de plus concrétisé en cet homme tout proche d'eux. Plus le saint sera conforme à cet archétype, plus ils seront satisfaits.

Comme Moïse et Josué, Élie et Élisée, Pierre et Paul, Colomban et ses épigones manifestent leur sainteté par des miracles. Leurs vertus sont supposées, certes, mais peu mises en évidence, voire à peine indiquées. La tâche essentielle de l'hagiographe consiste à montrer la puissance divine agissant en leur faveur et à travers eux. C'est cette « vertu »-là, celle de Dieu, qui fascine auteur et lecteurs. La Vie du saint sera donc une célébration des merveilles accomplies par Dieu. En hagiographie, l'unité narrative est le récit de miracle. Rares sont les chapitres de la *Vita Columbani* qui n'en contiennent un ou plusieurs. L'ensemble se présente comme un chapelet de prodiges : une cinquantaine au Livre I,

21. I,19 (32) : *lupanaribus* ; 19 (33) : *ut erat audax atque animo uigens* ; 21 (43) : *canis... Theudericus*.

quelque soixante-quinze au Livre II, dont quarante se pressent dans la section particulièrement merveilleuse d'Éboriac.

Absorbé par le déploiement de la *uirtus diuina* qui éclate à chaque miracle, Jonas ne cherche pas à retracer l'itinéraire spirituel de son héros. Dans la geste merveilleuse de Benoît, Grégoire avait marqué les étapes, parfois tourmentées, d'une montée vers la perfection. La Vie de Colomban n'offre rien de comparable. Elle ne commence pas par une conversion, telle que celle du jeune Benoît fuyant Rome, mais par une vision maternelle qui annonce le sort d'un prédestiné. Consacré dès le sein de sa mère, l'enfant suit sa vocation sans crise, presque sans épreuve. En Irlande, la tentation féminine est rapidement écartée, comme en Bourgogne la crainte des animaux et des hommes sera aussitôt surmontée [22]. Sans secousse et sans retour en arrière, Colomban progresse sur la voie de détachement qui le mène du foyer familial à l'école de Sinell, au monastère de Comgall, à l'exil volontaire en Gaule et à la dernière pérégrination au-delà des Alpes. Étudiant et prêcheur, supérieur de cénobites et amant de la solitude, moine et prophète, ses rôles sont multiples, certes, mais aucun drame intérieur ne se joue à travers ces péripéties. Tranquillement, le saint «va de vertu en vertu», suivant un texte psalmique cher aux hagiographes contemporains et cité par Jonas lui-même [23].

Au-delà de Colomban, l'œuvre de Jonas a pour premier personnage le Seigneur. Elle veut être avant tout une épiphanie de la puissance de Dieu. On le voit bien au bref commentaire qui suit plus d'un récit de miracle. Une fois narré le prodige, l'hagiographe pousse un cri d'admiration [24]

22. I,3 (7-8), à comparer avec GRÉGOIRE, *Dial.* II,2,1-3; 8 (15).
23. II,25 (20), citant Ps 83,8, à propos de Théodoald.
24. I,7 (14) : *mira uirtus*; 12 (20) : *mira ultio*; 13 (21) : *mira uirtus*; 15 (24) : *o mira aeterni iudicis uirtus*; 16 (26) : *quantus imperantis meritus, quanta oboedientia obsequentis*; 17 (28) : *mira fides*; 22 (45) : *o mira conditoris pietas*; 27 (54) : *o mirum diuinae potentiae donum*; 27 (55) : *mira in fera oboedientia*; II,12 (5) : *mirum dictu*. Exclamation et commentaire se rencontrent souvent l'un sans l'autre.

et souligne l'intention providentielle. La bonté *(pietas)* de Dieu, la sagesse avec laquelle il intervient pour récompenser ou pour châtier, la grandeur et l'efficacité des dons qu'il accorde à ses serviteurs font tour à tour l'objet de ces réflexions émerveillées.

Mais la bienfaisance divine n'est pas le seul thème de l'action de grâces. Jonas admire aussi la grandeur de la foi des saints [25] et la puissance de leur prière [26]. A la *mira uirtus* de Dieu répond la *mira fides* des hommes. De toutes les vertus, la *fides* chrétienne est sans doute celle qu'exalte le plus la Vie de Colomban, qui apparaît dans son ensemble comme un véritable hymne à la foi. Ressort de l'existence du grand moine et de ses disciples, la foi est d'ailleurs ce qu'ils prêchent aux peuples [27]. Au monastère ou au dehors, elle unifie et polarise leur action. Ce n'est pas pour rien que Jonas commence par vanter «la foi de la nation irlandaise, plus forte que celle de tous les peuples voisins», et termine en pressant le lecteur de «croire aux merveilles accomplies par la foi [28]».

Expression de la foi, la prière concourt souvent à la production du miracle. Sans doute Colomban et les siens opèrent-ils maint prodige par la simple puissance qu'ils tiennent de Dieu [29], mais, à côté de certains cas où Jonas a pu omettre la mention de l'oraison comme allant de soi [30], les indications formelles à ce sujet sont nombreuses et variées. Çà et là, l'*oratio* ou son équivalent n'est mentionnée que d'un mot [31]. Ailleurs, le thaumaturge s'agenouille ou se

25. I,9 (16); 12 (20); 13 (21) : *fides et oratio*; 17 (28); 21 (41); 27 (54).- II,2 (3); 8 (4).
26. I,13 (21), cf. note précédente; II,9 (10).
27. I,22 (46); 27 (51-52; 56); II,8 (3).
28. I,2 (6); II,25 (24). Cf. I,1 (5) : foi des Pères.
29. I,7 (14); 11-12 (18 et 20); 15-17 (25-28); 19-20 (32; 35); 27 (53-55); 30 (60). - II,2-3 (3-4); 25 (21-22). Cf. GRÉGOIRE, *Dial.* II, 30, 2-4.
30. Ainsi I,20 (39) : les cinq frénétiques sont guéris sans la prière, mais celle-ci vient d'être mentionnée à propos des douze possédés; II,8 (5) : les deux jours de jeûne impliquent la prière.
31. I,14 (22); 20-21 (39-40). - II,8 (5); 23 (11).

prosterne à terre [32], d'autres fois il lève les yeux au ciel en signe d'anxiété ou de tristesse [33], ailleurs encore il s'adjoint tous les assistants ou tous les frères pour implorer avec plus de force [34]. Dans plusieurs circonstances, la prière s'accompagne de larmes [35], dans d'autres elle se prolonge [36] ; parfois elle est formulée dans une invocation plus ou moins originale, depuis le *Deus in adiutorium* cher à Cassien jusqu'au bel hymne à la croix prononcé par Attale mourant [37]. Plus d'une fois, le signe de croix sert d'auxiliaire à la prière ou de prière tacite [38], selon une habitude qui était particulièrement chère aux Irlandais et leur valait certaines critiques [39].

Répondant à la foi et à la prière des serviteurs de Dieu, les miracles sont destinés à les encourager au service divin. Ce sont des «exhortations» à la vie religieuse [40], qui s'adressent non seulement aux bénéficiaires immédiats et à leur entourage, mais encore aux lecteurs. Ce but parénétique est constamment affirmé, mais il apparaît de façon plus précise au Livre II. La Vie de Colomban proprement dite ne contient que peu d'éléments d'édification. Une fois passées les années de jeunesse en Irlande et le beau spectacle de la communauté ambulante en Gaule, les leçons de vie religieuse n'apparaissent qu'en passant : pauvreté héroïque des premiers temps à Annegray, obéissance ou désobéissance de tels ou tels disciples. D'ordinaire, l'enseignement qui se dégage du récit reste général : le Créateur s'occupe de

32. I,9 (16) : *genibus prouolutus*. Prosternement : I,15 (24); 21 (41); 27 (52); II,7 (1) et 25 (23).
33. I,17 (28), cf. Mt 14,19; 19 (34) et 20 (37) : anxiété; 22 (42) : tristesse; II,6 (7) et 23 (10).
34. I,7 (13) et 21 (42); II,24 (15).
35. I,17 (29) : les deux Colomban. - II,6 (7); 7 (1); 11 (1); 13 (7).
36. I,21 (42); 22 (43) : nuit de prière, sans miracle immédiat; 27 (52).
37. I,8 (15), cf. Ps 69,2; 17 (28); 20 (37); II,6 (7). Voir aussi I,25 (4) : exorcisme; II,25 (23) : «invocation du nom de Dieu».
38. I,8 (15); 21 (41). - II,2 (3); 7 (1); 19 (16). Cf. II,6 (7).
39. II,9 (9-10).
40. II,11 (1-2) : *hortamina... exhortationem*; 12 (3); 15 (9); 17 (12); 25 (17) : *exhortationem... adhortatio*.

ses serviteurs dans les petites choses comme dans les grandes, il ne les laisse manquer du nécessaire que pour leur faire largesse avec plus d'éclat, il glorifie ceux qui le glorifient [41]. Cette attentive bonté de la Providence envers les saints a pour contrepartie la sévérité des peines qu'elle inflige à leurs contradicteurs et persécuteurs. Le châtiment *(ultio)* est aussi prompt que les bienfaits merveilleux : peu d'expressions reviennent aussi souvent que *nec mora* [42], *nec morata* [43], *protinus* [44], *nec... diu* [45], *cito* [46], *mox* [47], qui marquent selon les cas cette promptitude de Dieu à exaucer ou à punir.

Tout en se prolongeant au Livre II [48], cet enseignement général y fait souvent place à une véritable catéchèse sur la vie religieuse. La vocation et la sainte mort d'Attale, l'entrée héroïque de Fare au service de Dieu, la lutte d'Eustaise pour défendre la Règle sont déjà des exemples édifiants. Mais ce sont surtout les miracles d'Éboriac qui développent ces thèmes d'édification monastique. Comme Jonas ne cesse de le rappeler [49], les prodiges qui se multiplient chez les moniales visent à accroître leur ferveur, à stimuler leur zèle, à les maintenir ou à les ramener dans le droit fil de leur vocation. Cette pédagogie divine utilise le plus puissant des moyens éducatifs : la mort. Chacun des douze chapitres, auxquels s'ajouteront les fins bénies d'Agibod et de Théodoald de Bobbio, relate une ou plusieurs morts, parfois terrifiantes, le plus souvent consolées et il-

41. I,9 (16); 14 (22); 15 (23; 25); 16 (26); 17 (28); 22 (45); 23 (47); 26 (50); 27 (54).
42. I,22 (44); 23 (47); 27 (52); 28 (57). - II,1 (2); 15 (10).
43. I,19 (34). - II,12 (4); 17 (12) : *nec morata diu.*
44. II,7 (1).
45. II,18 (13). Cf. II,17 (12) : *nec morata diu... non diu.*
46. I,20 (37) : *cito Dominum... ultionem daturum.*; II,17 (12). Le mot *ultio* revient douze autres fois; cf. Ac 28,4 *(dikè).*
47. I,20 (38); 21 (40). - II,4 (5); 12 (4); 17 (12); 24 (14-15); 26 (16).
48. A propos des miracles d'Attale, Eustaise, Bertulfe et autres moines de Bobbio.
49. II,11 (2); 12 (5); 15 (9); 17 (12); 18 (13). De même déjà II,8 (4), et plus loin II,23 (11); 25 (17 et 19-20).

luminées, toujours porteuses d'une leçon édifiante. Maint élément de la vie religieuse est personnifié par ces moniales, dont le trépas vient sanctionner la conduite exemplaire : fermeté inébranlable et charité héroïque de Gibitrude, patience et pénitence d'Ercantrude, influence bienfaisante de Deurechilde, innocence d'Ansitrude et de sa petite compagne face à l'orgueilleuse Domma, nécessité de la persévérance et de la confession [50], gravité des transgressions alimentaires dissimulées [51]. Là même où aucune vertu particulière de la défunte n'est signalée, comme c'est le cas dans le premier récit et dans plusieurs autres, la mort elle-même inculque la plus importante des leçons, à savoir que la vie monastique conduit ceux et celles qui la mènent fidèlement à un au-delà infiniment heureux et glorieux.

Passage de la misère d'ici-bas à cette splendeur, la mort doit être «préparée» comme tout voyage [52], et c'est pourquoi des prémonitions sont adressées aux partants. Attale est alerté cinquante jours avant sa mort, et le ciel s'ouvre à lui en une vision la veille du départ; Sisetrude reçoit un préavis de quarante jours, auquel s'ajoute un enlèvement anticipé trois jours avant sa fin; Gibitrude est pareillement emportée au ciel et renvoyée pour six mois sur terre; Wilsinde, en pleine activité, pressent que la mort approche; Leudeberte entend dans son sommeil une voix qui lui dit de se tenir prête [53]. Tantôt laissés à l'initiative du voyant, tantôt indiqués par la voix d'en haut, ces préparatifs consistent notamment à jeûner, veiller et prier [54],

50. II,19 (14-15); 22 (21).

51. II,22 (20-21). Dans le premier cas, la mort de la coupable n'est pas expressément indiquée, mais elle est suggérée par la mention des peines de l'au-delà que lui ont évitées celles d'ici-bas.

52. II,5 (6) : *paratum in omnibus iter... iter pararet*; 11 (1); 17 (12); 18 (13).

53. II,5-6 (6-7); 11 (1-3); 12 (4-5); 17 (12); 18 (13). Cf. II,10 (18) : Eustaise est invité à choisir entre 30 et 40 jours de maladie plus ou moins dure; 15 (9) : Deurechilde est avertie la veille; 22 (21) : Beractrude est punie un peu avant sa mort; 25 (18-19) : Agibod, enlevé au ciel, est renvoyé sur terre pour le viatique et les adieux; 25 (20) : Théodoald «a vu son trépas venir», sans qu'on sache comment.

54. II,5 (6) : Attale; 11 (2) : Sisetrude.

à pardonner aux sœurs [55], à obéir strictement à la Mère [56] : autant de devoirs de la vie religieuse rappelés aux survivants. Parfois le Seigneur se contente d'infliger des peines purifiantes *(flagella)*, qui tiennent lieu de préparation active [57].

En centrant sur la mort tout cet enseignement sur la vie religieuse, Jonas donne à celle-ci une orientation eschatologique des plus nette. Consécration à Dieu et rupture avec le monde vont de pair [58]. Le monachisme est une option totale pour l'au-delà. Ce choix du Dieu invisible et de la vie éternelle qu'il promet est récompensé dès ici-bas par des signes surnaturels de la faveur divine. Ces «dons» du Seigneur, si souvent célébrés par Jonas, sont tout l'ensemble des *uirtutes* – à la fois vertus et miracles – dont il «orne» ses saints, faisant de ceux-ci les «ornements de sa gloire [59] ». Mais si un thaumaturge comme Colomban peut semer les prodiges dans l'existence quotidienne, les saintetés de moindre envergure se manifestent surtout à cette jointure du monde présent et de l'autre qu'est la mort. Au chevet des mourants, les merveilles se multiplient : visites des saints et du Christ lui-même, invisibles à tout autre qu'au partant [60], «splendeur» ou nuée lumineuse [61], chant des anges [62], odeurs délicieuses [63], dons de clairvoyance, de prophétie ou de connaissance [64], rien ne manque à cette transfiguration de la mort, devenue le grand événement «heureux», «joyeux» même, auquel tend toute la vie [65].

55. II,12 (4) : Gibitrude.
56. II,18 (13) : Leudeberte. Cf. II,25 (19-20) : obéissance d'Agibod et de Théodoald.
57. II,10 (18) : Eustaise; 15 (10) : mère de Deurechilde. Cf. II,13 (6) : *flagella* d'Ercantrude enfant; 22 (20) : *poena, ultio, correptio* des deux coupables.
58. II,12 (5); 13 (7). Cf. II,15 (10).
59. II,6 (7), citant Jb 26,13 : *Spiritus eius ornauit caelos*; 15 (9) : *maiestatis suae ornamentum*.
60. II,15 (10); 17 (12); 18 (13). Cf. II,21 (19).
61. II,13 (7); 20 (18).
62. II,13 (7); 14 (8); 17 (12) : *angelorum coetus... canentes*; 20 (18).
63. II,12 (5); 16 (11); 17 (12).
64. II,13 (7); 16 (11); 17 (12).
65. Voir surtout II,25 (20) : *laetitia* (c'est la dernière mort). Le refrain *felicem exitum* revient en II,12 (5); 13 (7); 21 (19); 25 (19). Cf. I,17 (29).

Cependant la mort est aussi le grand châtiment dont Dieu use pour venger ses saints ou amener les pécheurs à résipiscence. Les morts punitives abondent dans la Vie de Colomban. Après les victimes du Livre Ier – souverains mérovingiens, garde brutal de Nevers [66] –, ce sont en Gaule les majordomes Garnier et Éga, persécuteurs d'Eustaise et de Fare, en Italie les agresseurs de Blidulfe et de Mérovée [67]. Les communautés monastiques ne sont pas épargnées, qu'il s'agisse des adversaires d'Attale à Bobbio ou de ceux de la Règle à Remiremont, auxquels s'ajoute l'apostat Agrestius [68]. A Éboriac même, deux pécheresses impénitentes sont emportées par les démons et consumées dans leur tombe, tandis que Beractrude et la mère de Deurechilde échappent de justesse au même sort [69].

Le diable est en effet très actif dans les monastères. Cet «antique serpent», comme Jonas aime l'appeler [70], se montre peu au Livre Ier, où il ne fait guère que décocher quelques flèches au jeune Colomban et déchaîner contre le vieux moine la colère de Brunehaut [71]. Mais au Livre II, il est à l'origine des révoltes monastiques d'Italie et de Gaule, aussi bien que de la persécution de l'évêque Probus [72]. A Faremoutiers surtout, il intervient souvent. Les deux tiers des mentions que Jonas fait de lui se trouvent rassemblés dans cette section sur les moniales d'Éboriac. C'est lui qui dresse les parents de Gibitrude contre la vocation de leur fille, tente de ramener dans le monde la mère de Deurechilde, fait sauter la clôture à deux groupes de mauvaises religieuses,

66. I,21 (40); 29 (58). Cf. I,28 (57).

67. II,9 (10); 17 (12); 24 (15); 25 (16). Cf. II,12 (3-4) : maladies punissant les parents de Gibitrude.

68. II,1 (2); 10 (15-16).

69. II,19 (15-17). Cf. II,15 (10) et 22 (21).

70. *Antiquus anguis* : I,18 (31); II,1 (2); 19 (15); 22 (20); 23 (4). Cf. *antiquus hostis* : I,3 (7); *anguis* : II,19 (13), cf. Jb 26,13; *laetifer anguis* : II,19 (15); *liuidus... chelidrus* : II,9 (6); *callidus hostis* : II,2 (3) et 12 (3); *temptator* : II,15 (9), à côté de l'usuel *diabolus* : I,27 (53); II,19 (14-15); 22 (20-21).

71. I,3 (7) et 18 (31). Cf. I,27 (53) : le vase de Bregenz.

72. II,1 (2); 9 (6); 23 (4).

excite les appétits désordonnés de Beractrude et d'une autre moniale [73].

Si l'on ajoute à ces victimes du diable les coupables démasqués par Ercantrude et par Wilsinde [74], l'orgueil de Domma [75], les faiblesses de certaines saintes [76], il apparaît que Jonas n'a pas trop idéalisé cette communauté de moniales où se sont opérées tant de merveilles. Qu'il s'agisse de femmes ou d'hommes, son image du monde monastique reste réaliste et humaine. Il parle de moines peu obéissants au temps de Colomban, d'autres révoltés contre ses successeurs. Comme Brunehaut était une «seconde Jézabel», Agrestius et Plaureius font figure de nouveaux Judas, l'un par sa trahison, l'autre par son suicide [77].

Pour revenir aux miracles d'Éboriac et aux autres récits de morts extraordinaires, aucun lecteur de Grégoire le Grand ne peut manquer d'y reconnaître maint écho des *Dialogues*. Bien que ce pape, qui correspondit avec Colomban, ne figure pas parmi les auteurs dont Jonas invoque le patronage dans sa Préface, la comparaison des textes montre avec certitude que le Quatrième Livre des *Dialogues* a été utilisé dans les deux dernières sections de la *Vita Columbani* [78]. Ces traces indubitables rendent vraisemblable une influence plus générale de l'hagiographie grégorienne sur celle de Jonas. Nous avons noté plus haut une ressemblance entre la Vie de Colomban et les *Dialogues*. Elle n'est sans doute pas fortuite.

Un autre contemporain, plus récent encore, semble avoir influencé le biographe de Colomban. Plusieurs passages ou expressions de celui-ci ressemblent de façon précise à

73. II,12 (3); 15 (9); 19 (14-15); 22 (20-21).
74. II,13 (7); 17 (12).
75. II,16 (11).
76. II,12 (4); 13 (6).
77. Agrestius : II,9 (6) et 10 (13); Plaureius : II,10 (15). Cf. I,18 (31) : Brunehaut.
78. Voir les notes. De plus, l'histoire du renard, en II,25 (22), fait penser à *Dial.* I,9,15 et 18.

la Règle pour moniales attribuée par Benoît d'Aniane à «un Père» et très vraisemblablement due à Walbert de Luxeuil [79]. Ce dernier l'ayant sans doute écrite au temps où il dirigeait Faremoutiers, c'est-à-dire avant 629, il est probable que Jonas en a pris connaissance lors d'un de ses séjours chez les moniales et s'en est souvenu en rédigeant la Vie de Colomban.

Quant aux autres sources littéraires de l'œuvre, elles consistent avant tout dans l'Écriture Sainte, modèle avoué de certains miracles [80], et dans les textes patristiques que cite la Préface du Livre I : œuvres d'Athanase, de Jérôme et de Sulpice Sévère, Vies d'Hilaire, d'Ambroise et d'Augustin. Cependant, sauf exception [81], ces ouvrages hagiographiques n'ont pas été imités de très près, Jonas étant un écrivain original. Outre la *Vita Desiderii* du roi Sisebut, mentionnée en passant, il cite Virgile, Tite Live et Juvencus [82]. A sa citation explicite des Bucoliques se joignent des réminiscences des Géorgiques et de l'Énéide [83]. Sa culture profane s'étend à César, Ovide, Varron, sans compter les auteurs, connus ou non, mis à contribution dans des passages érudits comme sa note sur la *ceruisia* [84] et son premier poème. On peut encore signaler dans la Vie de Colomban des échos de Jérôme et d'Augustin, de l'*Historia monachorum* et des *Vitae Patrum*. Mais tout cela, répétons-le, reste discret, l'auteur usant habituellement d'indépendance, même quand il emprunte.

Relativement cultivé, Jonas n'est pas pour autant un bon écrivain. Du point de vue de l'art classique, sa prose

79. Triple confession quotidienne : II,19 (15); utilisation de Ps 118,66 : II,1 (4); prier avant de recevoir un présent : I,22 (45); formule *de quorum religione nihil dubitabatur* : I,10 (17), etc.; expression *religionis cultus* : I,5 (11), etc.; vivre pour le Christ, non pour soi : II,13 (7); expression *religiosae et Deo dicatae animae* : I,3 (7). Voir les notes.

80. I,17 (28); 27 (54). Cf. I,11 (18) : «manne».

81. La plus frappante est peut-être l'exorcisme de I,25 (49), manifestement calqué sur deux passages de Sulpice Sévère.

82. Virgile : Prol. (4); Tite Live : I,3 (7); Juvencus : I,14 (22).

83. Voir notre Index. Tite Live est aussi cité implicitement : I,30 (60).

84. I,16 (26).

est pleine de défauts, dont le plus criant est la répétition. Celle-ci va parfois jusqu'à employer le même mot dans la même fonction et dans la même phrase. Morphologie et syntaxe sont souvent incertaines. La prétention du style, notamment dans les évocations poétiques [85], va de pair avec sa pauvreté.

Mais tout en étant, dans le détail, un prosateur médiocre, Jonas a réalisé une œuvre littéraire remarquable. Dans le désert du VIIe siècle, où ne poussent que des arbres nains, il fait figure de géant. Non seulement la Vie de Colomban tranche sur ses semblables par son ampleur, mais elle témoigne d'une réelle capacité de composer. Adaptant à sa matière les canons de l'hagiographie traditionnelle, Jonas a produit un ouvrage original, dont la structure et la facture ne se ramènent à aucun modèle connu [86]. Sa riche prosopographie, sa topographie précise, ses données historiques assez nombreuses, même si elles manquent parfois de cohésion ou d'exactitude, en font une source importante pour la connaissance de l'époque. Son récit des démêlés de Colomban avec le roi Thierry est si intéressant qu'un « Frédégaire », une dizaine d'années après la *Vita Columbani*, a cru bon de l'insérer presque en entier dans sa sèche Chronique [87], la seule que nous ayons pour ce temps, où il brille de façon unique comme un morceau de choix. Au-delà de cette citation insigne, on en trouve mainte autre, explicite ou inavouée, dans l'hagiographie ultérieure. Par la grandeur de son sujet, mais aussi par le talent de son auteur, la Vie de Colomban et de ses premiers disciples a marqué la littérature de cette époque, à la fois culturellement décadente et religieusement débordante de vie.

85. Comme celles de la mer et de la nuit : I,4 (10) ; II,13 (7). Voir aussi celles de l'aurore en II,2 (3). Selon C. MOHRMANN, *The Earliest Continental Irish Latin*, dans *Vigiliae Christianae* 16 (1962), p. 216-233 (voir p. 230), Jonas joint à son latin vulgaire d'Italie du Nord un maniérisme irlandais dû à l'influence de Colomban (mots grecs ou poétiques ; expressions rhétoriques insolites).

86. La division en deux livres rappelle les Vies de Césaire et de Radegonde, mais celles-ci ont un seul héros et plusieurs auteurs, tandis que Jonas, auteur unique, célèbre plusieurs personnages.

87. I,19-20, reproduit par FRÉD. 36.

II

LE DESSEIN DE JONAS : COLOMBAN ET LE MOUVEMENT COLOMBANIEN

Quand Jonas se met à rédiger, vers 640, sa Vie de Colomban, un quart de siècle s'est écoulé depuis la mort du saint. Entré à Bobbio peu après celle-ci, le biographe n'a pas connu son héros. Mais il a vécu pendant près de vingt-cinq ans avec les compagnons de Colomban [1], au lieu même où ce dernier s'était éteint, et au moins à partir de 639 [2], ses travaux apostoliques auprès d'Amand dans le nord de la France lui ont permis de visiter les monastères de ce pays et d'y rencontrer les disciples du fondateur qui survivaient [3]. Ancien homme de confiance de l'abbé Attale [4], le premier successeur de Colomban à Bobbio, il était bien placé à tous égards pour connaître l'histoire qu'il allait raconter.

1. Ces premiers moines de Bobbio étaient sans doute les Irlandais et les Bretons expulsés de Luxeuil avec Colomban, sauf Potentin parti pour Coutances et Gall resté dans la région de Bregenz. De plus, Colomban avait reçu à Metz un renfort de Francs venus de Luxeuil. D'autres ont pu le rejoindre au temps de la visite d'Eustaise.

2. Il est presque certain que Jonas était déjà venu en France avant cette date. D'une part, en effet, il était le secrétaire d'Attale, qui rendit visite à Luxeuil (II,23). D'autre part, il semble avoir reçu des informations de vive voix *(cognouimus referentem)* de Chagnoald (I,15) et d'Eustaise (I,27). Or le premier est mort avant 633/634 (Krusch, p. 185, n. 1), le second en 629, et l'on ne sait rien de visites ou de séjours de ces deux hommes à Bobbio après 615. Compagnon de Colomban à Bregenz (I,27-28), Chagnoald est-il resté avec lui en Italie ? On peut en douter, puisqu'il devint évêque de Laon avant 626/627.

3. Tels Sonichaire et Gall (I,11), Théodegisile (I,15). Cf. I,14 (Donat); II,8 (Salaberge).

4. II,2 (il est «au service» du saint) et 9 (Attale lui confie la lettre d'Agrestius).

Vingt-cinq ans : ce laps de temps est aussi celui qu'a couvert la phase continentale de la vie de Colomban, depuis son arrivée en Gaule jusqu'à sa mort en Italie (590-615). Or cette dernière phase, nous allons le voir, est la seule qui intéresse Jonas, la vie du saint en Irlande n'étant à ses yeux qu'une préparation à la *peregrinatio* du fondateur de Luxeuil et de Bobbio. Pour l'essentiel, les deux livres de la *Vita Columbani* survolent donc deux périodes à peu près égales, séparées par la mort de Colomban. Le premier raconte sa vie, le second sa survie : après les miracles du saint, le sort de son œuvre et les merveilles accomplies par ses disciples.

Cette organisation de l'ouvrage répond à un dessein personnel de Jonas. Ce que lui ont demandé son abbé et ses frères – il le rapporte lui-même dans son Prologue –, c'est seulement d'écrire la Vie de Colomban. De son propre chef, il a cru bon d'y ajouter l'histoire d'Attale et d'Eustaise, des religieuses d'Éboriac et des moines de Bobbio. Cette continuation de la biographie du fondateur, qui fait penser à l'hagiographie pachômienne et à la *Vie des Pères du Jura*, n'est pas seulement due à l'intérêt évident que prend l'auteur à narrer des faits contemporains, auxquels il a été personnellement mêlé. Elle est aussi commandée par une vision du destin de Colomban, tant ici-bas qu'après sa mort. Pour Jonas, le mouvement colombanien est inséparable de Colomban.

Cette option en faveur de la postérité vivante du saint se dessine tout au long du Livre Ier, mais c'est à la fin de celui-ci qu'elle s'affirme en toute netteté. Arrivé aux derniers jours de son héros, Jonas les expédie avec une rapidité surprenante. En deux phrases, il nous dit que Colomban mourut un an après la fondation de Bobbio, un 23 novembre, et que ses restes, ensevelis sur place, font des miracles [5]. Étrange conclusion pour une grande vie de saint comme celle-là ! Mais justement, aux yeux de Jonas, il ne s'agit pas d'une conclusion. L'histoire de Colomban n'est pas achevée. L'œuvre pour laquelle il s'est dépensé, les fruits de sa *pere-*

5. I,30; les *dicta* (écrits) du saint sont mentionnés entre les deux phrases.

grinatio, ces deux monastères qu'il a fondés, continuent de vivre. Il avait déjà quitté Luxeuil, il vient de quitter Bobbio. L'une et l'autre communauté reste animée par son souvenir et par sa Règle.

Jonas a donc escamoté la mort de Colomban et ses miracles posthumes, pour s'attacher à l'histoire de ses disciples, qui constitue sa vraie survie. Peut-être la fin du saint abbé avait-elle été trop rapide pour donner lieu à un récit de quelque importance. Mais on dirait aussi que le biographe ne veut pas s'y attarder. Des morts édifiantes, voire spectaculaires, il en a plusieurs à raconter, dont certaines se sont produites sous ses yeux. Le grand départ du saint, avec annonce et préparatifs, adieux et recommandations solennels, pressentiments de l'au-delà et signes de la faveur divine, c'est Attale qui l'aura au début du Livre II, en attendant que Faremoutiers et Bobbio déroulent leur série de trépas bénis. Ce dernier livre est rempli d'eschatologie [6], un peu comme le quatrième des *Dialogues* grégoriens.

La vie et la mort des saints moines et moniales issus de Colomban : voilà donc ce que Jonas a hâte de raconter, dès qu'il a enterré son héros. Quant aux *uirtutes* (miracles) du défunt, il lui suffit de les mentionner d'un mot. Cette simple allusion globale a dû décevoir maint lecteur. L'œuvre d'un Grégoire de Tours et la littérature hagiographique des siècles suivants attestent l'extrême popularité de la tombe des saints, source toujours jaillissante de guérisons et de merveilles variées. Dans l'intérêt du monastère de Bobbio, il pouvait être utile de narrer quelques-unes de ces «vertus». Mais l'intérêt de Jonas se porte ailleurs. Les vraies «reliques» de Colomban sur cette terre, ce sont, avec ses écrits [7], les hommes et femmes qui vivent de son enseignement et de son exemple.

6. Curieusement, toutefois, il s'achève par des miracles en pleine vie (II,25).
7. Mentionnés, sous le nom de *dicta*, juste avant les reliques (I,30).

Cette nombreuse et vigoureuse descendance, dont les hauts faits remplissent le Livre II, toute l'histoire de Colomban au Livre Ier tend à la susciter, en préparant tour à tour les deux champs où elle se lèvera : la France de l'Est et l'Italie du Nord. En effet, après son préambule irlandais, la Vie de Colomban est formée de deux parties inégales – la première est bien plus brève que la seconde –, ayant pour pôle respectif Luxeuil (I,4-17) et Bobbio (I,18-30). Du point de vue de la durée, ce partage ne se justifie aucunement : la première partie, celle du séjour en Gaule, s'étend sur vingt ans (590-610), tandis que la deuxième, celle de l'acheminement vers l'Apennin, n'en couvre que huit (608-615). Si Jonas, au mépris du nombre des années, a tellement privilégié la seconde, ce n'est pas seulement parce qu'elle abondait en événements publics et en faits merveilleux, mais aussi parce qu'elle aboutissait à la fondation de sa propre communauté sur les bords de la Trebbia, théâtre futur d'une geste qui ne le céderait en rien à celle des Colombaniens d'outre-monts.

Inégales quant au temps écoulé, les deux sections de la Vie de Colomban ne sont pas moins dissemblables quant aux faits rapportés et à la nature du récit. Dans la première, le saint, une fois arrivé dans les Vosges, apparaît comme un moine passionné de solitude, sans rapports avec le monde et ne sortant jamais du triangle de ses fondations. Dans la seconde, il court les routes, allant aux villas de Bourcheresse et d'Époisses, descendant la Loire et remontant le Rhin, visitant trois cours royales ; en même temps, le moine se change en prophète, et son existence se mêle à la trame des événements politiques.

A ce changement de rôle du héros, correspond un changement de méthode du narrateur. Autant, dans la première section, la chronologie reste vague et sans importance, autant, dans la seconde, la suite des faits devient serrée. Dans le désert des Vosges, le temps était comme suspendu. Entre les vingt miracles que Colomban accomplit là, il n'y a, pour ainsi dire, ni avant ni après [8], les trois fondations successives – Annegray, Luxeuil, Fontaines – formant la seule séquence manifeste. Au contraire, la seconde section suit un fil historique ininterrompu. Chacun des trente miracles se place en un moment défini, correspondant à une étape de la pérégrination du prophète. C'est à peine si à Bregenz, nouveau désert, on retrouve un instant le temps intemporel de Luxeuil.

Le moine et la vie monastique, le prophète et la politique : tels sont donc les deux tableaux contrastés que Jonas présente tour à tour. Luxeuil est proprement le théâtre où Colomban se montre comme moine, Bobbio n'étant que le but invisible auquel tend son existence mouvementée de prophète. Mais si bref que doive être son séjour dans cette terre promise, où il ne fera guère qu'arriver et mourir, c'est bien vers elle qu'il est en marche dès son départ de Luxeuil. Aux fonctionnaires chargés de le renvoyer en Irlande, il prédit que le bon plaisir de Dieu n'est pas qu'il rentre au pays natal, et il affirme à ses moines que leur séparation a pour but providentiel la multiplication des communautés monastiques. A Dieu, il demande solennellement de « préparer un lieu opportun où ils pourront le servir à jamais, lui et ses frères [9] ». Quittant les Vosges comme il y était venu, avec ses seuls compagnons irlandais et bretons, il repart visiblement pour une nouvelle fondation, analogue à celle de Luxeuil.

A Nantes, quand le bateau est repoussé par la mer, le dessein de la Providence se confirme : ce n'est pas la volonté de Dieu qu'il retourne dans sa patrie [10]. Bientôt le nom de la terre promise est prononcé : Italie [11]. Tendu vers elle, Colomban ne s'en laisse détourner ni par les offres de

8. Sauf les deux interventions providentielles en faveur d'Annegray affamé, caractéristiques des débuts (I,7). On trouve la même sortie du temps chez GRÉGOIRE, *Dial.* II,4-7 (miracles de Subiaco).

9. I,20 (36-37).

10. I,23 (47).

11. I,25 (49).

Clotaire, ni par celles de Théodebert. Trop proche, la Neustrie du premier ne satisfait pas son désir d'exil pour Dieu [12]. Quant aux confins de l'Austrasie, où il accepte de s'établir provisoirement pour prêcher aux païens, il déclare dès son arrivée à Bregenz qu'il ne s'y trouve pas bien et n'y restera que peu de temps. La volonté divine le garde non seulement des sollicitations des rois, mais encore de ses propres mirages : tenté d'aller prêcher aux Slaves, il en est détourné par la vision d'un ange [13]. La victoire de Thierry sur Théodebert, qui l'expose à un nouveau renvoi en Irlande, n'est que l'occasion qu'il saisit pour exécuter son dessein, bien arrêté depuis longtemps, de passer les Alpes [14]. Et quand Clotaire triomphant le rappelle en Gaule, Colomban refuse : il ne reviendra pas plus à Luxeuil qu'à Bangor. La destinée de ce pèlerin est d'aller de l'avant, sans jamais retourner en arrière.

La brièveté des jours passés à Bobbio ne doit donc pas faire illusion. Toute la geste prophétique de Colomban est orientée vers ce terme et en reçoit une portée proprement monastique. A elle seule, l'année que le saint passa à Bobbio vaut les vingt écoulées à Luxeuil, comme Jonas le montrera au Livre II en donnant une importance à peu près égale aux événements de Gaule et d'Italie.

Au reste, cette seconde partie de la Vie de Colomban, où il voyage et prophétise, amorce non seulement la geste des saints abbés et moines de Bobbio, placée aux deux extrémités du Livre II, mais encore les miracles d'Éboriac (Faremoutiers), qui rempliront une grande partie de la portion centrale du Livre. Entre Paris et Metz, Colomban passe à Meaux, et là il bénit la petite Burgondofare, future fondatrice de Faremoutiers [15]. C'est à Eustaise, son successeur

12. I,24 (48) : *ob suam peregrinationem augendam.*
13. I,27 (53 et 56).
14. I,25 (49) et 30 (59).
15. I,26 (50).

à Luxeuil, qu'il reviendra de mener cette vocation à maturité, mais elle est issue de la bénédiction du Père, impartie au cours de sa vie itinérante d'exilé.

Vécu par Colomban comme une violence et un arrachement, le départ de Luxeuil a donc été doublement fécond pour le monachisme, en France et en Italie. Cette communauté de Faremoutiers, qui va occuper tant de place au dernier Livre, n'est d'ailleurs pas la seule semence jetée sur le sol franc par le vieil abbé en voyage. A son passage dans la vallée de la Marne, il bénit deux autres enfants, Ado et Dado, qui fonderont «sous la Règle du bienheureux Colomban» les monastères de Jouarre et de Rebais. Sans préluder, comme la rencontre avec Burgondofare, à un développement littéraire de Jonas au Livre II, cette notice sur les origines des deux communautés voisines de Meaux achève de donner à cette section de la Vie son importance pour l'essor du monachisme. De même que Colomban, à Luxeuil, a suscité en la personne de Donat et des siens les futurs fondateurs de trois monastères dans le Jura, de même son errance à demi forcée engendre les trois grands centres colombaniens de la Brie [16].

Si chargée qu'elle soit de signification monastique, cette seconde partie n'en est pas moins caractérisée par une activité prophétique qui captive l'attention. Prophète, Colomban l'est à la fois par les semonces qu'il adresse aux rois et par les prédictions qu'il profère sur leur mort. Nous reviendrons sur ce ministère charismatique qui fait de lui, qu'il le veuille ou non, un acteur politique redoutable. A présent, il suffit de relever la série de prophéties qui jalonnent son voyage. Au plus fort de sa querelle avec Thierry, il a déjà menacé d'extermination le roi et sa descendance. Après l'expulsion de Luxeuil, la menace se change en annonce, et une date est donnée : dans trois ans, le

16. Comparer I,14 (22) et 26 (50). Un jour, Eustaise guérira «Agile, qui est à présent le supérieur du coenobium de Rebais» (II,8).

royaume de Bourgogne tombera aux mains de Clotaire[17]. Émise pour la première fois à Auxerre, cette prédiction des «trois ans» est répétée d'abord à Tours, où Colomban précise que Thierry et tous ses enfants périront, et un peu plus tard en présence de Clotaire lui-même[18]. Enfin Colomban annonce son sort au malheureux Théodebert, dont il verra en esprit la défaite définitive à Zulpich[19].

Quant à la fin plus tragique encore de Brunehaut, le prophète ne l'a pas prédite. Mais la vieille reine a eu droit à la première des prophéties concernant ses arrière-petits-fils : c'est à elle que Colomban a d'abord signifié la déchéance de ces bâtards. Et c'est en la traitant, juste avant ce récit, de «deuxième Jézabel» que Jonas a fait surgir aux yeux du lecteur la figure d'Élie, qui va s'imposer dès lors comme le prototype de la carrière prophétique du saint[20].

Luxeuil et Bobbio, stabilité et mobilité, monachisme et prophétisme : pour réduire la vie de son héros à ces deux parties si bien articulées, Jonas a dû comprimer quelque peu ce qui les précède. Les années de Colomban dans sa patrie ne sont pour lui qu'un préambule où l'homme de Dieu se forme, mais n'opère encore aucun miracle[21]. Deux données chronologiques du récit tendent à rapetisser étrangement cette préhistoire irlandaise et à allonger la période franque.

En affirmant que Colomban quitta l'Irlande à vingt ans et qu'il arriva en France sous le règne de Sigebert[22], qui mourut en 575, Jonas commet deux erreurs apparem-

17. I,19 (33) et 20 (39). Une prophétie mineure, sur le châtiment d'un garde brutal, suit celle d'Auxerre sur Clotaire : voir I,21 (40).
18. I,22 (43) et 24 (48).
19. I,28 (57).
20. I,18 (31) : *secundae... Zezabelis*; 19 (32).
21. C'est à partir de son arrivée en Gaule que Colomban commence à être appelé *uenerandus uir, beatus uir, uir sanctus* (I,5-6). Quant à *uir Dei*, ce titre ne lui est donné qu'au moment où il fait son premier miracle (I,7).
22. I,4 (10) et 6 (12).

ment corrélatives. Dans une lettre envoyée en 603 aux évêques de Gaule, Colomban dit qu'il a vécu douze ans dans leur pays. En même temps, il se décrira, lui et ses compagnons, comme «des vétérans pauvres et de vieux étrangers [23] ». La première de ces indications reporte son arrivée en France à une quinzaine d'années après la mort de Sigebert. Moins précise, la seconde laisse entrevoir qu'il avait alors bien plus de vingt ans, ce que confirmera, une dizaine d'années plus tard, le poème *Ad Fidolium*, où Colomban se donne environ soixante-dix ans [24] .

D'après ces données solides, le fondateur de Luxeuil a donc quitté l'Irlande vers 590, âgé de près de cinquante ans. En avançant son départ de quelque vingt ans et en rajeunissant l'émigrant d'une trentaine d'années [25] , Jonas diminue singulièrement le temps passé au pays natal et accroît celui du séjour en Gaule.

Le fait que Jonas ne mentionne pas Gontran, roi de Bourgogne jusqu'en 593, est peut-être dû à la connaissance imparfaite que cet Italien avait de l'histoire franque [26] ; au reste, il se montre ailleurs conscient de la vraie durée de la présence du saint en Bourgogne [27] . Le jeune âge de Colomban arrivant en France est une affirmation plus surprenante de la part d'un membre de la famille colombanienne.

23. *Ep.* 2,6.

24. *Ad Fidolium*, v. 163 : «dix-huitième olympiade» (de 68 à 72 ans).

25. *Vicesimum*, en I,4 (10), est mieux attesté que *tricesimum*, qui ne rajeunirait Colomban que d'une vingtaine d'années.

26. Krusch (p. 54-55) conjecture que Jonas connaissait seulement les six premiers livres de l'*Historia Francorum* de Grégoire de Tours, les quatre suivants faisant défaut dans certains manuscrits. De ce fait, il n'avait peut-être qu'une idée confuse des années 584-592. Cependant la mention de Sigebert, mort en 575 (*Hist. Franc.* 4,52 ; cf. *Vita Col.* I,18), reste inexpliquée. A ce sujet, voir K. SCHÄFERDIEK, *Columbans Wirken*, p. 174-177. - Natif de Suse, Jonas avait certes quelques raisons de connaître l'histoire franque mieux que d'autres Italiens, puisque cette ville fut cédée aux Francs par les Lombards (FRÉDÉGAIRE, *Chron.* 45). Mais cette cession eut lieu à peu près au moment où il se fit moine, de sorte qu'il n'en a sans doute guère tiré profit.

27. Il dit que Colomban, à son expulsion de Luxeuil (610), «était dans la vingtième année de son séjour en ce désert», ce qui présuppose son arrivée en 591.

Quel qu'en soit le motif, on ne peut s'empêcher de la mettre en rapport avec deux autres données de la Vie. D'abord l'égale durée de vingt années que Jonas assignera plus loin, en harmonie cette fois avec le propre témoignage de Colomban, au séjour du saint dans le désert des Vosges [28]; le temps passé en Irlande n'a-t-il pas été mesuré à l'aune du temps passé en Bourgogne ? Ensuite l'absence de tout miracle dans le récit des années irlandaises de Colomban. En avouant que le saint avait quitté l'Irlande à près de cinquante ans, l'hagiographe se mettait dans une situation embarrassante : comment expliquer que l'homme de Dieu eût tardé si longtemps à se manifester par des signes ? Cette obscurité où Colomban était resté dans sa patrie se comprenait mieux s'il n'était encore qu'un adolescent.

Jonas pourrait avoir cédé à la même tentation que Sulpice Sévère, qui escamote pareillement les vingt années passées par Martin dans l'armée romaine. A lire candidement la *Vita Martini*, il semble que le héros s'est mis à servir Dieu peu après son baptême, à l'âge de vingt ans [29]. Serviteur de Dieu, Colomban l'était certes depuis plusieurs années déjà en vertu de sa profession monastique [30], mais comme Martin, c'est à vingt ans qu'il accomplit l'acte irréversible qui fera de lui un saint patenté : non pas l'engagement baptismal ni même l'entrée au monastère, devenus l'un et l'autre trop communs, mais le départ au grand large, le début de l'héroïque «pérégrination».

28. I,20 (38). Voir note précédente.

29. SULPICE SÉVÈRE, *Vita Mart.* 3,6 (cf. 2,5-6), avec le commentaire de J. FONTAINE. Celui de É. GRIFFE, *En relisant la «Vita Martini» de Sulpice Sévère*, dans *Bull. Litt. Eccl. Toulouse* 70 (1969), p. 184-198, innocente Sulpice de tout mensonge, mais reconnaît aussi qu'il a «glissé sur les vingt années de service» de Martin à l'armée.

30. I,4 (9) : *peractis itaque annorum multorum in monasterio circulis*. Si l'on traduit «beaucoup d'années», on peut voir là un démenti discret de l'affirmation ultérieure selon laquelle Colomban n'avait que vingt ans à son départ de Bangor (10). Mais «plusieurs années» paraît préférable, car Jonas s'exprimera de même *(per multorum circulis annorum)* à propos des quelque trois ans qui séparèrent le concile de Mâcon de la mort d'Eustaise (II,10).

De quelque façon que s'explique cette compression des années de jeunesse, elle engendre une disproportion de leur récit par rapport à la suite et amorce ainsi le processus de ralentissement que nous avons observé plus haut en comparant les deux grandes phases continentales de la Vie. Du début à la fin, le récit s'étale de plus en plus. Après avoir parcouru en quelques pages les cinquante ans – devenus vingt – de la vie en Irlande, Jonas s'étend bien davantage sur les deux décennies passées en Bourgogne, pour donner plus d'importance encore aux huit années où se prépare et s'accomplit le passage en Italie. Cette descente dans le détail de l'histoire se double d'une progression du merveilleux : l'Irlande est restée sans miracles [31], la Bourgogne en voit une vingtaine, la marche jusqu'en Italie une trentaine.

Pour finir, survolons rapidement toute cette histoire de Colomban et de ses disciples, afin d'en mieux saisir l'économie et les grandes lignes. Elle commence par une image paradoxale : celle d'un soleil qui se lève à l'Ouest; le futur apôtre des Gaules et de l'Italie sort d'une nation barbare, fraîchement convertie. Avant de partir en mission, il passe par les mains de deux femmes et de deux hommes. De son père, il n'est pas question, mais sa mère, après l'avoir lancé vers la sainteté par sa vision prémonitoire et son éducation stricte, défaille dans son rôle de guide vers Dieu, que lui ravit une religieuse anonyme. Un premier départ, qui sera sans retour comme les deux suivants, mène Colomban chez son maître ès-sciences sacrées, Sinell, et chez le «Père de moines» Comgall, auprès duquel il apprend l'abnégation. Celle-ci exige de lui un nouveau renoncement : après avoir quitté sa mère, il quitte sa patrie en compagnie de douze moines.

En Bretagne et en Gaule, la petite troupe ambulante soutient de son exemple la prédication de Colomban. Elle

31. Sauf la vision prénatale de I,2 (6).

forme une communauté idéale, modèle des grands monastères à venir. Une entrevue avec le roi d'Austrasie-Bourgogne aboutit à un premier établissement dans le désert des Vosges : Annegray. Ainsi commence la première partie de la Vie, dont le centre se déplacera bientôt d'Annegray à Luxeuil, lui-même assorti d'une annexe à Fontaines. Annegray est le théâtre des dix premiers miracles [32], Luxeuil et Fontaines des douze suivants [33]. La fondation de ces deux derniers coenobia est pour Jonas l'occasion de mentionner la rédaction d'une *regula*, commune aux trois maisons. Le dernier prodige de cette partie forme une bonne conclusion. La sainte mort de l'Irlandais Colomba annonce celle du grand abbé, au moment où celui-ci va entrer dans la dernière phase de sa vie. Elle regarde aussi vers le Second Livre, où seront narrées tant de fins bienheureuses.

Le début de la seconde partie chevauche avec la période qui vient de s'achever. Dans sa solitude des Vosges, Colomban est souvent visité par le roi Thierry, auquel il fait des remontrances sur sa conduite. Ces reproches lui valent l'animosité de Brunehaut, bientôt portée à son paroxysme par l'insulte adressée aux enfants de Thierry. Entrevues de Bourcheresse et d'Époisses, premier exil à Besançon, retour à Luxeuil et expulsion définitive : dans cette suite d'événements, qui aboutit au dernier grand départ de Colomban, des prédictions se mêlent déjà aux autres prodiges. A travers toute cette partie, on en comptera sept, sur un total d'une trentaine de miracles. De Besançon à Nantes, de Nantes à Metz et à Mayence, Colomban traverse deux

32. I,7-11 (à la fin de 7, la multitude de guérisons mentionnée globalement s'étend sur l'ensemble de la période bourguignonne). La fondation de Luxeuil et Fontaines (I,10) est relatée avant les deux derniers miracles d'Annegray (I,11), dont la localisation aux environs de ce premier monastère est seulement implicite (elle résulte des rivières mentionnées : Moselle et Ognon).

33. I,12-17. Fontaines n'est nommé que deux fois : I,13 (21) et 17,(28); Luxeuil l'est cinq fois : I,12 (20). 15 (23 et 25). 17 (28-29). La localisation de Baniaritia et de Fredemungiac (I,15 et 17) reste incertaine. D'après I,17 (29), c'est à Luxeuil que se trouve Théodegisile, déjà mentionné en I,15 (23). En I,15 (30), le témoignage de Chagnoald semble anticiper la période de Bregenz (cf. I,27-28).

fois l'empire franc, d'abord en prisonnier, puis en visiteur révéré des rois. La vaste boucle de son voyage s'achève par la remontée du Rhin et la halte à Bregenz, nouveau désert où le vieux moine revit un instant les affres et les délices des premiers temps à Annegray. Souffrances de la faim et ravitaillement providentiel, grotte solitaire et compagnie des ours, visions même [34], tout, dans ces derniers jours passés sur le sol franc, rappelle l'arrivée en Bourgogne vingt ans plus tôt.

L'épilogue de cette partie, qui lui donne tout son sens, est la fondation de Bobbio, après un séjour à Milan et une nouvelle rencontre royale. Dans son monastère d'Italie, Colomban n'accomplira qu'un seul miracle, et ce récit de tronc d'arbre transporté dans la montagne montre un homme en pleine force et en pleine activité. Aussi n'est-ce pas sans surprise qu'on apprend peu après, sans détails ni commentaires, le décès du saint. A défaut d'adieux proprement dits, Colomban a tout de même fait à Eustaise, venu en ambassade de la part du roi Clotaire, des recommandations qui apparaissent comme un testament. De même que Bregenz rappelait Annegray, de même le dernier regard de Colomban à Bobbio est pour Luxeuil, qui obtiendra, grâce à une lettre écrite par lui à Clotaire, d'importants avantages temporels.

Le Livre II prend les choses où le Livre I les a laissées, c'est-à-dire en Italie. Au supériorat d'Attale à Bobbio, qu'il raconte d'abord, fait suite celui d'Eustaise à Luxeuil. Après ces deux abbatiats parallèles, Jonas reste en Gaule, mais quitte Luxeuil pour Faremoutiers. Ce n'est qu'à la fin du Livre qu'il reviendra à Bobbio, dont il célébrera non seulement le supérieur, Bertulfe, successeur d'Attale, mais encore une demi-douzaine de simples moines. Un léger retour en arrière se produit alors : les deux premiers moines thaumaturges ont accompli leurs exploits sous l'abbatiat précédent. Pour finir, le miracle de Léobard et Mérovée

34. Comparer I,8 (15 : loups et Suèves) avec I,27 (56 : ange) et 28 (57 : bataille).

reproduit et dépasse le dernier du Livre Ier. Colomban avait porté un tronc de sapin avec deux ou trois compagnons. A présent, le même haut fait est l'œuvre de deux hommes seulement. Jonas n'est pas jaloux de la gloire de son père, ou plutôt il la voit éclater dans celle de ses fils, qui font mieux que lui [35].

Deux sections italiennes encadrant une section gauloise, elle-même bipartite : telle est donc la structure de ce Second Livre. Jonas tient la balance exacte entre les deux pays, mais Bobbio l'emporte décidément sur Luxeuil, pour ne rien dire d'Annegray et de Fontaines qui disparaissent complètement. En effet, l'histoire d'Eustaise se déroule tout entière en dehors de son monastère, simple porte par laquelle il passe et repasse [36]. Pas un de ses miracles ne s'accomplit à Luxeuil, dont la vie interne nous échappe. Ce n'est que dans les chapitres sur Faremoutiers qu'on trouve des faits survenus au sein de la communauté monastique. En Gaule franque, les moines de Luxeuil s'effacent derrière les moniales de Faremoutiers.

Ce contraste entre Luxeuil et Bobbio est la conséquence d'une autre disparité. En Italie, la dernière fondation de Colomban reste isolée. Quelles qu'en soient les causes – arianisme lombard, résistances épiscopales, caractère étranger de la communauté [37] ? –, cet isolement de Bobbio en fait l'unique théâtre possible de la geste postcolombanienne en Italie. Au contraire, Luxeuil se montre extraordinairement fécond. Plusieurs fois annoncée au Livre Premier, la dissémination du monachisme colombanien à travers la Gaule

35. Cependant Jonas insinue, dans le premier cas, que le miracle se répéta (verbes à l'imparfait ; *trabium* au pluriel). D'autre part, le site montagneux et les troncs gisants ajoutaient à la difficulté.

36. Luxeuil est mentionné en II,7 (gouvernement). 8 (retour de mission). 9 (expulsion d'Agrestius). C'est là aussi, semble-t-il, qu'Eustaise passe ses dernières années dans la prière et meurt (II,10).

37. Les trois successeurs de Colomban sont originaires de Gaule, et les noms germaniques des moines contrastent avec les noms romains des gens du pays. Il est vrai que tel de ces moines pouvait être un Italien d'ascendance barbare. Voir aussi II,23 (6) et note 18.

s'accomplit sous Eustaise et Walbert. Au Jura et à la Brie, ensemencés par Colomban lui-même, s'ajoutent Solignac et Paris, le Berry et Nevers, Remiremont et Laon, enfin une multitude de communautés issues du grand monastère des Vosges et plus ou moins proches de lui [38]. La rançon de cette réussite est que Luxeuil perd son privilège d'unique héritier du saint. De toutes ces filiales, masculines et féminines en nombre à peu près égal, Jonas a choisi une des premières, remontant par ses origines à Colomban lui-même, pour en faire le lieu du plus important ensemble de miracles que contienne le Livre II. Ce choix introduit dans l'œuvre deux notes nouvelles et de grand intérêt : la féminité et la mort.

La partie italienne du Livre II est donc littérairement double et géographiquement simple, tandis que la partie gallo-franque ne forme qu'un bloc littéraire mais se joue sur deux théâtres distincts. Ou plutôt, cette partie médiane est faite de deux sections, dont l'une célèbre un homme, Eustaise, et l'autre une communauté, Faremoutiers. De même que la communauté de Luxeuil s'efface derrière son abbé, de même l'abbesse de Faremoutiers s'efface derrière ses filles [39]. C'est qu'Eustaise est mort, comme Attale et Bertulfe, tandis que Fare vit encore, ainsi que Walbert. Or – Jonas l'a noté dans son Prologue – il est délicat de célébrer des vivants. Une série de moniales, mortes de façon exemplaire, défile donc dans les chapitres sur Faremoutiers, tandis que l'histoire de Luxeuil s'arrête en 629 avec l'avènement de Walbert.

Au total, ce Deuxième Livre est encore plus riche de miracles que le Premier. D'une cinquantaine de ceux-ci,

38. II,7-8 (Fare, Salaberge) et 10. La fondation de Salaberge à Laon fut précédée, d'après sa Vie (par. 12), d'un établissement proche de Luxeuil, qui peut être celui auquel Jonas fait allusion.

39. Sauf en deux récits (II,20-21), Fare apparaît cependant partout, soit nommément (II,11 [2 fois].12.16.22), soit comme «la mère» (II,11.13 [3 f.]. 14 [2 f.]. 15 [3 f.]. 16 [2 f.]. 17. 18 [2 f.]. 19 [4 f.]. 22 [3 f.]).

on passe à quelque soixante-quinze. Ce développement du merveilleux est surtout dû à la multitude des prodiges survenus à Faremoutiers, où la plupart des épisodes en comportent plusieurs. A nouveau, on peut observer que Jonas ne cherche pas à grandir Colomban aux dépens de sa postérité. Si aucun membre de celle-ci ne s'égale à lui, elle manifeste dans son ensemble une vitalité surnaturelle qui dépasse et couronne la sienne.

La geste colombanienne s'achève ainsi en pleine expansion, dans une atmosphère radieuse, exempte de toute nostalgie. Cet optimisme foncier de Jonas apparaîtra mieux plus loin, quand nous suivrons les vicissitudes de la Règle après Colomban. A présent, il suffit de constater que l'œuvre se termine de façon assez abrupte, sans véritable conclusion. Une dernière fois, dans la forêt des Apennins, la puissance de Dieu a éclaté pour la gloire et la consolation de ses serviteurs... C'est à Bobbio que Jonas laisse son lecteur, dans ce monastère qui est le sien et d'où il était parti pour raconter toute cette histoire. Quelle que soit son estime pour Luxeuil et pour Faremoutiers, la dernière fondation de Colomban lui reste la plus chère. Un des rares portraits qu'on trouve dans ces deux Livres est celui d'Attale, le père qui l'a engendré dans la vie monastique [40], et c'est en faveur de ses propres frères qu'il s'aventure, malgré les inconvénients, à raconter pour finir les hauts faits de personnes vivantes. Demandée par l'abbé et les moines de Bobbio, la Vie de Colomban a été écrite pour eux avant tout, comme le montrent les notes explicatives sur la nation franque ou sur la boisson des pays du nord, qui s'adressent à des lecteurs cisalpins [41].

40. II,4. Cf. II,13 (Ercantrude) et 25 (Agibod).
41. I,6 (les Francs) et 16 (la bière). Cf. I,15 (les «gants») et 23 (la Neustrie).

III

COLOMBAN VU PAR JONAS : LE MOINE ET LA VIE MONASTIQUE

Colomban n'était pas seulement moine, mais aussi prêtre. Cependant Jonas, dans la Vie proprement dite, fait à peine allusion à son sacerdoce [1], que mentionne le premier Hymne en son honneur [2]. Aux yeux du biographe, l'homme de Dieu est simplement moine et «père» de moines [3].

Le monachisme vécu et prêché par Colomban. est purement cénobitique. Aucun ermite n'apparaît dans la Vie, et la lettre du saint au pape Grégoire le montre mécontent de cénobites qui veulent passer à l'érémitisme «malgré leurs abbés [4] ». Mais ce monachisme foncièrement communautaire a deux marges latérales, l'une du côté du désert, l'autre du côté du monde : la retraite en solitude et la prédication.

Les retraites solitaires tiennent en effet une place importante dans la Vie de Colomban. Que ce soit en Bourgogne ou à Bregenz [5], on voit cet abbé quitter sa communauté pour s'enfoncer dans le désert, parfois avec un ou deux

1. I,2 (6), à la fin : *sanctorum merita sacerdotum.*

2. *Hymne* I, v. 1 : *Clare sacerdos.*

3. Toujours *pater*, non *abbas*, que Jonas emploie 7 fois, mais en parlant d'autres abbés.

4. *Ep.* 1,7 : *inuitis abbatibus.* Cf. II,1 (2) : révoltés qui «gagnent un lieu désert pour avoir la liberté».

5. Il en sera de même à Bobbio, si l'on en croit les *Miracula S. Columbani* (*AS OSB* II, p. 40-55), rédigés au Xe siècle, qui montrent Colomban en solitude du lundi au vendredi et pendant tout le carême (3-4) et parlent d'une grotte où il se serait établi (5). On songe à Euthyme et à Sabas.

frères, mais ordinairement en compagnie de son seul « ministre » (assistant), qui assure la liaison avec la communauté et le ravitaillement [6]. Ce dernier est d'ailleurs plus que sommaire, car on va au désert pour y endurer la faim. C'est à peine si l'on emporte un peu de pain, et celui-ci consommé, on se nourrit de fruits sauvages et de poissons pêchés dans les ruisseaux. Chaque retraite est une aventure héroïque, où l'on affronte les bêtes sauvages et l'on expérimente la toute-puissante bonté de Dieu.

Outre le jeûne, Colomban pratique au désert l'oraison et la lecture [7]. Il s'y trouve si bien que, dès son arrivée à Annegray, il se choisit une grotte pour en faire, après expulsion de l'ours qui l'occupait, son lieu de retraite habituel. C'est là, rapporte Jonas, que l'homme de Dieu se préparait aux fêtes du Seigneur et des saints, de manière à faire au moins par intervalles ce que sa charge l'empêchait d'accomplir constamment [8]. Si cette remarque est exacte, l'âme du saint – et sans doute aussi sa doctrine – reconnaissait dans l'anachorèse l'idéal de la vie monastique. Autour de lui, cependant, et après lui, le biographe ne signale pas d'autres cas de retraites solitaires, même temporaires [9].

Dans la direction opposée, celle du monde, la prédication constitue une autre diversion à la vie conventuelle. Mais nous aurions tort de regarder les deux marges comme symétriques. Retraite solitaire et prédication occupent dans la vie de Colomban des places dissemblables. Alors que la première apparaît quand le saint réside en un lieu, la seconde accompagne ses deux grands voyages d'Irlande en Gaule et de Gaule en Italie. Si à Bregenz, étape prolongée du second voyage, l'homme de Dieu s'adonne à l'une et

6. I,9 (16) : Domoal; 27 (55) : Chagnoald. Cf. 15 (30) et 28 (57).
7. I,8 (15) : *librum humero ferens*; 28 (57) : *librum legens.*
8. I,9 (16) : *ut... saltim per interualla temporum mentis uota patraret.*
9. D'après ADSON, *Vita Waldeberti* 6, *PL* 137,691 D, Walbert aurait vécu quelque temps, avant son abbatiat, dans une grotte à deux milles du monastère. Sur ce lieu, situé au nord de Luxeuil, voir ROUSSEL, t. I, p. 267-268 et 285, n. 15.

à l'autre, les vingt années du séjour en Bourgogne se passent sans qu'on le voie jamais prêcher, que ce soit au monastère [10] ou au loin. La prédication semble donc liée à la *peregrinatio*, dont nous avons déjà parlé et reparlerons. Elle ne fait pas partie de l'existence conventuelle normale.

Le désir de prêcher ne figure pas parmi les motifs du départ d'Irlande [11], mais il se manifeste dès que Colomban et ses douze compagnons arrivent en Bretagne. Si la petite troupe se décide à passer en Gaule, c'est dans l'espoir d'y «semer le salut», qu'on portera aux nations voisines au cas où les cœurs des Gaulois se fermeraient. Dès lors, Colomban «annonce l'Évangile» en voyageant, et cette première prédication prend appui sur l'exemple de vie religieuse parfaite que donne sa communauté itinérante. C'est encore l'«enseignement» du saint qui le fait agréer du roi Sigebert, dont l'invitation à rester dans son royaume est motivée par l'attente du rayonnement «salutaire» qu'exercera le prêcheur.

Sur cette lancée, on s'attendrait à entendre parler aussitôt de nouveaux travaux apostoliques, mais les Vosges seront en fait un vrai «désert», où les moines irlandais et leurs disciples francs vivront apparemment sur eux-mêmes, sans chercher à convertir autour d'eux. La prédication aux séculiers ne reparaîtra qu'au milieu du grand voyage de 610. A Meaux, Colomban «enseigne» Chagnoald et les siens. A Metz, il accepte de «semer la foi» en Austrasie. A Bregenz, qui ne lui plaît pas, il reste pour le même motif, espérant faire quelque bien aux peuplades voisines. De nouveau, il se soucie de la «lumière de l'Évangile», au point qu'il rêve de la porter jusque chez les Slaves.

10. Malgré I,7 (14), où l'afflux des visiteurs n'est motivé que par le désir de guérisons corporelles. Il n'a pas davantage été question de prédication à Bangor. Vide de prédication, la période de Luxeuil comporte cependant des contacts pastoraux. Voir I,24 (22) : les parents de Donat; 18 (31) : le roi Thierry. Mais ce dernier passage fait déjà partie des préliminaires du grand voyage.

11. Sauf peut-être les allusions *aliorum utilitati oportuna... aliis utilem sententiam*, à propos de la décision de Comgall; voir I,4 (9). Mais ce «bien d'autrui» peut être simplement la fondation de monastères sur le continent.

Est-ce par un artifice de Jonas que la prédication semble avoir été absente en Bourgogne [12] ? En tout cas, le successeur de Colomban à Luxeuil, Eustaise, se livre à un véritable apostolat dès le début de son abbatiat, pour obéir à un ordre reçu de Colomban lui-même [13]. Non seulement il suscite en voyageant des vocations monastiques [14], comme l'avait fait Colomban, mais il entreprend des missions en règle, d'abord à proximité chez les Warasques, puis au loin chez les Bavarois. Bien plus, il laisse à ces derniers des moines qui continueront son œuvre. Ce labeur missionnaire exige de l'intelligence [15], mais aussi une culture ecclésiastique complète [16], comme Agrestius se l'entendra déclarer quand il demandera, «encore novice dans la vie religieuse», la permission de prêcher aux païens. Ces notations laissent entrevoir le sérieux avec lequel on envisage les missions et l'importance qu'on y attache.

De retour à Luxeuil, Eustaise continue à œuvrer pour les séculiers. Son effort pastoral ne se borne pas à sa communauté. Il l'étend aux populations environnantes. De plus, il se préoccupe de former des hommes instruits comme lui, dont plusieurs deviendront évêques [17]. A Bobbio, Jonas ne signale rien de pareil, mais deux de ses récits de miracles font assister aux affrontements des moines avec les Lombards ariens ou païens, dans la ligne de la polémique inaugurée par Colomban dès son arrivée à Milan [18]. Cette action antiarienne est assez importante pour que le pape Honorius

12. D'après *Vita Walarici* 14 (*AS OSB* II, p. 80), Waldelène, moine de Luxeuil, obtient de Colomban la permission de prêcher aux païens et emmène avec lui Valéry en Neustrie.

13. II,8 (3) : *magistri praeceptum implere parat*. Cet « ordre du maître » n'est pourtant pas mentionné en I,30 (61).

14. II,7-8 (1-2 et 4); 10 (12) : *Eustasii praedicatione monitus*.

15. II,8 (3) : *sagaces uiros*.

16. II,9 (6) : *omnibus ecclesiasticis faleramentis decoratum esse debere*. Désignant habituellement les vains ornements du monde, *faleramenta* est pris en bonne part, comme ici, dans Prol. (2) : *uestris faleramentis decorentur*.

17. II,8 (5) : *ut multos sua facundia erudiret* (quatre évêques). Cf. I,14 (22) : *sapientia imbutus* (Donat).

18. II,24-25 (12-16) : Blidulfe et Mérovée. Cf. I,30 (59).

recommande à Bertulfe de la continuer [19], les abbés de Bobbio faisant figure de champions du catholicisme contre l'hérésie [20].

Pour revenir à Luxeuil, relevons les expressions par lesquelles Jonas caractérise la prédication d'Eustaise «tant à ses moines qu'aux peuples voisins» : essayant d'«éveiller» les uns et les autres à la «vigueur chrétienne», il en «conduit un grand nombre aux remèdes de la pénitence [21]». Cette dernière formule est particulièrement intéressante, car elle ne revient pas moins de sept fois dans la Vie de Colomban. A l'intérieur du monastère comme à l'extérieur, ces *poenitentiae medicamenta* sont l'objectif majeur de la prédication colombanienne. «Les remèdes de la pénitence et l'amour de la mortification» : voilà ce qui manquait presque complètement en Gaule à l'arrivée du moine irlandais, et ce qu'il vise à susciter en annonçant l'Évangile [22]. C'est, si l'on veut, l'appel de Jésus en Galilée – «Convertissez-vous, faites pénitence» –, mais précisé par une technique pénitentielle que l'Irlande a élaborée et va propager sur le continent.

Les «remèdes de la pénitence» sont nécessaires aux moines et moniales qui ont commis quelque péché [23], ainsi qu'aux séculiers gravement coupables [24]. Mais l'expression ne s'applique pas seulement à la réparation d'une faute particulière. Elle désigne en outre la réparation générale des fautes passées que constitue par elle-même la vie monastique. Quand Colomban bâtit le monastère de Luxeuil,

19. II,23 (6) : *ut... Arrianae pestis perfidiam... ferire non abnueret.*

20. II,4 (5) : *aduersus hereticorum procellas uigens ac solidus* (Attale); cf. II,24 (15) : il refuse les présents de l'arien Ariowald.

21. II,8 (5) : *tam plebem interius quam uicinos populos ad christianum uigorem excitare studet multosque eorum ad poenitentiae medicamenta pertraxit.*

22. I,5 (11) : *poenitentiae medicamenta et mortificationis amor.*

23. II,1 (2); 15 (9); 19 (15). On trouve aussi *poenitentiae fomenta* en II,10 (15), et *poenitentia* seul en I,12 (20); II,1 (2) et 10 (15-16). Cf. II,13 (6) : *poenitentiae interdictae normam.*

24. II,25 (16). Il s'agit pourtant d'idolâtres (païens ?).

les vocations affluent, et ce « concours de peuple » n'a pas d'autre but que d'obtenir les *poenitentiae medicamenta*[25]. Le terme définit donc la vie monastique dans son ensemble, aussi bien que les satisfactions de détail.

Ainsi, en parlant des nombreuses âmes conduites par Eustaise aux remèdes de la pénitence, Jonas paraît bien songer en première ligne à des conversions de séculiers qui embrassent la vie monastique. Pour lui comme pour Colomban, la prédication aux séculiers ne diffère pas foncièrement de la prédication aux moines. Les uns et les autres ont le même besoin primordial de pénitence, et le genre de vie des seconds n'est que la forme achevée de ce qui est universellement requis des premiers. Cette unité profonde du monachisme et de toute vie chrétienne explique l'aisance avec laquelle les moines s'adonnent, le cas échéant, à la prédication extérieure. Celle-ci, pour des supérieurs monastiques, est une simple extension de leur tâche quotidienne.

La prédication nous ayant conduit à la pénitence, notons encore l'insistance de Jonas sur la confession, au moins chez les moniales. A Faremoutiers, nous dit-il, la règle veut que chaque religieuse avoue trois fois par jour les fautes qu'elle a commises[26]. Une de ces trois séances d'aveux à la « mère » se place le matin[27]. Mais la confession n'a pas seulement pour objet les fautes quotidiennes. Elle porte aussi sur les péchés passés, commis dans le monde. Ceux-ci, semble-t-il, doivent être avoués quand on entre au monastère, faute de quoi ils rendent impure toute la vie monastique[28]. Remède universel, la confession peut devenir, si on la refuse, une occasion de damnation. Plusieurs histoires terrifiantes illustrent ce malheur du mutisme. Telle sœur

25. I,10 (17) : *undique ad poenitentiae medicamenta plebes concurrere*.
26. II,9 (15). Cf. WALBERT, *Reg.* 6 : après la *secunda*, après none et avant complies.
27. II,13 (7) : *mane*. Ce qu'Ercantrude avoue là n'est pas sa faute, mais une révélation nocturne au sujet du pardon de celle-ci.
28. II,17 (12); 19 (15).

s'y enferme seulement pour un temps [29], mais d'autres meurent sans avoir ouvert la bouche et méritent ainsi la mort éternelle [30].

Chose curieuse, la confession n'apparaît pas, en tant qu'institution quotidienne, dans les récits concernant les moines [31], que la Règle colombanienne astreignait pourtant à cet exercice au moins une fois par jour [32]. Mais ce contraste entre moines et moniales relève d'un clivage plus général. Sauf exception [33], Jonas montre les moines à l'extérieur de leur maison, et les moniales à l'intérieur. La plupart des miracles de Luxeuil et de Bobbio se produisent en plein air, tandis que ceux de Faremoutiers ont pour cadre habituel la *cellula* des malades [34].

Plus précisément, c'est le travail dans la nature qui sert souvent d'arrière-plan aux récits concernant les moines. Labours et moissons, bucheronnage et garde des vignes, cueillette des fruits et pêche dans les torrents : toute cette action à ciel découvert produit une impression de vie intense [35], encore accrue par les récits d'animaux sauvages [36]. En même temps, Jonas laisse voir par là l'importance qu'a le travail manuel, spécialement celui de la terre et des bois, dans le monachisme colombanien.

Ce travail des mains, où Colomban lui-même paie de sa personne [37], est la seule observance monastique dont

29. II,17 (12) : fautes passées; 22 (21) : vol d'aliments.
30. II,19 (15-17).
31. En II,3 (4), Fraimeris confesse sur le champ un accident survenu. Cf. GRÉGOIRE, *Dial.* II,6,2.
32. *Reg. coen.* 1,1. La glose de 1,4 semble en distinguer deux : «avant le repas» (cf. 9,3) et «avant le coucher».
33. I,16 (26) : au cellier; I,17 (29) et II,25 (18-20) : au chevet de mourants. Inversement, on voit une fois les moniales travailler au jardin : II,17 (12).
34. *Cellula* : II,11 (2); 12 (5); 15 (10); 17 (12); 21 (19). Voir aussi II,19 (14) : *dormitorium* (de toute la communauté).
35. Elle a frappé J. LECLERCQ, *L'univers religieux...* (Bibliographie).
36. I,8 (15) : loups et ours; 15 (25) : corbeau; 15 (30) : écureuils, etc.; 17 (27) : ours et oiseaux; II,27 (55) : ours.
37. I,13 (21); 15 (23-24); 30 (60). Jamais, en revanche, on ne voit les abbés, successeurs de Colomban, au travail manuel. Comparer I,15 (23) et II,3 (4).

la Vie parle fréquemment. Sur le reste de l'existence des moines, Jonas ne nous apprend presque rien. L'office lui-même est à peine mentionné [38]. Particularité caractéristique du monachisme irlandais, dûment codifiée par Colomban dans sa Règle, les punitions corporelles n'apparaissent jamais. De l'organisation des communautés et de leurs officiers, on ignore tout. Souvent Jonas signale des jeûnes, volontaires ou forcés [39], mais jamais ceux-ci ne sont des jeûnes de règle, incorporés à l'observance conventuelle. Les deux moments de la vie monastique dont on est le moins mal informé sont son début et sa fin : quand Jonas donne quelque renseignement sur la «conversion» d'un frère ou sur sa mort, on peut s'estimer heureux.

Il est cependant une vertu que l'hagiographe célèbre volontiers, comme l'avait fait Colomban dans sa Règle : l'obéissance. Des miracles éclatants la glorifient, qu'il s'agisse de frères qui répondent au premier appel de leur supérieur [40], ou d'animaux, voire de choses, qui donnent l'exemple aux hommes [41]. Inversement, la désobéissance est punie de Dieu [42].

Incluant l'obéissance, le grand idéal cénobitique de concorde et d'unanimité est proposé par Jonas en deux points-clés : la description de la première communauté itinérante et l'évocation des débuts de Luxeuil. En une page lyrique, le moine de Bobbio exalte d'abord le groupe des douze qui entouraient Colomban à son arrivée en Gaule [43] : humilité, charité, douceur, avec tout un cortège de vertus annexes, ornent ces moines parfaits, visiblement destinés à servir de modèle aux monastères qui vont se fonder sur le

38. II,21 (19) : *matutinas laudes*; 23 (8) : *nocturna uigilia*; 23 (10) : *secunda*. Cf. I,20 (36) : «psalmodie et oraison» (office indéterminé).

39. I,7 (13-14); 12 (20); 22 (45); 27 (54 et 55).

40. I,12 (20) : malades; 16 (26) : cellérier.

41. I,27 (55) : ours; II,2 (3) : torrent. Les ours de I,8 (15) et 17 (27) enseignent plutôt la douceur.

42. I,11 (19) : Gall; 12 (20) : malades.

43. I,5 (11). Outre les douze Irlandais, le groupe compte sans doute des Bretons, mentionnés en I,13 (21) et 20 (37), mais non ici.

continent. Plusieurs traits de ce tableau idyllique sont pris par Jonas aux écrits de Colomban lui-même [44]. D'autres reviendront en série dans l'éloge d'une religieuse exemplaire, Ercantrude [45].

Mais le rappel le plus important de ce programme liminaire est sans doute une brève notation qui se glisse dans l'annonce des fondations vosgiennes. A peine construit, le monastère de Luxeuil se remplit de postulants accourus de tous côtés. Impossible de garder tant d'hommes réunis en une seule communauté, *«bien qu'ils ne fussent qu'une âme et qu'un cœur* [46]*»*. Cette fois, la communion cénobitique trouve son expression dans la phrase des Actes des Apôtres évoquant l'Église primitive de Jérusalem. La leçon de la petite communauté ambulante ne s'est pas perdue, et les grands monastères qui se fondent prennent comme elle pour modèle la charité idéale des premiers chrétiens.

Si nette qu'elle soit, cette orientation communautaire n'est pourtant pas le trait le plus saillant du monde monastique décrit par Jonas. D'ordinaire, les communautés ne sont désignées que d'un mot, sans attention spéciale à leur unité. A *monasterium*, Jonas préfère souvent *coenobium*, mais sans que l'étymologie de ce dernier soit mise en valeur, et il use aussi de nombreux synonymes, tels que *caterua*, *coetus, cohors, collegium, congregatio, consortium, contio*, sans oublier *plebs*, qui prend plusieurs fois chez lui une couleur nettement monastique [47].

Si l'on cherche dans la Vie de Colomban un mot qui exprime globalement l'idéal spirituel de l'auteur et de son milieu, on n'en trouvera sans doute pas de plus significatif

44. Ainsi *unum uelle unum nolle* vient de COLOMBAN, *Ep.* 4,2, et l'«habitation du Seigneur» de *Reg. mon.* 7,28-29.
45. II,13 (6).
46. I,10 (17) : *quamuis mente una et cor unum*; cf. Ac 4,32, dont le début est déjà utilisé en I,5 (11) : *communia omnibus omnia erant*. Voir aussi II,23 (3) : *erant cor unum et anima una* (Attale et Eustaise).
47. Cf. ci-dessus, n. 21 et 25, et en outre I,10 (17) et 30 (61); II,19 (14) et 23 (4). Sur les autres termes, voir notre article *En lisant Jonas* (Bibliographie).

que *religio*. Employé par Jonas quelque 45 fois, et avec une fréquence accrue à mesure qu'il avance [48], ce terme s'applique aux institutions comme aux personnes, à l'Église entière comme à chacun de ses membres, aux clercs et aux laïcs comme aux moines. Mais ce sont principalement ces derniers et leur genre de vie qui sont loués pour leur «religion». Veut-on caractériser d'un mot un moine édifiant ? On parle de sa *religio*, de son «esprit religieux», comme nous dirions [49]. Associé ou non à *cultus* [50], le terme peut désigner la vie monastique elle-même, voire la forme particulière que lui a donnée Colomban [51]. Comme les «remèdes de la pénitence», la «religion» est un concept englobant, qui fait la liaison entre christianisme et monachisme, en plaçant le second au sommet du premier. Par sa référence au divin, le mot marque la finalité ultime et proprement religieuse de la vie monastique, qui dépasse infiniment, en direction de Dieu, le programme humain de concorde fraternelle mentionné plus haut.

Si peu qu'on aperçoive, en lisant Jonas, le contenu de cette «vie religieuse» vouée à Dieu, il est clair qu'elle ne s'oppose nullement, à ses yeux, aux études et à la culture. Sans doute le savoir n'est-il pas mentionné d'ordinaire dans les éloges de moines ou de moniales, et la «simplicité» d'un saint frère Agibod recouvre-t-elle probablement une instruction très rudimentaire [52]. Sans doute aussi Colomban lui-même, en se faisant moine à Bangor, paraît-il abandonner l'étude pour se livrer tout entier à l'oraison et au jeûne [53]. Mais il est significatif que Jonas ait pris la peine de retracer

48. Livre I : 18 fois; Livre II : 27.

49. Après Sinell, qui n'est pas formellement présenté comme moine, sont félicités de leur *religio* Comgall, les douze compagnons, les *praepositi* des monastères vosgiens, les quatre chefs des moissonneurs en I,13 (21), etc.

50. *Cultus religionis* : II,11 (2); 12 (3); 23 (2 et 6). Cf. *cultus diuini timoris* et expressions analogues : II,8 (4 : deux fois); 12 (4).

51. I,10 (17) et 19 (33 : trois fois); II,7 (2) et 9 (6 : deux fois), etc. Noter en particulier II,9 (9) : *beati Columbani religio*. On trouve aussi *uita religiosa* : II,12 (4); 13 (7); 17 (12).

52. II,25 (17). Cf. II,4 (5) : *simplices* s'oppose à *sapientes*.

53. I,4 (9).

tout le cycle de ses études antérieures, dans son pays natal d'abord, où il a appris la grammaire, la rhétorique, la géométrie et l'Écriture Sainte, puis auprès du vénérable Sinell, où il a pu s'adonner exclusivement à cette dernière matière. Dans ce curriculum qui aboutit à la Bible apparaît déjà la conception toute positive que l'hagiographe se fait du savoir et de son rapport avec la vie monastique.

L'Église, en effet, bénéficie grandement de la science de ses docteurs (ou «doctes» ?), parmi lesquels Colomban, selon la vision inaugurale de sa mère, était prédestiné à prendre place [54]. Ce bien de la culture est si précieux que le jeune homme fera son premier pas hors du monde précisément pour le mettre à l'abri : menacés par l'attrait des femmes, les fruits de ses études requièrent, pour être sauvés, une décision énergique [55], qui consistera à quitter son pays natal et sa mère. De cette science scripturaire acquise par Colomban dans sa jeunesse découleront non seulement des écrits remarquables, tant avant son entrée à Bangor qu'après son arrivée en Italie [56], mais aussi un «enseignement» oral *(doctrina)*, monnayé par sa prédication [57].

Éminente chez Colomban, cette «doctrine» brillera aussi dans ses successeurs, formés par lui. Attale, qu'il a pris soin d'«instruire de tous les enseignements divins [58] », sait parler aux savants comme aux simples et discuter avec des interlocuteurs qui sont sans doute les controversistes ariens [59]. Quant à Eustaise, sa «doctrine», reçue de Colomban, se déploie notamment au service de la Règle, qu'il défend avec succès contre Agrestius et les évêques de Gaule [60]. A son tour, il se préoccupera d'instruire des

54. I,2 (6). Voir déjà Prol. (4) et I,1 (5) : éloge des *doctorum*.
55. I,2 (7).
56. I,3 (9) : *dicta*; 30 (59) : *libellum*. Cf. I,10 (17) : *regula*. L'ensemble est récapitulé en I,30 (61) : *dicta*.
57. I,5 (11) : *praedicationis doctrina*; 6 (12); 26 (50); 27 (51).
58. II,1 (1) : *in omnibus diuinis monitis erudire temptauit*.
59. II,4 (5). Noter en particulier *redolebat doctrina in discipulis*.
60. II,9 (9) : *discipulorum doctrinam... sanctam doctrinam... auctoritate et doctrina*.

maîtres, et l'on se souvient que Jonas énumère complaisamment les évêques formés à son école.

Sans assigner au monachisme colombanien aucune finalité culturelle, Jonas a donc, en fait, exalté la culture de son fondateur et de ses principaux chefs. Le savoir est un mérite chez les pasteurs [61], aussi bien à l'intérieur des monastères qu'au dehors, où certains moines ont à prêcher. Lettré lui-même, bien qu'il se défende d'être « docte [62] », et engagé, au moment même où il écrit, dans l'œuvre missionnaire du moine-évêque Amand, Jonas apprécie chez Colomban et les siens les qualités qu'il déploie dans son propre métier d'écrivain et de prêcheur. Contrairement à une habitude presque constante des auteurs chrétiens, il ne déprécie jamais la littérature [63]. Cette attitude nouvelle, dont on trouve un équivalent dans la dernière œuvre de Grégoire le Grand [64], correspond à la décadence intellectuelle du temps. Désormais, le péril n'est plus dans les lettres profanes, mais dans la barbarie.

Colomban au désert, un étui à livre pendant à son épaule : cette image des premiers temps à Annegray, qui se présentera de nouveau à Bregenz [65], illustre bien le double idéal de dépouillement matériel et de richesse sapientielle auquel tend le grand Irlandais. Après avoir souligné la deuxième composante, il nous faut revenir à la première. Le désert *(eremus)* n'est pas seulement l'espace où ce supérieur de cénobites cherche la solitude en des escapades héroïques. C'est aussi le terrain où il plante ses grands monastères [66]. La vie entière de ces communautés se déroule « au désert ».

61. II,23 (6) : *sagax animo... doctrina clarens* (le pape Honorius).
62. Prol. (4); cf. (2).
63. Même pas par l'opposition classique *piscatores... oratores*. Quand, dans Prol. (4), il s'oppose aux « doctes », la comparaison est tout à leur avantage.
64. GRÉGOIRE, *In I Regum* V, 84-85. Voir notre Introduction (*SC*), ch. II, *Authenticité et datation* (« L'éloge des études profanes »).
65. I,8 (15). Cf. I,28 (57) : *librum legens resedebat*. Le « tronc de chêne pourri », qui sert là de siège, remplace le siège normal *in atrio ecclesiae*, où Colomban fait la lecture d'après I,20 (35).
66. I,6 (12); 20 (37) : *post incolatum eremi illius*.

Colomban et ses moines s'y sont enfoncés pour «suivre le Christ [67] », et de fait, la scène de Jésus au désert avec la foule, pour laquelle il multiplie des pains, sert d'arrière-plan à plusieurs récits de miracles, en compagnie des souvenirs de l'Exode [68] . Comme Moïse et son peuple, comme le Christ et ses disciples, les moines des Vosges ou du Lac de Constance se trouvent mainte fois dans des situations de famine, où les besoins alimentaires, qui tiennent tant de place dans la Vie de Colomban, prennent une acuité dramatique. Des faits analogues jalonnent le grand voyage final à travers la Gaule et la Germanie.

La vie monastique à l'école de Colomban est donc marquée par la pauvreté la plus radicale, allant jusqu'à la détresse physique. En ce domaine, cependant, Jonas laisse entrevoir une évolution. A son arrivée en Gaule, Colomban a refusé les dons que lui offrait le souverain franc, en opposant à ces «richesses» l'abnégation évangélique et la croix [69] . Mais à l'autre bout de sa carrière, le vieux moine recommande Luxeuil à Clotaire, qui répond à cette demande d'«aide et protection royale» par une somptueuse donation territoriale et des privilèges de toute sorte [70] . C'en est fini de la pauvreté héroïque des débuts. Au Livre II, on n'entendra plus parler de famines ou d'autres nécessités extrêmes, et si Attale refuse, au nom de sa foi, les présents de l'hérétique Ariowald, Bertulfe ne craindra pas de faire appel à la munificence du roi arien [71] .

Pour finir, il faut reconnaître toute son importance à un thème majeur de la *Vita Columbani* : la défense et illustration de la Règle. Au moment où il rapporte l'institution

67. I,6 (12).
68. I,7 (13) et 17 (28). Cf. *Vie des Pères du Jura* 68-69.
69. I,6 (12). Noter cependant la réserve *in quantum carnis fragilitas non obstabat*. Nouvelles offres royales refusées en I,24 (48), mais les motifs diffèrent (*peregrinatio*, politique).
70. I,30 (61).
71. Comparer II,23 (5) et 24 (14).

de celle-ci, Jonas déclare Colomban « rempli de l'Esprit Saint [72] », et il en recommande la lecture à qui veut se faire une idée de l'admirable *disciplina* du fondateur. Cette « sainte Règle », comme il l'appellera deux fois au Livre suivant [73], est déjà attaquée du vivant de son auteur : Brunehaut la dénonce aux évêques, et Colomban se voit obligé de maintenir, face à Thierry menaçant, la « discipline régulière » qui en découle [74].

Mais c'est surtout après la mort du saint que l'on s'affronte autour de sa législation. Sans que la Règle soit expressément mise en cause, c'est bien d'elle qu'il s'agit à Bobbio, au début de l'abbatiat d'Attale, quand une partie des moines se révolte contre la « ferveur excessive » et la « discipline ardue » du nouveau supérieur [75]. A Luxeuil, un peu plus tard, Agrestius s'en prend à elle explicitement, et le courant d'opinion qu'il réussit à créer dans l'épiscopat la mène au bord de la ruine. Par ordre du roi, un concile se réunit à Mâcon pour la juger. Après la défense victorieuse d'Eustaise, qui met fin à l'opposition extérieure [76], la lutte continue au sein de la famille colombanienne. Intriguant dans les monastères dépendants, Agrestius échoue à Faremoutiers mais réussit à Remiremont, où les institutions de Colomban sont abandonnées au profit de « doctrines grossières ». Comme la révolte de Roccolène à Bobbio, cette défection de Romaric et des siens est immédiatement punie du ciel par de terribles châtiments, qui montrent la volonté divine de garder intacte l'œuvre du saint [77]. Scellé par sa mort brutale, l'échec d'Agrestius amène un triomphe visible de la Règle, sous laquelle se placent les nouvelles fondations

72. I,10 (17) : *regulamque... Spiritu sancto repletus condidit*.
73. II,9 (9) et 23 (2) : *sanctae regulae*.
74. I,19 (33).
75. II,1 (2). Que l'opposition vise bien la Règle, c'est ce que laisse entendre la phrase liminaire *cum... coenobium... in omni disciplina regularis tenoris erudiret*.
76. II,9 (9-12).
77. II,10 (13-16).

du Limousin et de Paris, du Berry et de Nevers, tandis que Luxeuil, débordant de vie, essaime à l'entour de tous côtés [78].

Après cette campagne en Gaule, une dernière bataille se livre en Italie. Cette fois l'enjeu n'est pas directement la *regula*, mais l'indépendance canonique des abbés de Bobbio. Cependant cette lutte pour la liberté entraîne un nouveau succès de la Règle. Quand Bertulfe plaide sa propre cause devant Honorius, le pape l'interroge sur la « discipline régulière » observée au monastère et approuve les usages qu'on lui expose [79].

La Règle de Colomban a donc traversé, après la mort du saint, une série d'épreuves, et elle en est sortie indemne. De même que son expulsion de Bourgogne n'a servi qu'à porter le monachisme en Italie, de même les attaques contre sa Règle n'ont fait que la confirmer et la diffuser. L'histoire de Colomban et du mouvement colombanien apparaît à Jonas comme une avance irrésistible, soutenue par la puissance divine. Vision résolument optimiste, qui fait penser au Troisième Évangile et aux Actes. Comme Jésus et ses Apôtres sont à l'origine d'une Église une et multiple, répandue à travers le monde par la prédication de Pierre et de Paul, Colomban et ses douze disciples ont engendré sur le continent un monachisme foisonnant, maintenu et même extraordinairement développé, au moins en Gaule, par Attale et Eustaise.

Dans son bel optimisme, Jonas voit non seulement les monastères se multiplier, mais encore la Règle et les institutions du saint rester en pleine vigueur. Jamais il ne se plaint d'infidélités et de décadences, comme le fait si souvent la littérature monastique. De son vivant, Colomban n'avait rencontré parmi ses fils aucune opposition [80]. Après sa mort,

78. II,10 (17) : fondations *ex regula Columbani* ; (18) : autour de Luxeuil.
79. II,23 (6) : *quaerit quae sit consuetudo regularis disciplinae... placuit beato Honorio regularis series*.
80. Simples manques d'obéissance chez Gall et d'autres : I,11 (19) et 12 (20).

il y a bien eu révolte et défections à Bobbio, trahison à Luxeuil de la part d'Agrestius, égarement collectif à Remiremont, fautes individuelles, parfois fatales, à Faremoutiers, mais nulle part le mal ne s'est installé de façon durable. Partout les fautifs ont été promptement punis de mort ou corrigés.

La geste colombanienne, vue par Jonas, n'a donc rien de commun avec les vicissitudes pathétiques de la Koinônia pachômienne, déchirée peu après la mort du fondateur, puis rétablie par Théodore, mais sourdement menacée de nouveau à la fin du gouvernement de celui-ci [81]. On ne trouve même pas dans la Vie de Colomban, comme dans celle des Pères du Jura, des remarques amères sur le contraste d'hier et d'aujourd'hui [82]. Vingt-cinq ans après la mort du saint fondateur, son œuvre paraît non seulement florissante numériquement, mais aussi intègre dans ses institutions.

Structure portante et pierre de touche de ce monachisme, la Règle de Colomban (*regula* ou *regularis disciplina*) est constamment mentionnée par Jonas, soit dans les notices sur de nouveaux monastères régis par elle [83], soit à propos d'individus qui s'y soumettent ou s'y soustraient [84]. Tout en la désignant ordinairement, l'expression «discipline régulière» peut néanmoins prendre un sens plus large et viser l'ensemble des observances pratiquées dans les monastères, même non colombaniens [85].

81. *Vies de Pachôme* : SBo 197-198; G[1] 146.

82. *Vie des Pères du Jura* 113 (cf. 111-114). Voir aussi 21.

83. Formule *ex regula Columbani* : I,14 (22) et 26 (50); II,10 (17) et 11 (1). Voir aussi II,10 (13) : *regulam beati Columbani custodiendam indidit* (Romaric à Remiremont).

84. II,10 (13) : *sub regulari tenore* (Romaric à Luxeuil); 13 (6) : *contra tenorem regulae* (Ercantrude); 21 (19) : *regularis disciplinae habenis confecta* (Bithilde); 22 (20) : *regulari disciplinae colla submittere uenit* (jeune noble); 22 (21) : *nequaquam regularis disciplinae... praecepta seruare* (Beractrude); 23 (2) : *subiectus sanctae regulae* (Bertulfe).

85. I,4 (9) : Bangor; II,1 (1) : Lérins.

Un tel élargissement n'est-il pas à sous-entendre plus souvent qu'il ne semble ? On se le demande quand on songe à un fait dont Jonas ne parle jamais, mais qu'il ne pouvait ignorer : la pénétration de la Règle de saint Benoît dans les communautés colombaniennes. Des monastères qu'il dit fondés «sous la Règle du bienheureux Colomban» sont en fait placés sous un double patronage : Colomban et Benoît, ou plutôt – car tel est le plus souvent l'ordre des termes – Benoît et Colomban [86]. Ces fondations, où la Règle bénédictine entre au moins pour moitié, se multiplient en Gaule sous l'abbatiat de Walbert, qui a remplacé Eustaise en 629. A Luxeuil même, dont l'usage *(modus)* sert de référence à telle fondation placée sous la Règle de Benoît [87], il est clair que le nouvel abbé n'agit pas autrement.

Au reste, quand Walbert, dans la décennie précédente, était chargé d'«enseigner la Règle» à Faremoutiers, il avait déjà, selon toute apparence, composé pour les moniales la *Regula cuiusdam Patris ad uirgines*, qui s'inspire de Benoît bien plus que de Colomban. En rapportant que «la coutume du monastère et la règle» obligeaient les sœurs de Faremoutiers à se confesser trois fois par jour [88], Jonas lui-même cite cette Règle de Walbert, plutôt que celle de Colomban qui ne contient pas exactement pareille prescription. Dès lors, malgré la belle résistance de Fare aux suggestions d'Agrestius, malgré le soin mis par l'historien à noter que son monastère suivait «la Règle du bienheureux Colomban [89]», il semble que la *regula* des moniales et leur *regularis disciplina*, dont Jonas parle mainte fois, ne soient pas purement et simplement la Règle et l'observance colombaniennes, mais le mélange de Benoît, de Colomban et d'institutions originales réalisé par Walbert à l'usage des sœurs.

86. Voir G. MOYSE, *Monachisme et réglementation* (Bibl.), p. 14-17, notamment Solignac (n° 2) et Rebais (n° 3).
87. Formule *sub regula beati Benedicti ad modum Luxouiensis monasterii* (Rebais) et analogues (Sens et Soissons) : voir MOYSE, *loc. cit.* (n° 3, 6 et 12).
88. II,19 (15) : *Erat enim consuetudinis monasterii et regulae ut...* Cf. WALBERT, *Reg.* 6 (ci-dessus, n. 26), plutôt que Colomban et Donat, cités par Krusch.
89. II,11 (1). Ci-dessus, n. 83.

On pourrait faire une remarque analogue au sujet des moniales de Besançon, placées par Donat sous une règle composite (Benoît, Césaire et Colomban). En rapportant cette fondation, Jonas se garde d'ailleurs de dire à quelle règle elle était soumise [90]. Est-ce pour cela ? De même, il évite d'affirmer, comme il le fait d'ordinaire, que Solignac fut fondé « sous la Règle de Colomban », la charte d'Éloi pour ce monastère mentionnant en fait Benoît avant Colomban [91]. Que tel soit ou non le sens de ces réticences [92], il n'est guère douteux, en tout cas, que le biographe de Colomban connaissait la Règle bénédictine et la savait présente dans les monastères colombaniens. Il n'ignorait sans doute pas davantage les additions successives apportées dès cette époque à la *Regula coenobialis* du saint, non plus que l'existence de la petite *Regula cuiusdam Patris* pour les moines, pour ne rien dire de la Règle féminine de Walbert.

De tous ces textes concurrents ou complémentaires de la législation colombanienne, Jonas ne dit rien, laissant supposer que cette dernière continue d'être partout la norme unique. Silence légitime, certes, puisque ces glissements et développements semblent s'être accomplis sans heurts ni querelles, dans la ligne que Colomban avait esquissée lui-même en utilisant, au début de sa *Regula monachorum*, la Règle de Benoît [93]. Mais le parti pris de l'hagiographe n'en est pas moins évident. Les faits obligent à mettre une sourdine aux accents de triomphe avec lesquels Jonas célèbre le règne de la pure *regula* colombanienne. Celle-ci a bien résisté aux attaques des évêques et à la critique d'Agrestius,

90. I,14 (22). La date tardive (à partir de 655-660) qu'on assigne souvent à la *Regula Donati* ne s'impose pas. Voir notre article *La Règle de Donat* (Bibl.), p. 220, n. 6.

91. II,10 (17); cf. MOYSE, *loc. cit.*, n° 2 (date : 632). Jonas vient d'annoncer un ensemble de fondations *in amore Columbani et eius regulae*, ce qui s'entend naturellement de Solignac, premier exemple donné.

92. On peut en douter, puisque Jonas, en I,26 (50), dit Rebais fondé *ex supradicti uiri (Columbani) regula*, bien que le privilège de Faron (637) place ce monastère sous *regula beati Benedicti ad modum Luxouiensis monasterii* (ci-dessus, n. 87).

93. *Reg. mon.* 1,1-2 et 15 (voir les notes).

mais peu après, et peut-être pas sans relation avec cette crise, elle est discrètement entrée en composition avec la législation «romaine» de Benoît.

A l'origine des difficultés rencontrées par la Règle de Colomban et de son effacement progressif devant celle de Benoît se trouve sans doute son caractère étranger. L'idéal de *peregrinatio* qui animait Colomban avait ses limites. Pour cet exilé volontaire, il n'était pas question de renoncer aux usages de sa patrie. Pérégriner, c'était porter l'Irlande avec soi. Cet attachement aux coutumes de la terre natale, sans la moindre concession à celles du pays d'élection, eut pour conséquence première le grave conflit ecclésiastique dont nous parlerons au chapitre suivant. Mais au-delà de cette querelle spectaculaire, dont Jonas ne dit rien, on entrevoit que les oppositions à la Règle, sur lesquelles il s'étend complaisamment, furent dues pour une large part au même refus de s'adapter [94].

Ce que Colomban n'avait pas su faire, ses disciples le firent bientôt. Cependant l'adaptation ne s'opéra pas, pour l'essentiel, au moyen des vieilles législations autochtones, qui abondaient pourtant [95], mais d'un texte venu d'Italie. C'est un spectacle fascinant que cette rencontre, sur le sol de Gaule, des monachismes d'outre-mer et d'outremonts, fusionnés dans l'enthousiasme religieux de l'aristocratie romano-franque.

94. Cf. I,19 (33) : *conquestusque cum eo cur ab conprouincialibus moribus discisceret* (plaintes de Thierry au sujet de la Règle).

95. Sauf recours occasionnel à Césaire (Besançon, Chamalières), Augustin et Basile (Arras), Basile et Macaire (Rebais), Macaire (Groseaux). Cf. MOYSE, *loc. cit.*, n° 4, 7, 14, 16 et 17.

IV

COLOMBAN VU PAR JONAS :
LE PROPHÈTE ET LA POLITIQUE

Aussitôt après que Colomban, en 610, est arraché de Luxeuil, de graves événements se succèdent en Gaule, qui amènent en peu de temps une révolution presque complète. A cette époque, trois souverains régnaient sur les royaumes francs : Théodebert en Austrasie, son demi-frère Thierry, flanqué de leur grand'mère Brunehaut, en Bourgogne, et leur cousin Clotaire en Neustrie. Entre les deux frères, les relations étaient déjà tendues. En 610, Théodebert envahit l'Alsace, qui appartenait à Thierry, et celui-ci, au plaid de Seltz, doit céder la province à l'occupant [1]. Au printemps de 612, Thierry attaque l'Austrasie, bat Théodebert à Toul et à Zulpich, s'empare de lui et le livre à Brunehaut, qui le fait périr [2]. Dans cette lutte fratricide, Clotaire n'est pas intervenu, mais Thierry a dû acheter sa neutralité en lui offrant le duché de Dentelin, naguère perdu par la Neustrie [3]. Vainqueur, le roi de Bourgogne veut reprendre ce domaine. Cependant il meurt à Metz en 613, au moment de se mettre en campagne. Encore enfant, son fils Sigebert lui succède sous l'égide de Brunehaut et doit faire face à Clotaire [4].

1. FRÉDÉGAIRE 37. Cf. JONAS, *V. Col.* I,24 (48) : *lis oritur... Disceptantibus utrisque de regni termino...*

2. FRÉD. 38, selon lequel Théodebert est envoyé par Thierry à Chalon. C'est Jonas qui, en I,28 (57), rapporte qu'il fut mis à mort.

3. FRÉD. 37; cf. 20. Ce duché correspondait au nord de la France et à l'ouest de la Belgique.

4. FRÉD. 38-39. Cf. JONAS, *V. Col.* I,29 (58).

Abandonnés par les grands d'Austrasie, trahis par ceux de Bourgogne, le petit roi et son aïeule tombent au mains des Neustriens, qui les tuent. A la fin de 613, Clotaire est l'unique souverain des trois royaumes.

Cette réunion de la Gaule franque sous le sceptre de Clotaire II renouvelle l'état de choses qui avait cessé un demi-siècle plus tôt, à la mort de Clotaire Ier (561). Au-delà du règne glorieux de Dagobert (629-639), cette situation dure encore sous le jeune Clovis II, au temps où Jonas écrit la Vie de Colomban. Les trois royaumes restent distincts, avec leur aristocratie et leur maire du palais propres, mais sous le gouvernement d'un seul souverain. Que celui-ci vienne de Neustrie est un fait paradoxal, vu que ce royaume était le plus petit des trois et avait subi des humiliations répétées. Après la brève mais dure guerre entre Austrasie et Bourgogne, la victoire facile et définitive de Clotaire, qui cueille tous les fruits, apparaît comme un retournement mystérieux du sort.

Cette crise nationale des années 610-613 a coïncidé avec le grand voyage de Colomban à travers la Gaule et la Germanie. Chassé de Luxeuil pour insultes à Thierry et à ses enfants, le moine irlandais est à la cour de Clotaire au moment où celui-ci se demande s'il soutiendra la Bourgogne ou l'Austrasie. Après lui avoir conseillé de rester neutre, Colomban rencontre Théodebert et lui donne aussi des avis. Ceux-ci n'ayant pas été suivis, l'effondrement de l'Austrasie sous les coups de Thierry oblige le grand moine à passer en Italie. C'est là que, pour finir, il reçoit de Clotaire une invitation à rentrer chez lui, à laquelle il répond par un refus courtois, assorti de demandes pour ses moines.

Colomban a donc vécu cette tourmente politique, non en simple spectateur, mais en agent et en patient, victime d'un roi et ami des deux autres, donnant à tous des leçons plus ou moins écoutées. A la fin de la partie, il se trouve gagnant. Ses persécuteurs ont péri, le vainqueur lui rend hommage et se montre reconnaissant.

Conscient des résultats importants qu'a eus l'affaire, tant pour les royaumes francs que pour le monachisme colombanien, Jonas s'y est vivement intéressé. Elle remplit, nous l'avons vu, la seconde moitié de la Vie de Colomban, prenant dans la biographie une place sans proportion avec sa brève durée. Du point de vue hagiographique qui est le sien, Jonas l'envisage comme la manifestation d'un charisme prophétique. Tout en accomplissant, au cours de son voyage, maint autre miracle, Colomban se signale dans cette période par une série de prédictions sur les événements publics. Il n'y en a pas moins de six, adressées successivement à Brunehaut et à Thierry, à Ragomund et à Chrodoald, à Clotaire et à Théodebert. Les deux dernières sont expressément appelées «prophéties [5] », terme que Jonas applique pour finir à l'ensemble des six [6]. Ailleurs, la prédiction est suivie d'un constat de réalisation [7].

Cette demi-douzaine de prophéties doit être considérée avec soin, si l'on veut en mesurer la portée. Résumons-les d'abord en un tableau :

19 (32). A Brunehaut : les fils illégitimes de Thierry ne régneront pas.
19 (33). A Thierry : son royaume sera ruiné; il périra avec ses enfants.
20 (39). A Ragomund : avant trois ans, Clotaire régnera sur la Bourgogne.
22 (43). A Chrodoald : avant trois ans, Thierry et ses fils périront.
24 (48). A Clotaire : avant trois ans, il sera maître des trois royaumes.
28 (57). A Théodebert : il sera clerc malgré lui (et mourra ?).

5. I,24 (48) : *prophetico repletus spiritu... prophetico ore*; 28 (57) : *prophetici dicti*.
6. I,29 (58) : *beati Columbae prophetia*.
7. I,19 (33) : *quod postea rei probauit euentus*; 22 (43) : *quod in postmodum omnes Galliae nationes sensere impletum*. Formules analogues en 21 (40) : événement privé; 28 (57) : «prophétie» sur Théodebert.

Colomban a-t-il, en fait, prononcé toutes ces prophéties ? Seules les deux premières ont trouvé place dans la Chronique de « Frédégaire », qui recopie la Vie de Colomban [8]. Des quatre suivantes, nul autre que Jonas ne nous informe. Recueillies par des particuliers et situées de façon précise, les prédictions à Ragomund et à Chrodoald ont un air de vérité. Celle qui s'adresse à Clotaire trouvera un écho dans la reconnaissance du roi vainqueur [9]. La moins garantie reste la dernière.

Mais peu importe si ces oracles sont réellement sortis de la bouche du saint. Le fait est qu'en les attribuant à celui-ci, Jonas l'a chargé d'une énorme responsabilité. Annoncer de tels événements, c'est poser chaque fois un acte lourd de conséquences. En refusant de bénir les fils de Thierry, en déclarant qu'ils sont illégitimes et ne régneront pas, Colomban proclame leur déchéance. Plus graves encore, les prophéties à Thierry et à Chrodoald annoncent l'extermination de la dynastie bourguignonne, légitimant ainsi par avance le massacre des fils de Thierry perpétré par Clotaire. En prédisant que celui-ci régnera sous peu, non seulement sur la Bourgogne, mais encore sur l'Austrasie, Colomban prépare efficacement l'annexion des deux royaumes à la Neustrie : la fidélité de Ragomund et de tout autre sujet bourguignon à son souverain en sera ébranlée, la confiance en soi de Clotaire et son appétit de conquête confirmés. Quant à la prédiction concernant Théodebert, les clameurs de l'intéressé et de son entourage n'empêcheront pas qu'une menace est désormais suspendue sur lui, capable de saper les courages et les loyautés au moment critique.

Les prophéties de Colomban, s'il les a vraiment proférées, sont donc autant d'actes politiques de grande portée.

8. FRÉD. 36, reproduisant *V. Col.* 18-20 (31-37), sauf la délivrance des prisonniers à Besançon en 19 (34), et l'aveuglement des soldats qui cherchent Colomban en 20 (36).

9. Celle-ci, toutefois, pourrait être motivée par le seul fait que Colomban avait donné au roi un bon conseil, ou même qu'il était passé le voir après son bannissement ; cf. I,30 (61).

On se tromperait pourtant en les prenant pour de pures intrusions d'un religieux dans un domaine qui ne le regarde pas. Remarquons d'abord que l'opposition du prophète à Thierry et à ses enfants se fonde sur un critère purement moral : l'inconduite du jeune roi, qui procrée ses fils «avec des prostituées», comme parle crûment Colomban, ou «des concubines», comme le dira Frédégaire plus exactement [10]. Cette luxure hors mariage déplaît à Dieu et scandalise les hommes : la sentence de déchéance signifiée par le prophète ne paraît pas avoir d'autre motif.

On est loin, malgré les apparences, de l'objection faite naguère par l'évêque Sagittarius aux enfants de Gontran, déclarés «inhabiles à régner» parce que leur mère était d'origine servile [11]. En rapportant ce mot d'un évêque d'ailleurs indigne, Grégoire de Tours note qu'il se trompait : juridiquement, l'origine de la mère n'affecte pas, dans le cas des rois, la condition des enfants [12]. Cette opposition juridico-sociale est à distinguer de la réprobation religieuse dont Colomban poursuit les «adultères» du roi, contraires à un «mariage légitime [13] ».

En second lieu, il faut observer que le massacre des enfants de Thierry n'est pas annoncé à tout venant, mais d'abord à Thierry lui-même, sous forme de menace, puis au «fidèle» sujet qu'est Chrodoald, ironiquement chargé de porter cette bonne nouvelle à son maître. L'acte cruel de Clotaire en reçoit une sorte de justification, certes, mais sans que ce prince ait reçu du prophète aucun mandat de l'exécuter. Si d'ailleurs Jonas se montre complaisant envers le roi neustrien, dont il esquisse un portrait flatteur et présente comme une revendication légitime l'agression contre

10. Comparer I,18-19 (31-32) : *ex lupanaribus... de lupanaribus*, avec FRÉD. 21.24 (bis).29 : *de concubina*; cf. I,18 (31) : *concubinarum adulteriis*.
11. GRÉGOIRE DE TOURS, *Hist. Franc.* 5,21.
12. Cf. M. REYDELLET, *La royauté dans la littérature latine de Sidoine Apollinaire à Isidore de Séville*, Rome 1981 (*BEFAR* 243), p. 357, n. 6.
13. I,18 (31). Allusion à la reine Ermenberge (FRÉD. 30).

l'Austrasie [14], il ne prétend pas que Colomban ait lui-même porté pareils jugements. Selon lui, au contraire, le saint a censuré les désordres de la cour de Neustrie et refusé de s'établir dans le royaume pour ne pas provoquer une tension avec Thierry [15].

Ces remarques faites, qui montrent les limites des interventions de Colomban et leur caractère religieux, il reste que l'action du prophète s'insère de façon remarquable dans les mouvements de l'opinion, tels que les laisse entrevoir le récit de Frédégaire. En s'opposant à Brunehaut et à ses arrière-petits-fils, Colomban s'allie, sciemment ou non, aux grands de Bourgogne qui haïssent la vieille reine et la livreront à Clotaire avec ses descendants [16]. En prophétisant que l'Austrasie, comme la Bourgogne, tombera aux mains du roi de Neustrie, il s'accorde avec le sentiment des dirigeants austrasiens, à commencer par l'évêque Arnoul et le maire Pépin, qui ne veulent pas davantage la domination de Brunehaut et invitent Clotaire à entrer chez eux [17]. Quant à la prédiction concernant Théodebert, elle rejoint le vœu d'un évêque aussi édifiant que Lesio de Mayence, appelé par Frédégaire «homme bienheureux et apostolique», qui «déteste la sottise» de ce roi et encourage Thierry à prendre sa place [18]. Au reste, ce Lesio n'est autre que l'évêque anonyme qui ravitaille au passage Colomban remontant le Rhin [19]. Peu avant la prophétie sur Théodebert, les deux hommes de Dieu se sont donc rencontrés, et ils ont vraisemblablement échangé des propos sur le souverain austrasien.

14. I,24 (48) et 29 (58). Clotaire aurait seulement «cherché à récupérer les territoires de son royaume qui relevaient de sa juridiction». FRÉD. 40 dit plus rondement qu'il «entra en Austrasie».
15. I,24 (48). Cf. I,30 (61) : même sévérité dans le message envoyé de Bobbio.
16. FRÉD. 41-42.
17. FRÉD. 40. Sur Arnoul et Pépin, voir FRÉD. 52 et 58.
18. FRÉD. 38. Cependant Lesio «apprécie la valeur *(utilitas)* de Thierry», ce qui n'est guère le cas de Colomban.
19. I,27 (52).

Vox populi, vox Dei. Les oracles de Colomban ne sont pas tombés à l'improviste sur un peuple qui n'aurait jamais songé à rien de tel. Ils répondaient à de profondes aspirations de l'élite sociale, fatiguée de Brunehaut en Bourgogne, dégoûtée de Théodebert en Austrasie, opposée à une tutelle de la vieille reine sur son arrière-petit-fils dans les deux royaumes. Consciemment ou non, ces oppositions à la famille de Sigebert allaient dans le sens de l'étrange dessein divin qu'annonçait le prophète. D'après Frédégaire [20] et Jonas, l'unification de la Gaule par Clotaire fut l'œuvre conjointe de l'aristocratie nationale et du moine étranger.

D'avoir si bien épousé le mouvement de l'histoire, Colomban retira le plus grand profit, non pour lui-même mais pour les siens. Outre que Luxeuil fut, à sa demande, magnifiquement doté par Clotaire, l'influence d'Eustaise sur le roi semble avoir été considérable. Quand l'évêque Leudemond de Sion, après s'être mis dans un cas pendable, cherchera à sauver sa peau, il se réfugiera à Luxeuil et obtiendra son entier pardon, qu'il ne méritait guère, par l'intercession de «dom Eustaise, abbé [21] ». Sous Walbert, le prestige du grand monastère fondé par Colomban ne fera que croître, ce dont l'œuvre de Jonas est à la fois un signe et une cause.

Cette connivence du moine scot et de l'aristocratie romano-franque dans la crise dynastique qui secoue la Gaule n'empêche pas que le biographe, et sans doute le héros lui-même, s'est représenté l'action colombanienne comme une geste prophétique, analogue à celle des grands hommes de Dieu de la Bible. Face à la «nouvelle Jézabel [22] », Colomban fait figure de nouvel Élie, qui reproche au couple royal ses péchés et lui annonce son châtiment. Comme Achab, de fait, Thierry mourra «frappé de Dieu», et Brune-

20. Celui-ci rapporte deux prophéties de Colomban (ci-dessus, n. 8).

21. FRÉD. 44. En II,9 (9), Jonas montre Clotaire favorable aux Colombaniens et confiant en la victoire d'Eustaise sur Agrestius ; cf. 9 (6).

22. I,18 (31) : *secundae ut erat Zezabelis.*

haut périra d'une mort «misérable», déchiquetée par les chevaux comme la reine d'Israël avait été dévorée par les chiens [23]. Quant au massacre des fils du roi, dont Jonas porte généreusement le nombre à cinq, il rappelle de façon plus précise encore la vengeance divine exécutée par Jéhu [24].

S'agissant de morale conjugale, les reproches de Colomban à Thierry font aussi penser à Jean-Baptiste et à Hérode, la haine de Brunehaut faisant d'elle une nouvelle Hérodiade. Mais ce type néotestamentaire n'affleure pas dans le texte de Jonas, tandis que les prophètes d'Israël sont certainement présents à son esprit. Élisée, qui a investi Jéhu de sa mission vengeresse – on songe à Colomban et à Clotaire –, se joue aussi des soldats ennemis, dont les yeux sont aveuglés par miracle : la même scène se reproduit à Luxeuil, lorsque les soldats de Thierry viennent arrêter Colomban [25]. Et quand d'autres reviennent pour l'expulser, leurs interpellations, leurs craintes, leurs supplications, auxquelles Colomban finit par se rendre, sont manifestement calquées sur l'arrestation d'Élie par les hommes d'Ochozias [26].

Ces réminiscences de l'histoire des prophètes traduisent la conviction qu'a Jonas de raconter la vie d'un authentique inspiré. Il le dira en propres termes quand il montrera Colomban conseillant Clotaire : le saint est à ce moment «rempli de l'Esprit prophétique [27] ». Ce mot est à rapprocher de ce que Jonas a écrit au sujet de la rédaction de la Règle : alors aussi, Colomban était «rempli de l'Esprit Saint [28] ».

23. I,29 (58). Cf. 1 R 22,34-35 (Achab); 2 R 9,30-37 (Jézabel). Cependant la mort de Brunehaut n'a pas été annoncée par Colomban, et Jonas ne rapproche pas la fin des souverains francs de celle des princes d'Israël.

24. I,29 (58). Cf. 2 R 9,24-26 et surtout 10,1-11.

25. I,20 (35). Cf. 2 R 6,18-20.

26. I,20 (36). Cf. 2 R 1,9-14.

27. I,24 (48) : *prophetico repletus Spiritu.*

28. I,10 (17) : *Spiritu sancto repletus.* Cf. I,11 (18) : *Spiritu sancto plenus*; II,9 (9) : *administrante sibi Spiritu sancto* (Eustaise); 17 (12) : *lumine Spiritus sancti* (Wilsinde). Voir aussi II,12 (3) : *Spiritu sancto monente* (Gibitrude).

Moine et prophète, législateur et prêcheur, le héros est animé du même Esprit divin dans ses deux rôles. A travers la bipartition voulue par le biographe, sa Vie reste une.

Après les prophètes de la Bible, ceux du monachisme chrétien se sont maintes fois dressés, en adversaires ou en amis, devant les rois de la terre. Face à Thierry, Clotaire, Théodebert, Agilulfe, Colomban fait penser aux moines célèbres qui l'ont précédé : Jean de Lyco, Martin, Séverin, Benoît [29]. Mais ces antécédents sont bien moins importants, pour l'intelligence de la *Vita Columbani*, qu'une autre figure, toute proche dans l'espace et le temps : l'évêque-martyr Didier de Vienne. La «Vie et Passion» de ce saint, écrite peu après 613 par le roi visigoth Sisebut, a visiblement servi de modèle au biographe de Colomban, qui la mentionne d'ailleurs expressément [30].

En résumant cette courte Vie de Didier, Jonas a bien marqué ses deux épisodes essentiels : d'abord persécuté et exilé par Thierry et Brunehaut, l'évêque de Vienne est finalement martyrisé sur leur ordre. Ces deux actes du drame ont chacun des rapports précis avec l'existence de Colomban. L'exil de Didier résulta de sa condamnation par un concile, que Sisebut se garde de désigner avec précision, mais dont nous savons par Frédégaire qu'il se tint à Chalon en 603, sous la présidence d'Arigius, évêque de Lyon [31]. Or ce même concile est très probablement celui qui eut à débattre de la date aberrante à laquelle les moines de Luxeuil prétendaient célébrer Pâques. Jonas ne souffle mot de cette affaire, mais elle nous est connue par une lettre de Colomban aux évêques de Gaule, où il mentionne un *libellus* sur la date de Pâques adressé par lui à Arigius [32].

29. Voir notre *Vie de saint Benoît*, Bellefontaine 1982, p. 110-111.

30. I,27 (54) : *gesta scripta*. Voir *PL* 80,377-384. Cf. J. FONTAINE, *King Sisebut's* Vita Desiderii *and the Political Function of Visigothic Hagiography*, dans *Visigothic Spain. New Approaches*, éd. Ed. JAMES, Oxford 1980, p. 93-129.

31. SISEBUT, *Vita Desiderii* 4 ; FRÉD. 24 : *instigante Aridio*. Celui-ci n'étant devenu évêque de Lyon qu'en 603, corriger la date de 602 indiquée dans *CC* 148 A, p. 263.

32. COLOMBAN, *Ep.* 2,5.

Unis ainsi une première fois de façon quasi fortuite, Didier et Colomban le seront de nouveau, et bien plus étroitement, par leur commune opposition aux souverains de Bourgogne. Pourquoi ceux-ci en voulaient-ils, au début, à l'évêque de Vienne ? Sisebut ne le dit pas, se bornant à affirmer que Thierry et surtout Brunehaut étaient responsables de l'accusation mensongère qui fit condamner Didier au concile de Chalon [33]. Mais quand l'évêque est absous et rappelé d'exil, on le voit s'en prendre aux méfaits des deux souverains, notamment à des «parjures» dans lesquels il n'est pas difficile de reconnaître la triste histoire de la reine Ermenberge, renvoyée par Thierry en Espagne contre la foi jurée [34]. Seule épouse légitime du roi, cette princesse pourrait être l'«honorable reine» que Jonas mentionne en résumant les reproches de Colomban à Thierry [35]. En tout cas, l'évêque de Vienne et l'abbé de Luxeuil font dès lors front commun contre les dérèglements du roi de Bourgogne et l'influence néfaste de sa grand'mère. A tous deux cette franchise pastorale vaut la colère de Thierry et de Brunehaut. Didier en mourra (607), et trois ans plus tard Colomban sera expulsé.

Pour Sisebut, Didier est avant tout un «martyr», titre glorieux qu'il lui donne six fois [36]. Mais c'est aussi «à la manière des prophètes» qu'il dénonce les vices des princes en vue de les sauver. Colomban, lui, ne mourra pas martyr, Thierry s'étant gardé de lui procurer cet honneur, peut-être justement parce que l'affaire de Didier lui avait montré les inconvénients du lustre qu'on donne ainsi à la victime [37]. Son châtiment sera seulement l'exil, comme pour Didier à sa première persécution. Mais Jonas lui don-

33. SISEBUT, *V. Des.* 4 et 6.
34. SISEBUT, *V. Des.* 9 : *labem periurii reserati et foedera sacramenti deserti*; cf. FRÉD. 30 : *datis sacramentis* (Arigius de Lyon est un des trois jureurs). Cf. FONTAINE, *art. cit.*, p. 116, n. 3. Date : 607.
35. I,18 (31) : *ut regalis progenies ex honorabilem reginam prodiret.*
36. SISEBUT, *V. Des.* 1; 9 (4 fois); 10. Didier prophète : *ibid.* 9 *(more nempe prophetico clangore tubae personuit*; cf. Is 58,1, etc.)
37. I,19 (33) : *Martyrii coronam a me tibi inlaturam speras*, etc.

nera, nous l'avons vu, le titre de «prophète», moins pour ses reproches aux souverains que pour ses prédictions vérifiées par les événements. A la dénonciation des fautes commises, le grand abbé joint en effet l'annonce précise des châtiments à venir. Dépassant Didier, il est prophète en ce deuxième sens aussi bien qu'au premier. Martyrisé quatre ans avant les événements de 611-613, l'évêque de Vienne ne les a ni vus ni prévus. C'est à Colomban que ce rôle de témoin prophétique était réservé.

Tous deux pareillement maltraités par les méchants souverains [38], Didier et Colomban sont l'un et l'autre à l'origine du châtiment exemplaire de leurs persécuteurs. L'opuscule de Sisebut, écrit au lendemain des événements, célèbre pour finir la disparition tragique de Thierry et de Brunehaut. A le lire, on dirait que la mort du roi a suivi immédiatement celle de sa victime. Escamotant quelque six ans, il représente Thierry atteint de dysenterie mortelle au moment même où il «exultait» à la nouvelle de la disparition de Didier [39]. Pour ce crime et les autres, le roi s'est attiré la «mort éternelle», et c'est aussi aux «peines éternelles» que s'en va Brunehaut après lui.

A son tour, Jonas établit un lien causal entre les maux infligés à Colomban et le sort de Thierry, frappé avec tous ses descendants. Dans sa première prophétie, le saint déclare au roi : «Si tu es venu pour détruire les coenobia des serviteurs de Dieu et flétrir leur discipline régulière, ta royauté sera bientôt ruinée de fond en comble et sombrera avec toute ta postérité royale [40].» D'après ces propos, la chute de la dynastie de Bourgogne-Austrasie a pour cause les mauvais procédés du roi envers les moines.

38. Comparer I,24 (48) : *Chlotarius audierat quantis qualibusque iniuriis uirum Dei Brunichildis ac Theodoricus fatigauerant*; 27 (54) : *Desiderium... multis iniuriis affligere nitebantur... quibus et quantis aduersitatibus... meruit habere triumphos*.

39. SISEBUT, *V. Des.* 10. Cf. GRÉGOIRE, *Dial.* II,8,6.

40. I,19 (33), où *cito* (Krusch) est préférable à *scito*, la phrase précédente étant déjà au discours indirect.

De façons différentes mais également nettes, Sisebut et Jonas prétendent donc que la catastrophe politique de 613 est imputable aux persécutions subies par leur héros. Qui devons-nous croire ? Est-ce Didier ou Colomban que le ciel a ainsi vengé ? Le second a sur le premier l'avantage d'avoir été persécuté en dernier lieu, peu avant les malheurs de Thierry et de Brunehaut, ce qui dispense Jonas d'opérer un raccourci chronologique à la manière de Sisebut. Au reste, l'hagiographe colombanien ne se montre pas jaloux : après avoir transféré de Didier à Colomban le thème de la mort des persécuteurs, il joint libéralement le premier au second en insérant un paragraphe sur les souffrances du saint évêque, de sorte que les événements historiques de 613 paraissent répondre aux tribulations de l'un et de l'autre, présentées comme simultanées [41]

Cette double explication théologique de l'histoire a passé dans la Chronique du Pseudo-Frédégaire. Celui-ci commence par rapporter, à sa date exacte de 607, la lapidation de Didier, en commentant : « Il est à croire que c'est pour ce méfait que fut détruit le règne de Thierry et de ses enfants [42] . » Plus loin, il raconte, en copiant Jonas, les démêlés de Colomban avec Thierry et son expulsion de Luxeuil, non sans reproduire textuellement la première prophétie du saint [43] . Cependant l'énoncé du Chroniqueur concernant Didier est d'une force et d'une netteté supérieures, encore accrues du fait qu'il se fonde sur le témoignage constant des miracles accomplis au tombeau de l'évêque martyr [44] .

Pour revenir à Jonas, il est clair que son image de Colomban prophète doit beaucoup à la Passion de Didier. De part et d'autre, l'envie du diable excite contre l'homme

41. I,27 (54) : *Eo itaque tempore...* Jonas a été trompé par Sisebut.
42. FRÉD. 32. La mention des enfants *(filiorum suorum)* ne vient pas de Sisebut, qui, à la différence de Jonas, ne souffle mot du massacre des fils de Thierry.
43. FRÉD. 36 (626 B).
44. FRÉD. 32 : *Per quod credendum est...* Déjà SISEBUT, *V. Des.* 10 (384 D) vantait les guérisons opérées au tombeau de Didier.

de Dieu l'animosité de Brunehaut [45]. De part et d'autre aussi, le saint se conduit en prophète intrépide, bravant la colère royale pour accomplir son ministère de vérité. De part et d'autre enfin, le tort causé à l'ami du Seigneur entraîne la perte des deux souverains persécuteurs. Mais sur ce canevas, qui restait chez Sisebut à l'état de schéma, avec une absence presque complète de personnages secondaires et de détails concrets [46], Jonas a composé une histoire des plus vivante et circonstanciée, dont la richesse documentaire et l'intérêt humain contrastent avec l'indigence déclamatoire du pamphlet visigoth.

Les rapports de la Vie de Colomban avec celle de Didier n'ont pas échappé à l'observateur pénétrant qu'était Bruno Krusch. Mais sa malveillance hypercritique en a tiré des conséquences exagérées. Selon lui, Jonas a créé de toute pièce, sur le modèle de l'affaire de Didier, le conflit de Colomban et des souverains de Bourgogne, afin de dissimuler la véritable cause de son exil : son conflit avec l'épiscopat au sujet de la date de Pâques. En expulsant le moine irlandais, Thierry n'aurait fait qu'exécuter avec beaucoup de douceur une sentence des évêques, excédés de son obstination. Passant sous silence la question de Pâques, comme il passera sous silence l'affaire des Trois Chapitres, le biographe y aurait substitué, pour expliquer l'expulsion, la haine de Brunehaut, à laquelle il impute la détérioration des rapports de Colomban avec le roi et les évêques [47].

Cette thèse de l'éditeur des *Monumenta* se fonde sur un fait réel : l'occultation de la querelle pascale dans la Vie de Colomban. Jonas n'en dit pas un mot, alors que les lettres du saint montrent qu'elle fut au cœur de ses difficultés

45. I,18 (31) : *antiquus anguis*; SISEBUT, *V. Des.* 9 (382 C) : *callidissimus serpens* (cf. 4 : le diable agit, mais pas par Brunehaut).
46. On n'en trouve qu'à propos des châtiments (*V. Des.* 10, dont les « chevaux indomptés » passeront chez Jonas). Même là, pas un nom de personne (Clotaire !) ou de lieu.
47. KRUSCH, p. 35; cf. p. 15.

avec l'Église de Gaule. Écrivant en 600 à Grégoire le Grand, en 603 aux évêques gaulois, en 604 au successeur de Grégoire, en 610 aux frères de Luxeuil, Colomban mentionne chaque fois, et parfois très longuement, ce problème majeur [48]. D'autres points de friction apparaissent dans sa correspondance [49], mais celui-là est de toute évidence le plus constant et le plus préoccupant. Étranger par son origine, Colomban prétendait le rester par ses pratiques. Face aux évêques et au pape, il revendique le droit de suivre en Gaule les usages irlandais [50].

De ce particularisme et de la réprobation qu'il soulevait, Jonas lui-même laisse paraître quelque chose dans la page où il rapporte les griefs des évêques, des grands et du roi lui-même. Mais, à l'en croire, ces plaintes visaient la Règle que Colomban avait imposée à ses moines, et notamment la clôture stricte qui interdisait aux séculiers les lieux réguliers [51]. De fait, certains usages proprement monastiques de Luxeuil ont pu inquiéter l'opinion extérieure, comme il adviendra sous Eustaise lors de la campagne d'Agrestius. Cependant il n'est pas douteux que l'épiscopat avait à se plaindre d'autre chose, qui regardait la discipline ecclésiastique elle-même. En racontant l'expulsion de Colomban, et peut-être aussi l'affaire d'Agrestius [52], Jonas a escamoté cette dissidence, qui ressemblait trop à un schisme [53].

Quand donc le biographe attribue l'opposition des évêques aux seules intrigues de Brunehaut, il donne le change

48. COLOMBAN, *Ep.* 1,2-5 et 10-12; 2,2-7; 3,2; 4,3.
49. *Ep.* 1,6 (évêques indignes); 2,2-5 (discipline ecclésiastique). Colomban est aussi préoccupé de moines qui passent à l'érémitisme (1,7) et d'infidélités des siens à la *regula* (4,3-4).
50. *Ep.* 2,6; 3,2-3.
51. I,19 (33). Voir les notes.
52. II,9 (9-12). Peut-être Luxeuil était-il déjà rallié à la date des Églises continentales.
53. Quant aux Trois Chapitres (COLOMBAN, *Ep.* 5), Jonas n'en dit rien en I,30 (59-61), mais en parle à propos d'Agrestius; voir II,9 (7-8).

sur la cause principale et l'ancienneté d'une tension qui se faisait sentir depuis une bonne dizaine d'années [54]. Est-ce à dire que la vieille reine ne fut pour rien dans les malheurs de Colomban ? C'est ici que Krusch exagère sans doute. En rapportant que Brunehaut préférait, pour son petit-fils, des concubines à une épouse légitime qui aurait diminué sa propre influence, Jonas s'accorde avec les dires de Frédégaire, selon lequel le renvoi de la reine Ermenberge eut pour cause l'hostilité de la grand'mère et de la sœur de Thierry [55]. Que celui-ci, poussé par Brunehaut, en ait voulu à Colomban des remontrances qu'il lui adressait et de l'injure faite à ses enfants, il n'y a là rien que de vraisemblable. Des griefs personnels de ce genre sont même quasi nécessaires pour expliquer que le roi se soit décidé en 610 à exiler Colomban, alors que la discussion de celui-ci avec les évêques durait depuis une décennie au moins. Déjà aigu en 600, comme le montre la lettre du saint au pape Grégoire, ce conflit ecclésiastique ne semble pas avoir ému les souverains jusqu'au moment où leur propre personne fut mise en cause par des conseils qui leur déplurent et des critiques qui les menaçaient.

Jonas a donc probablement raison d'attribuer à Brunehaut un rôle décisif dans l'expulsion du moine prêcheur. Il a seulement simplifié les choses en lui faisant porter toute la responsabilité de la coalition qui se forma alors contre Colomban. Non seulement les évêques étaient depuis longtemps mal disposés à son égard, mais des séculiers influents semblent avoir partagé leur mécontentement. Garnier, maire du palais de Bourgogne, qui aimait si peu Brunehaut qu'il la livra aux mains de Clotaire, n'en était pas moins opposé aux usages de Luxeuil, comme on le voit dans l'affaire d'Agrestius [56]. Son aversion pour l'œuvre de Colomban,

54. Quand Colomban rappelle aux frères la consécration de l'autel de Luxeuil par le «saint évêque Aidus» (*Ep.* 4,4), on devine les difficultés avec l'épiscopat gaulois qui ont pu précéder ou suivre ce recours à un prélat au nom irlandais.

55. I,18 (31); FRÉD. 30. Cf. ci-dessus, n. 34-35.

56. II,9 (10) : «adversaire d'Eustaise», Garnier l'était-il pour raisons personnelles ou à cause des institutions colombaniennes, seules mises en cause par Agrestius ? Sur ses rapports avec Brunehaut, voir FRÉD. 40-42.

qui fait penser à celle de l'entourage de Thierry en 610, avait vraisemblablement d'autres causes que les intrigues de la reine-mère. Celle-ci n'aura fait que cristalliser des oppositions déjà existantes, en y ajoutant le poids de son autorité sur le roi. C'est sans doute à cause d'elle, comme le veut Jonas, que Colomban devint un émule de Didier et entra dans sa carrière de prophète.

V

TEXTE ET TRADUCTION

En 1902, Bruno Krusch publiait dans les *Monumenta Germaniae Historica* la première édition critique de la *Vita Columbani*, d'après une quarantaine de manuscrits. Mais bientôt de nouvelles recherches, stimulées par celles de H. J. Lawlor, lui permettaient de tripler cette base manuscrite et de donner en 1905 une seconde édition de l'œuvre, recensant quelque 115 témoins. C'est sur cette dernière édition que nous avons traduit le texte de Jonas, mais en tenant compte de deux autres publications, l'une antérieure, l'autre postérieure, dues à J. Mabillon et à M. Tosi.

L'édition de Mabillon n'est pas sans défauts, dont le premier est de morceler l'œuvre de Jonas : dans ce second volume des *Acta Sanctorum Ordinis Sancti Benedicti* (Paris, 1669), Colomban, Eustaise, Attale, Bertulfe et Fare sont célébrés séparément en autant de «Vies» particulières, rangées à la date présumée de la mort de chaque personnage et dispersées parmi les biographies des autres «saints de l'Ordre». Cependant l'érudit mauriste a eu le mérite, exceptionnel dans la dizaine d'éditeurs qui se sont succédé depuis Mombritius (Milan, 1475), de présenter l'ouvrage au complet. De plus, cette édition est la plus facile à trouver, soit sous sa forme originelle, soit dans la Patrologie de Migne, qui l'a reproduite en un seul bloc (*PL* 87, 1011-1084). Enfin elle divise le texte en paragraphes numérotés, qui ont l'avantage d'être souvent plus brefs que les trop longs chapitres de Jonas. Aussi nous a-t-il semblé utile d'indiquer entre parenthèses ces numéros de Mabillon, à la suite de ceux de Krusch.

L'autre édition qui doit être mentionnée est celle de Michele Tosi. Publiée en 1965, elle repose sur un nouveau manuscrit, celui du grand séminaire de Metz (M), découvert dix ans plus tôt par dom Jean Leclercq. Ce manuscrit très ancien (fin du IXe siècle), apparenté au groupe A 3 de Krusch, est reproduit minutieusement par l'éditeur italien avec une traduction soigneuse, due à E. Cremona et M. Paramidani. Tout en suivant le texte de Krusch, nous avons fait à cette édition quelques emprunts, toujours signalés en note. Le plus important consiste à placer le récit de Chagnoald sur la familiarité de Colomban avec les animaux, non après le chapitre 17, où il est manifestement hors contexte, mais à la fin du chapitre 15, auquel il fait une bonne suite [1]. L'omission de ce morceau par certains témoins et les places différentes que lui donnent les autres montrent qu'il s'agit probablement d'un ajout de Jonas à la rédaction primitive. D'abord écrit sur une feuille volante, il aura été mal inséré dans le rameau principal de la tradition, reproduit par Mabillon et par Krusch. On le trouvera ici sous le numéro irrégulier I, 15 (30).

Comme Mabillon et Tosi, nous délimitons par des sous-titres et un explicit, au Livre II, les Vies d'Attale et d'Eustaise, ainsi que les Miracles d'Éboriac. Quant à la Vie de Bertulfe, il ne semble pas opportun de lui préfixer un titre de ce genre, qui ferait double emploi avec celui du chapitre 23, ni de séparer ensuite de leur abbé les moines de Bobbio dont il est question pour finir. Cette division du Livre II en quatre sections est postulée par la numérotation de Mabillon que nous reproduisons.

Le caractère de la présente collection requérant une annotation sobre, nous n'avons joint à la traduction que des notes brèves et en nombre restreint. Cependant un texte aussi intéressant appelle d'autres remarques. Nous les ras-

1. En conséquence, nous omettons, avec les mss A 3, A 1b* et M, la phrase *Cui – imperio ?* de Krusch (p. 185,3-4).

semblons dans un article destiné à *Studia Monastica* [2]. Des astérisques placés à la fin de certaines notes renvoient à cet article complémentaire, où l'on trouvera des développements plus techniques sur tel ou tel détail.

Comme l'action réelle de Colomban, l'image littéraire qu'en donne Jonas a fait date dans l'histoire de la chrétienté. Autour du grand fondateur et de ses premiers disciples, quantité de saints ont surgi et fait l'objet de Vies influencées par la sienne, presque toutes recueillies par Mabillon dans le même tome II des *Acta Sanctorum Ordinis Sancti Benedicti*, en attendant de l'être par Krusch dans les *Monumenta Germaniae*. Recoupant, complétant ou contredisant le récit de Jonas, cette production hagiographique illustre de bien des manières le texte traduit ici. Sans exploiter systématiquement cette mine de renseignements, nous avons fait en sorte que le lecteur, en parcourant nos notes, soit informé de son existence et invité à y recourir. Écrites ou récrites le plus souvent un ou plusieurs siècles après Colomban, ces Vies de saints contemporains sont loin d'offrir toujours au commentateur de Jonas des données sûres. Discuter leur apport dans chaque cas entraînerait trop loin. Il nous a semblé nécessaire et suffisant d'ouvrir quelques fenêtres en leur direction.

Quant à la traduction elle-même, elle tente de serrer d'assez près un texte difficile et imparfaitement édité, sans masquer entièrement ses défauts, les répétitions en particulier. La graphie des noms propres suit une voie moyenne entre le simple décalque et la modernisation systématique. Seules les formes françaises les plus courantes ont été adoptées. Nous rendons ainsi Theodericus par Thierry, mais Theodebertus par Théodebert, non par Thibert. Il a paru possible d'écrire Berthier pour Bertharius et Garnier pour Warnacharius, mais Autharius et Leuparius ont seulement

2. *En lisant Jonas de Bobbio. Notes sur la Vie de saint Colomban*, dans *Studia Monastica* 30 (1988).

été changés en Authaire et Leupaire. Dans le cas du toponyme *Fontanas*, le pluriel latin nous a fait préférer Fontaines, bien que la carte indique aujourd'hui Fontaine-lès-Luxeuil, au singulier.

VIE DE SAINT COLOMBAN
ET DE SES DISCIPLES

Prologue

(1) Aux éminents Seigneurs que distingue la plus haute autorité sacrée, que soutient le zèle religieux le plus ardent, aux Pères Walbert [1] et Bobolène [2], Jonas [3], pécheur.

Il y a environ trois ans, je m'en souviens, alors que, séjournant dans les campagnes de l'Apennin, je demeurais parmi les frères au monastère de Bobbio, je pris l'engagement, à leur invitation unanime et sur l'ordre de l'Abbé Bertulfe, de retracer par écrit la geste de notre glorieux Père Colomban. Je le fis surtout parce que ceux qui ont vécu en son temps et qui ont été les témoins de ses œuvres sont encore très nombreux parmi vous. Ils étaient donc en mesure de rapporter non pas ce qu'ils avaient entendu raconter, mais ce qu'ils avaient vu, et que nous-même avons appris de ces hommes vénérables qu'étaient Attale et Eustaise. Successeurs de Colomban, le premier à Bobbio, le second à Luxeuil, monastères dont vous êtes aujourd'hui les abbés, ils ont légué à leurs communautés, pour qu'elles les gardent fidèlement, les enseignements du maître. Dans un deuxième temps nous avons aussi raconté leur vie, comme nous l'avons

1. D'origine sicambre (BOBOLÈNE, *Vita Germani* 7), Walbert fut d'abord, d'après II,7 (2), supérieur de Faremoutiers, puis abbé de Luxeuil (629-670).

2. Nom de l'auteur de la *Vita Germani* (note précédente), et surnom de Théodulfe, mentionné en II,10 (17). Sur Bobolène, abbé de Bobbio depuis 639, voir I,15 (24).

3. Curieusement, le biographe de Colomban porte le nom que celui-ci considérait comme l'équivalent du sien en hébreu («colombe»). Voir *Ep.* 1,1 ; 4,8 ; 5,16.

pu, ainsi que celle de beaucoup d'autres [4] qui se sont assez illustrés pour mériter d'être mentionnés.

(2) Mais, bien que mes charitables frères et le Père qui me commandait d'écrire fussent persuadés que ma prose allait couler d'abondance, je me sens très inférieur à ma tâche. Si je ne m'étais pas jugé indigne de l'entreprendre, il y a longtemps que je me serais déjà employé, non sans hardiesse et témérité, à retracer cette geste. Et cela, malgré les voyages que depuis trois ans j'accomplis dans les régions de l'Océan, fendant sur des canots les flots de la Scarpe, et sur une barque ceux de l'Escaut, où je m'ouvre de doux chemins, mouillant souvent aussi mes pieds aux lagunes paresseuses de l'Elnon, pour apporter mon aide au vénérable évêque Amand [5], établi en ces lieux où il combat avec le glaive de l'Évangile [6] les vieilles erreurs des Sicambres

Cependant je laisserai à votre jugement, vénérés Pères, le soin de retoucher l'ouvrage qui m'a été confié. Si certaines choses ont été racontées maladroitement et sans l'élégance qui conviendrait, vous saurez les embellir de vos ornements et les rendre plus agréables aux lecteurs. Ainsi évitera-t-on que mon inexpérience littéraire ne les rebute et qu'un récit par trop inégal aux faits [7], en provoquant leur dégoût, ne les empêche d'imiter les vertus des saints : après avoir joyeusement tendu la main vers l'ouvrage achevé, ils s'empresseraient de la retirer, ensanglantée par les piquants de ses épines. On peut leur rappeler ce qui arrive maintes fois à des nageurs : lorsque, épuisés par des tourbillons, ils réussissent à atteindre la rive, alors privés de tout autre secours, ils s'agrippent dans un hâtif effort même à des ronces. De même les riches, qui ont cependant en abondance

4. « Beaucoup » *(plerumque)* se retrouve en II,24 (12). Il s'agit de Fare et des moniales de Faremoutiers, de Bertulfe et des moines de Bobbio (II,11-25).

5. Sur Amand, voir *Introd.*, I. Il était alors évêque sans siège fixe.

6. Glaive de l'Évangile : cf. Ep 6,15-17.

7. Réminiscence de JÉRÔME, *Vita Hilarionis* 1,1, qui se souvient lui-même de SALLUSTE, *Cat.* 3,2. Voir en outre I,1 (5).

d'autres aliments exquis, éprouvent souvent le désir de nourritures champêtres, et beaucoup de gens habitués à entendre toutes sortes d'instruments de musique, comme le son du psaltérion et de la cithare, prêtent souvent l'oreille aux douces modulations de la musette.

(3) Si l'on découvre que je loue tel ou tel encore en vie, que l'on ne me prenne pas pour un flatteur, mais pour qui relate une belle action. Que l'on sache bien que je ne favorise personne en faisant son panégyrique, mais que je confie à la postérité des faits dignes de l'être. Quant à celui qui est encore en vie, qu'il ne s'enfle pas d'orgueil en voyant révélés les dons qu'il a reçus du Créateur ! Que la morsure de l'orgueil ne vienne pas détruire la solidité d'une âme sincère ! Chacun sait bien, en effet, que la louange des flatteurs [8] gâte les belles âmes vertueuses. Ainsi parle le Seigneur à Israël par la bouche d'Isaïe [9] : « O mon peuple, ceux qui proclament ta réussite sont justement ceux qui te trompent et qui préparent ta ruine sous tes pas ». En fait, comme on le dit communément, la fausse louange est un blâme, la vraie, une incitation à mieux faire [10]. Que leur bonne réputation les honore donc pour ce qu'ils ont fait de bien, et qu'une coupable tiédeur leur apparaisse comme un blâme, au lieu de les gâter par la perte de leur zèle. Qu'on les exalte s'ils ont donné de beaux exemples, mais que la célébration de leurs grandes œuvres n'attire pas sur eux ensuite le dommage d'un orgueil pernicieux [11].

(4) Nous avons donc rapporté des faits que nous avons, d'après des témoignages véridiques, reconnus solides et qu'on ne saurait, nous a-t-il semblé, omettre sans se

8. Même crainte de l'« adulation » en II,2 (3). Voir aussi II,4 (5); 6 (7); 10 (17). Cf. GRÉG. DE TOURS, *Hist. Franc.* 4,34.

9. Is 3,12 (Vulgate).

10. Ce dicton ressemble au mot de Symmaque cité par SIDOINE APOLLINAIRE, *Ep.* 8,10,1; CÉSAIRE, *Serm.* 217,3 et 236,4 : *Ut uera laus ornat, ita falsa castigat.*

11. Orgueil *(elatio)* d'une charismatique : voir II,16 (11).

rendre coupable de négligence. Ont été omis, en revanche, beaucoup de faits dont nous ne nous souvenons pas parfaitement et que nous n'avons pas voulu relater d'une manière incomplète. J'ai divisé la matière en deux livres, pour éviter au lecteur l'ennui d'un seul volume. Le premier décrit sommairement la geste du bienheureux Colomban, le second raconte la vie de ses disciples Attale, Eustaise et des autres que nous mentionnons.

Nous voudrions donc que vous passiez au crible ces récits, afin que l'examen judicieux auquel vous les soumetrez enlève aux autres lecteurs toute incertitude[12]. Si l'on trouve en effet dans ce livre des phrases mal ponctuées et corrigées sans soin, on estimera qu'il est à mettre au rebut, surtout si le lecteur, formé à l'école des savants, possède une grande culture. Mais que l'on sache bien que nous n'avons pas eu l'intention de marcher sur les pas des savants ! Ceux-ci, imprégnés de la rosée de l'éloquence, ont dépeint des champs verdoyants et couverts de fleurs. Pour nous, la terre est aride, à peine capable de donner des arbustes. Eux, ils ont à profusion les pleurs du baume d'Engaddi[13] et les fleurs aromatiques de l'Arabie. Nous avons à peine, nous, le beurre gras d'Irlande. Eux, ils reçoivent le poivre et le nard de l'Inde. Nous, c'est à peine si les crêtes des Alpes Pennines, aux contours incertains et couvertes de pins, où les froids sont rudes sous le souffle des vents, finissent par nous produire la valériane[14]. Eux se vantent de la variété de leurs pierres précieuses. A nous, il paraît téméraire de nous vanter de l'ambre de la Gaule. Eux, ils envoient des fruits de palmiers fort exotiques.

12. Déjà demandée plus haut (2), la révision vise ici, non plus l'élégance du style, mais la simple clarté et la correction.

13. Célèbre pour sa «larme», le baume est une spécialité de la Judée (PLINE, *Hist. nat.* 12,25), dont Engaddi est, après Jérusalem, le point le plus fertile (*Ibid.* 5,7).*

14. Les Alpes Pennines, autour du Grand Saint-Bernard, sont fort au nord de Suse, patrie de Jonas d'après II,5 (6). Valériane *(saliunca)* : plante alpestre (PLINE, *Hist. nat.* 21,43).

Nous, en Ausonie, selon le mot du poète, « nous avons de doux fruits, de molles châtaignes »[15].

Salut, vénérables Pères, hommes pleins de vigueur et de force[16].

15. Ausonie : nom poétique de l'Italie; cf. II,23 (3). Citation de VIRGILE, *Buc.* 1,79-80.

16. Krusch, avec quelques témoins, ajoute : « consacrés au Dieu éternel. Amen ». Ces mots manquent dans le manuscrit de Metz.

LIVRE I

Table des chapitres

1. Ainsi deux des manuscrits de Krusch, qui suit les cinq autres en écrivant *Sinilem*. En fait, il s'agit de Comgall. Celui-ci étant seul appelé *abbas* dans le texte, c'est bien à lui, semble-t-il, que pensait le rédacteur de ces *Capitula*.

16. La bière déborde sans que le liquide se répande et se perde.
17. Nourriture interdite à un ours, augmentation de la provision de froment au grenier et multiplication de pains. La mort de Colomba est retardée par la prière de l'homme de Dieu.
18. Respect témoigné par le roi Thierry. Réprimandes adressées à celui-ci. Hostilité de Brunehaut.
19. Sa visite à Brunehaut et à Thierry. Breuvages et mets se déversent. Vexations royales, expulsion de Luxeuil et délivrance de condamnés.
20. Son retour à Luxeuil. Aveuglement des gardes. Expulsion par ordre du roi, séparation d'avec ses compagnons, guérison d'agresseurs.
21. Guérison d'un fou et châtiment d'un homme. Un aveugle recouvre la vue.
22. Bateau arrêté, vol manifesté, fourniture d'aliments en abondance.
23. Navire repoussé par l'eau. Vénération inspirée aux adversaires.
24. Sa visite au roi Clotaire. Joie du roi.
25. Son passage à Paris. Rencontre et guérison d'un fou.
26. Accueil de Chagnéric et d'Authaire. Bénédiction donnée à leurs maisons et consécration de leurs enfants.
27. Accueil de Théodebert. Installation à Bregenz et reproches adressés aux païens. Arrivée d'oiseaux, partage de fruits et leçon donnée par un ange dans une vision.
28. Guerre entre les rois. Révélation accordée à l'homme de Dieu. Théodebert livré par trahison.
29. Mort de Thierry et massacre de ses enfants. Accomplissement de la prophétie faite à Clotaire.

[30 [2]. Entrée en Italie. Accueil du roi Agilulfe, qui laisse le choix du lieu. Construction de Bobbio et mort du bienheureux.]

2. Les manuscrits diffèrent tellement que Krusch s'est abstenu de proposer un titre. Nous traduisons celui de A 2.

LIVRE I

VIE DE SAINT COLOMBAN, ABBÉ.

1. Préface du Livre Premier

(5) Avec talent, des savants renommés ont raconté la vie lumineuse, éclatante d'une incomparable splendeur, de saints supérieurs et pères de moines, afin que les exemples sacrés de ces anciens répandent leur parfum sur leurs successeurs. Depuis le début des temps, l'éternel semeur du monde a fait en sorte que la renommée de ses serviteurs se transmette à perpétuité, que les exploits du passé laissent des exemples pour l'avenir et que les mérites de leurs devanciers fassent la fierté des générations futures, soit qu'elles imitent leur exemple, soit qu'elles en transmettent le souvenir.

C'est ainsi que le bienheureux Athanase a remarquablement œuvré pour laisser à notre époque le souvenir d'Antoine; Jérôme de même pour celui de Paul, d'Hilarion et de tous les autres [1] que leur zèle à bien vivre avait rendus dignes de louange; Postumianus, Sévère et Gallus [2] pour Martin; enfin quantité d'écrivains pour d'autres personnages que recommandaient leur réputation, leurs bonnes œuvres exemplaires et leurs actes de vertu mémorables. Tels sont

1. Ces «autres» héros de Jérôme peuvent être Malch ou Fabiola, Paula et Marcella (*Ep*. 77, 108, 127), mais aussi des saints célébrés par des Vies pseudo-hiéronymiennes, comme le Pachomius-Postumianus de *BHL* 6411.

2. Jonas ne cite que les *Dialogues* de Sulpice Sévère, dont il connaît pourtant la Vie de Martin; cf. I,25 (49).

Hilaire, Ambroise et Augustin[3], ces colonnes des Églises, qui, au milieu de tant de tempêtes du siècle et de fluctuations du monde, ont maintenu l'Église debout : tandis que soufflait un mauvais vent contraire et que l'hérésie déchaînée faisait fureur, ils ont empêché l'erreur de polluer la vraie foi.

Et voici que nous-même, suivant leur exemple avec une téméraire hardiesse, sans y être aidé ni par un mérite personnel ni par le talent de l'éloquence, ni par une science abondante, acquise à force de veilles, nous nous mettons à raconter les faits et gestes de notre glorieux Père Colomban, lumière éclatante de notre temps. Mais le dispensateur infini de toute vertu[4] sera le juge de nos paroles, lui qui a accordé à Colomban les dons de sa grâce et la couronne de la vie éternelle.

2. Naissance de Colomban.
Vision du soleil montrée à sa mère.

(6) Colomban, appelé aussi Colomba, naquit en Irlande, île située à l'extrémité de l'Océan,

Tournée vers le coucher du Titan[1], là où la rotation [de l'univers
Fait descendre l'astre lumineux dans la mer, au sein des [ombres de l'Occident.
Là, d'énormes masses d'eau heurtent des replis hor- [ribles
Par leur couleur et leur surabondante chevelure, on- [dulante et déroulée en tous sens,

3. Vies d'Hilaire par Venance Fortunat, d'Ambroise par Paulin de Milan, d'Augustin par Possidius.

4. Cf. JÉRÔME, *Vita Hil.* 1,1 *(Spiritum Sanctum qui illi uirtutes largitus est)*, déjà utilisé dans Prol. (2).

1. Le soleil. Ici commence un poème de 16 hexamètres irréguliers, que Krusch (p. 56) soupçonne d'être l'œuvre d'un Scot. Malgré l'éditeur allemand, il ne paraît comprendre ni la phrase précédente («naquit... Océan»), ni la suivante («On dit... étrangers»).

5 Ainsi que des rivages écumants, les derniers de la terre,
Blancs du manteau que jettent à la hâte les dos azurés
[de la mer.
Elles ne souffrent pas, ces houles, qu'un doux vaisseau,
Voguant sur les flots tremblants, aborde à nos rivages
[familiers.
Sur ceux-ci descend le blond Titan [2]
10 Dans la lumière obscure d'Arcture, et en tournant il
[gagne sa région.
Suivant l'Aquilon, il marche vers son lever à l'Orient
Pour rendre au monde, en renaissant, l'aimable lumière
Et se faire voir du monde au loin avec son feu trem-
[blant.
Ayant ainsi parcouru toutes les bornes du jour et de
[la nuit,
15 Sa course achevée, il éclaire de sa lueur la terre,
Rendant aimable l'univers qui sue de sa chaleur.

On dit que le site de cette île est agréable [3] et qu'il la préserve des guerres avec les peuples étrangers. Elle est habitée par le peuple des Scots, qui, tout dépourvus qu'ils sont des lois des autres peuples, se distinguent néanmoins par leur ferme observance des enseignements chrétiens et se montrent ainsi, par leur foi, supérieurs à toutes les nations voisines.

Colomban naquit alors que ce peuple s'éveillait à la foi chrétienne. La foi en partie stérile de ses compatriotes se trouva, grâce à son influence et à celle de ses compagnons, fécondée et transformée en une pratique fructueuse. Mais il faut d'abord rappeler ce qui se passa avant sa naissance, avant même qu'il ne vît la lumière d'ici-bas. Sa mère, qui l'avait déjà conçu, aperçut tout à coup, dans l'obscurité

2. Les trois vers suivants font écho à Ec 1,5-6. Peut-être Jonas pense-t-il à Colomban, comparé au soleil dans la vision prénatale de sa mère, et qui a lui aussi marché d'Ouest en Est (cf. *Vita Walarici* 9).

3. *Amoenus*, rendu plus haut par «aimable» (v. 12 et 16) ; cf. «tremblant» *(tremulo)*, répété aux v. 8 et 13.

profonde de la nuit, un soleil resplendissant qui sortait de son sein, brillant d'un éclat extrême et apportant au monde une grande lumière. Quand elle se réveilla et que l'aurore naissante eut chassé les ténèbres de la nuit [4], elle réfléchit longuement en son for intérieur, mettant toute sa sagacité à démêler, dans sa joie mêlée de perplexité, la signification d'une telle vision. Pour obtenir de l'aide, elle alla consulter des voisins que leur savoir rendait capables, demandant à leurs esprits sagaces de percer le secret de sa vision. Finalement, ces gens d'expérience lui révélèrent qu'elle portait dans son sein un homme extraordinaire, destiné à accomplir de grandes choses, aussi utiles à son propre salut qu'au bien de son prochain.

Après lui avoir donné le jour, sa mère l'éleva avec un tel soin qu'elle hésitait à le confier même à des proches de mœurs éprouvées, jusqu'à ce qu'une certaine maturité lui eût permis de se tourner vers la pratique du bien sous la conduite du Christ, sans lequel on ne fait rien de bon [5]. On s'explique que sa mère ait vu un soleil resplendissant jaillir de son sein. En effet, les membres de l'Église, mère de tous les hommes, brillent d'un éclat comparable à celui de Phoebus. « Les justes, dit le Seigneur, resplendiront alors comme le soleil dans le royaume de leur Père [6] ». C'est ainsi que Déborah, inspirée par l'Esprit-Saint, disait jadis à Dieu dans sa prière : « Ceux qui t'aiment brilleront, aussi resplendissants que le soleil à son lever [7] ». La voûte du ciel, toute piquée d'étoiles brillantes, est embellie par la multitude des lumières qui s'y pressent. De même que la lumière du jour, grâce à la splendeur de Phoebus, répand un bel éclat sur le monde, ainsi le corps de l'Église, enrichi des dons de son fondateur, s'accroît par le nombre des saints et resplendit de leur science sacrée. Plus nombreux sont les docteurs, plus se multiplient les profits de ceux qui viennent

4. Cf. OVIDE, *Met.* 7,703, cité par Krusch.
5. Cf. Jn 15,5 : « sans moi, vous ne pouvez rien faire. »
6. Mt 13,43 (Vulgate).
7. Jg 5,31 (la Vulgate a *ita* pour *sic*).

après eux. Si le soleil, la lune et les étoiles sont la parure des jours et des nuits, les mérites des saints prêtres [8] renforcent les remparts de l'Église.

3. Son intelligence et son zèle. Il quitte son pays natal. Enseignements de son maître.

(7) Passées les premières années et devenu enfant, Colomban s'appliqua à l'étude des lettres et arts libéraux et de la grammaire, pour laquelle il était bien doué, et s'étant ainsi cultivé pendant toute son enfance et son adolescence, il continua de le faire jusqu'à l'âge d'homme avec une ardeur intense et fructueuse. Mais comme sa beauté physique, surtout son teint clair et son éclatante jeunesse, le rendaient séduisant aux yeux de tous, l'antique ennemi du genre humain commença à décocher contre lui ses flèches mortelles pour essayer de prendre dans ses filets celui qu'il voyait grandir avec tant d'intelligence. Il attira sur lui les désirs amoureux de filles légères, surtout de celles dont la beauté corporelle et la grâce passagère allument au cœur des malheureux d'affreux désirs. Mais le vaillant soldat, se voyant attaqué de toutes parts avec des armes aussi redoutables, comprit que l'astucieux ennemi le menaçait de son poignard étincelant. Conscient de la fragilité de l'homme, il savait que s'il tombe il roule jusqu'au fond de l'abîme, et que, comme dit Tite Live [1], il n'est rien de si sacré, rien de si bien gardé que la passion ne puisse l'atteindre. Il prit donc dans sa main gauche le bouclier de l'Évangile, et tenant de la main droite l'épée à deux tranchants [2], il se prépara à affronter les redoutables légions ennemies. Ainsi ne perdrait-il pas tous les efforts qu'il avait dépensés en appliquant sa vive intelligence à l'étude de la grammaire, de la rhéto-

8. Allusion à la prêtrise de Colomban. Cf. *Hymne* I,1 et note 2.

1. Citation d'un des Livres perdus de l'Histoire livienne.
2. Cf. Ep 6,15-17; Ap 1,16 et 19,15.

rique, de la géométrie [3] et de l'ensemble des divines Écritures ; il ne la laisserait pas prendre par les attraits trompeurs du monde.

De plus, il lui vint alors une incitation à contre-attaquer. (8) Tandis que ces pensées s'agitaient en lui, il se rendit à la cellule d'une femme consacrée à Dieu [4]. L'ayant saluée d'un ton humble, il se mit à la reprendre et à l'exhorter, comme pouvait le faire un jeune homme. Elle, voyant la force montante de cet adolescent, lui dit : «Moi, je suis partie pour la guerre comme je pouvais. Voilà quinze ans que j'ai quitté la maison et que je me suis retirée ici, loin de chez moi [5]. Depuis, sous la conduite du Christ, j'ai tenu la charrue sans jamais regarder en arrière [6], et si la fragilité de mon sexe n'y avait fait obstacle, j'aurais traversé la mer pour me retirer dans un lieu encore plus éloigné. Mais toi que brûle le feu de la jeunesse, tu t'attardes sur le sol natal, entraîné par ta fragilité, que tu le veuilles ou non, à prêter l'oreille aux voix fragiles, et tu crois pouvoir impunément fréquenter les femmes ? Ne te souvient-il pas qu'Adam est tombé, persuadé par Ève, que Samson fut séduit par Dalila, que David fut détourné par la beauté de Bethsabée du droit chemin qu'il avait jusqu'alors suivi, et que le très sage Salomon fut égaré par l'amour des femmes [7] ? Fuis, jeune homme, fuis», s'écria-t-elle. «Évite le précipice dans lequel, tu le sais, beaucoup sont tombés, quitte la route qui mène aux portes de l'enfer [8].»

L'adolescent fut piqué des paroles de cette femme, et plus effrayé qu'on ne pourrait le croire [9] d'un adolescent.

3. Les deux premiers arts libéraux (la dialectique est omise), et la troisième des disciplines mathématiques, qui comprennent en outre arithmétique, musique et astronomie. Voir CASSIODORE, *Inst.* II,1-2 et 6.

4. Cf. WALBERT, *Reg.* 14 : *religiosae et Deo dicatae animae.*

5. Ici et dans la phrase suivante, on trouve les deux premiers emplois du mot *peregrinatio*, «exil volontaire», caractéristique de l'ascétisme des Irlandais et de Colomban lui-même ; cf. I,4 (9) et 24 (28).

6. Allusion à Lc 9,62.

7. Gn 3,6 ; Jg 16,4-21 ; 2 S 11,2-27 ; 1 R 11,1-8.

8. Cf. Mt 7,13 ; Is 38,10.

9. Cf. Gn 27,33.

Il remercia celle qui venait de le tancer si vigoureusement. Il dit adieu à ses camarades et se prépara à partir. Navrée de douleur, sa mère le suppliait de ne pas l'abandonner. «N'as-tu pas entendu cette parole, lui dit-il : "Celui qui aime son père et sa mère plus que moi n'est pas digne de moi[10]" ?» A sa mère qui lui barrait le passage, couchée en travers de la porte, il demanda de le laisser partir. Elle, poussant des cris et gisant à terre, répondit qu'elle ne le lui permettrait pas. Il passa le seuil, enjambant sa mère[11] et lui demandant de se tenir pour heureuse : il ne la reverrait plus ici-bas, mais irait partout où la voie du salut lui ouvrirait un chemin.

(9) Quittant donc le sol natal, que ses habitants appellent la terre des Lagènes[12], il se rendit auprès d'un homme vénérable, nommé Sinell, qui jouissait alors d'un grand prestige parmi les siens en raison de sa piété extraordinaire et de sa profonde connaissance des saintes Écritures. Le saint homme, constatant que le jeune Colomban était doué d'une vive intelligence, le guida dans l'étude de toutes les divines Écritures, et ainsi que le font souvent les maîtres, qui interrogent leurs élèves par manière de jeu pour voir si leur intelligence est ardente et inventive ou au contraire négligente et endormie, il se mit à poser au sien des questions difficiles. Lui, non sans crainte mais avec beaucoup de sagacité, pour ne pas désobéir à son maître, non par un mauvais esprit de vanité mais pour faire ce que voulait le maître en prenant sa place, s'efforçait de résoudre les problèmes posés; il se souvenait de la parole du Psalmiste : «Ouvre ta bouche, et je la remplirai[13].» Si grand était le trésor des divines Écritures déposé et gardé en son cœur que, très jeune encore,

10. Mt 10,37 (Vulgate).

11. JÉRÔME, *Ep.* 14,2, incite Héliodore à passer sur le corps de son père étendu sur le seuil, tandis que sa mère manifeste la plus vive douleur.

12. L'actuel Leinster, à l'Est de l'Irlande. De Sinell (Senell), on sait seulement qu'il était disciple de Finnian (+ 549) et fonda un monastère à Cluain Inis (Cleenish Island) sur le Loch Erne, aux confins Sud-Ouest de l'Ulster. Cf. RYAN, *Irish Monasticism*, p. 124.

13. Ps 80,11 : Psautier Romain, sauf *aperi* (unique) pour *dilata*.

il écrivit un commentaire des Psaumes[14] dans un style d'une rare élégance. Il composa aussi plusieurs autres ouvrages, propres à être chantés ou utiles à l'enseignement.

4. Arrivée chez l'abbé Comgall[1] et départ d'Irlande.

Il chercha ensuite à entrer dans une communauté monastique et se présenta au monastère de Bangor. Le supérieur y jouissait d'un grand prestige, dû à l'éclat de ses vertus : c'était le bienheureux Comgall, homme éminent parmi les siens et père de moines, que l'on considérait comme un homme extraordinaire à cause de son zèle religieux et de son observance de la discipline régulière. Là, Colomban s'adonna tout entier à la prière et au jeûne. Il se chargea du joug du Christ, qui est léger pour ceux qui le portent[2]. Renonçant à lui-même et prenant la croix, il se mit à suivre le Christ[3]. Ainsi, celui qui devait être un jour le maître des autres leur inculquerait mieux par l'exemple, en portant lui-même la mortification dans son corps[4], l'enseignement qu'il avait reçu et qu'il leur enseignerait à mettre en pratique.

Cependant, après plusieurs années passées dans ce monastère, le désir de s'expatrier s'empara de lui. Il se souvenait de l'appel du Seigneur à Abraham : « Quitte ton pays, ta famille, la maison de ton père et va dans le pays que je te montrerai[5] ». Il fit part à Comgall, son Père vénéré, de l'ar-

14. Ouvrage perdu. Restent de Colomban quelques poèmes.

1. Krusch, avec la plupart des manuscrits, écrit *Sinilem* (cf. Table 4 et note). Comgall (517-603), né en Ulster (Antrim) et formé en Leinster par le sévère Fintan de Clonenagh, fonda en 555 le monastère de Bangor sur la côte sud du Loch de Belfast. Le fondateur et sa règle sont célébrés dans le fameux Antiphonaire de Bangor (Milan, Ambros. C 5 inf.), copié sous l'abbé Cronan (680-691) et apporté à Bobbio.

2. Mt 11,29-30, que cite COLOMBAN, *Reg. mon.* 9,12-13.

3. Lc 9,23, cité en I,6 (12).

4. Cf. 2 Co 4,10. « Mortification » : voir *Reg. mon.* 9.

5. Gn 12,1 (Vulgate, sauf *uade* pour *ueni*), fondement de la *peregrinatio* (« s'expatrier »).

deur qu'il se sentait au cœur et du désir qu'y avait allumé le feu du Seigneur, ce feu dont il parle lui-même dans l'Évangile : «Je suis venu apporter le feu sur la terre ; combien je désire qu'il brûle [6] !» Il manifestait donc à son Père son ardent désir, mais il ne trouvait pas de sa part la réponse qu'attendait sa demande. Il était dur, en effet, pour le vénérable Comgall de perdre une aide aussi précieuse. Finalement, cependant, il se montra favorable au projet et lui donna la préférence en son cœur, estimant qu'il ne devait pas tant chercher à satisfaire ses propres besoins que procurer aux autres ce qui leur serait utile. Ce n'est pas sans la volonté du Tout-Puissant qu'il allait advenir que celui qui avait préparé son novice à ses futurs combats remportât de glorieux triomphes par les victoires de celui-ci et arrachât aux phalanges ennemies en déroute un riche butin.

Il appela Colomban pour lui annoncer sa décision, douloureuse pour lui-même mais utile aux autres, de lui donner, avec le lien de la paix et le réconfort de son aide, douze compagnons de voyage, tous remarquables par leur piété. (10) Rassemblant la communauté des frères, il demanda à tous le suffrage de leurs prières, afin que, dans le voyage qu'ils allaient entreprendre, les partants reçoivent l'aide du divin Bienfaiteur.

Colomban était dans sa vingtième année [7] lorsqu'il se mit en route sous la conduite du Christ. Avec douze compagnons, il se rendit sur le rivage de la mer. Là, ils attendirent la miséricorde du Tout-Puissant : si leur dessein répondait à sa volonté, il saurait le conduire à bonne fin. Ayant reconnu que la volonté du Juge clément était avec eux, ils montèrent sur un bateau et s'engagèrent sur les chemins douteux de la mer. Le souffle des zéphyrs rendit les eaux tranquilles et propices à leur course, qui les mena rapidement aux rivages de la Bretagne [8]. Ils s'y arrêtèrent un peu, reprenant

6. Lc 12,49 (diffère de la Vulgate).
7. Sur cette donnée chronologique erronée, voir *Introd.* II, n. 25.
8. Bretagne armoricaine plutôt que «Grande Bretagne». Cf. I,21 (40).

leurs forces et pesant, non sans anxiété, le pour et le contre de leurs projets incertains. Finalement, ils décident de poser le pied sur le sol des Gaules et de s'enquérir du caractère de leurs habitants avec le plus grand soin [9]. S'il se prêtait aux semailles du salut, ils resteraient là quelque temps. Si, au contraire, ils trouvaient les âmes endurcies et aveuglées par l'orgueil, ils passeraient aux peuples voisins.

5. Arrivée en Gaule. Exemple donné par ses compagnons de vie religieuse.

(11) Ils quittent donc le rivage de la Bretagne et se dirigent vers les Gaules. En ce pays, la vie religieuse était alors presque éteinte, tant à cause de la pression des ennemis extérieurs que de la négligence des prélats. Il ne restait plus que la foi chrétienne. C'est à peine si l'on trouvait çà et là les remèdes de la pénitence [1] et l'amour de la mortification. Partout où il passait, le vénérable avait soin d'annoncer la parole de l'Évangile. Et de fait, elle était bien reçue de ces gens, car l'éloquence et l'élégance de l'exposé s'appuyaient sur la profondeur de la doctrine prêchée et les exemples de vertus.

Si grande était leur humilité qu'à l'opposé de ce qui se voit dans le monde, où l'on s'efforce d'obtenir dignités et honneurs, Colomban et ses compagnons essayaient de se dépasser l'un l'autre dans la pratique de l'humilité [2], se souvenant de ce précepte : «Qui s'humilie sera exalté [3] », ainsi que du texte d'Isaïe : «Qui regarderai-je, sinon l'homme humble et tranquille qui tremble quand je parle [4] ?»

9. Texte incertain. Krusch lit *(feruenti) aestu* et semble songer à la saison chaude.*

1. Voir *Introd.*, III, n. 21-25. Cf. LÉON, *Ep.* 168,2; COLOMBAN, *Paen.* 14.
2. Rivaliser d'humilité : *Reg. coen.* 5,6 (cf. Ph 2,3).
3. Lc 14,11 (Vulgate).
4. Is 66,2, différent dans Vulgate et chez COLOMBAN, *Instr.* 2,2.

Si grande était la bonté de tous, si grande leur charité qu'ils avaient un seul vouloir, un seul non vouloir [5], et que tous respiraient la modestie et la sobriété, la mansuétude et la douceur.

Ils avaient en horreur les vices de paresse et de discorde; ils frappaient de durs châtiments l'orgueil de l'arrogance et de l'élèvement; ils repoussaient, grâce à une vigilance avisée, le fléau de la colère et de l'envie. Si grandes étaient chez eux la force de la patience, la tendresse de la charité, la pratique de la mansuétude qu'il était impossible de douter que le Seigneur, avec sa douceur, n'habitât au milieu d'eux [6], tant c'était évident ! Trouvaient-ils quelqu'un qui fût tombé dans ces vices, tous ensemble, sans distinction, ils s'appliquaient à harceler le négligent de leurs remontrances. Tout était commun à tous [7]. Quelqu'un essayait-il de s'approprier quelque chose, il était mis en quarantaine et subissait la vindicte de la pénitence [8]. Nul n'osait contredire son prochain [9] ou proférer un mot dur, si bien qu'on voyait la vie des anges menée au sein de l'existence humaine. Si grande était la grâce qui débordait sur le bienheureux qu'il lui suffisait d'habiter, si peu que ce fût, dans la maison de n'importe qui, pour attirer définitivement toutes les âmes à la pratique de la religion.

5. Souvent cité (JÉRÔME, *Ep.* 130,2; CASSIEN, *Conl.* 16,3,4; LÉON, *Serm.* 12,1, etc.), ce mot de SALLUSTE, *Cat.* 20,4, se lit sous la même forme qu'ici chez COLOMBAN, *Ep.* 4,2, auquel Jonas fait écho.

6. Nouvel écho de COLOMBAN, *Reg. mon.* 7,29 (cf. 2 Co 6,16), qui célèbre la concorde de «certains catholiques» (moines d'Égypte). «Doux Seigneur» : Mt 11,29; cf. *Reg. mon.* 9,12-13 et 16.

7. Ac 4,32. Cf. JÉRÔME, *Vita Malchi* 7; AUGUSTIN, *Praec.* 1,3; *RB* 33,6, etc.

8. «Pénitence» pour appropriation verbale : CASSIEN, *Inst.* 4,13 (cf. 4,16, 3 : coups pour appropriation réelle; de même COLOMBAN, *Reg. coen.* 2,2).

9. Paroles de contradiction : *Reg. coen.* 5,3.*

6. Accueil du roi Sigebert et choix du désert. Arrivée à Annegray.

(12) Le renom de Colomban parvint donc à la cour du roi Sigebert [1], qui régnait alors avec éclat sur les deux royaumes francs d'Austrasie et de Burgondie. Ces Francs sont le plus fameux de tous les peuples qui habitent les Gaules. Quand le saint arriva auprès de lui avec les siens, il se fit apprécier du roi et des courtisans pour l'étendue et l'excellence de sa doctrine. A la fin, le roi se mit à le prier de s'établir en territoire gaulois, au lieu de passer chez d'autres peuples et de l'abandonner. Tout ce que Colomban voudrait demander, il le lui procurerait [2]. Alors le saint dit au roi qu'il n'entendait pas s'enrichir de la fortune d'autrui, mais tant qu'il n'en serait pas empêché par la fragilité de la chair, se conformer au modèle que prêche l'Évangile : «Celui qui veut se mettre à ma suite, est-il dit, qu'il se renonce lui-même, qu'il prenne sa croix et qu'il me suive [3].» A cette objection, le roi répond : «Si tu désires prendre la croix du Christ et le suivre, choisis le désert qui te plaira et vis là tranquillement. Tout ce que je te demande est de ne pas quitter le sol de notre royaume pour passer aux nations voisines. Ainsi tu t'assureras à toi-même une récompense accrue, tout en fournissant une contribution à notre salut.»

Puisque le roi lui donnait le choix, Colomban obéit à sa suggestion et gagna le désert. Il y avait alors un vaste désert nommé Vosges [4], où se trouvait un poste militaire, en ruines depuis longtemps, auquel une tradition ancienne

1. Sigebert : roi d'Austrasie seulement (561-575) ; cf. I,18 (31). Un ms. de Krusch (A 3) et celui de Metz ont Childebert (Austrasie : 575-596 ; Bourgogne : 593-595) ; de même *Vita Agili* 1 ; *Vita Salabergae* 2. De fait, Childebert fut sans doute le donateur de Luxeuil (cf. note suivante), et Gontran celui d'Annegray.

2. Selon *Vita Agili* 2, c'est Agnoald, père d'Agile, qui aurait choisi et obtenu du roi pour Colomban son lieu de fondation (Luxeuil, non Annegray).

3. Lc 9,23 (diffère de Vulgate).

4. Vosges : aux confins de la Bourgogne (GRÉG. DE TOURS, *Hist. Franc.* 10,10) et de l'Austrasie (FRÉDÉGAIRE 38 et 47).

donnait le nom d'Annegray [5]. Arrivé là, le saint s'y installa avec les siens, malgré la rudesse de cette solitude sauvage et les rochers qui encombraient le terrain. Il se contentait d'un peu de nourriture pour subsister, se souvenant de la parole selon laquelle l'homme ne vit pas seulement de pain [6], mais se rassasie de la parole de vie, qui le comble de ses mets abondants ; celui qui s'en nourrit ne connaîtra jamais la faim.

7. Inspirations reçues par des personnes qui apportent des vivres à l'homme de Dieu. Guérison d'une femme.

(13) Tandis que l'homme de Dieu demeurait là avec les siens, un des frères fut pris soudain d'une forte fièvre, tourment destiné soit à l'éprouver, soit à punir quelque faute. Comme ils n'avaient aucun aliment pour le soulager, si ce n'est la pâture que fournissaient écorces et herbes, ils n'avaient tous qu'un souci, celui de s'adonner tous ensemble au jeûne et à la prière pour le rétablissement du frère malade. Ils jeûnaient déjà depuis trois jours, sans rien avoir pour restaurer leurs corps épuisés, quand ils aperçoivent soudain un homme, debout devant la porte [1], avec des chevaux chargés d'une provision de pains et de vivres. Une inspiration subite, disait-il, l'avait poussé à leur porter secours avec ce qu'il avait, puisqu'ils souffraient d'un tel dénuement pour le Christ au désert.

Il offrit donc à l'homme de Dieu ce qu'il avait apporté, puis se mit à lui demander, avec une humilité qui venait du cœur, que le saint voulût bien prier le Seigneur

5. Hameau sur la commune de La Voivre (Haute-Saône), à quelque 15 km Est de Luxeuil. Description et croquis dans ROUSSEL, I,110.

6. Dt 8,3; Mt 4,4. Cf. 1 Jn 1,1 ; Jn 6,35.

1. Écho de *Hist. mon.* 7, *PL* 21,416 B. Miracles analogues dans *Hist. mon.* 9 (425 C) et 11 (431 C); *Vita Frontonii* 2-9; *Vita Caesarii* II,7-8; GRÉGOIRE, *Dial.* II, 1,6 et 21,1-2, etc.*

pour son épouse. Depuis un an, celle-ci était consumée d'une fièvre si brûlante qu'on ne croyait plus qu'elle reviendrait à la vie. A cette demande d'un cœur humble et anxieux, le saint ne voulut pas refuser son aide. Il prit les frères avec lui et implora pour la malade la miséricorde du Seigneur. Quand il eut achevé de prier avec les siens, la santé revint aussitôt à cette femme, qui se voyait de toute évidence en péril de mort. Quand son mari, après avoir reçu la bénédiction de l'homme de Dieu [2], revint chez lui, il trouva son épouse assise chez elle. Il demanda à quelle heure la fièvre l'avait quittée, et constata qu'elle avait été guérie à l'heure même [3] où l'homme de Dieu avait prié le Seigneur pour elle.

(14) Pendant quelque temps, par la suite, ils offrirent au Christ, leur chef, en guise d'hosties propitiatoires et d'expiations de l'âme, leurs membres mortifiés pour Dieu par les macérations de la chair et les souffrances de la faim, en s'efforçant de garder parfaitement pure leur vie religieuse. De dures privations brisaient toute inclination au plaisir, faisant du corrupteur de toutes les vertus le destructeur de tous les crimes. Neuf jours passèrent, au cours desquels l'homme de Dieu et les siens n'eurent pas d'autre festin que des écorces d'arbres et des herbes forestières. Mais pour atténuer la disette d'aliments, l'éternelle Bonté, agissant avec sa puissance, avertit par une vision un abbé nommé Carantoc, qui gouvernait le monastère dit de Salice [4], qu'il lui fallait apporter à son serviteur Colomban, perdu dans le désert immense, ce dont il avait besoin. Au réveil, Carantoc appelle donc son cellérier, nommé Marculfe, et lui raconte l'avertissement qu'il a reçu. « Fais ce qui t'a été commandé », dit celui-ci. Alors Carantoc donne à Marculfe l'ordre d'y

2. « Bénédiction » comme plus loin (14). Cf. GRÉGOIRE, *Dial.* II, 13, 1 et 3 (« oraison »).

3. Cf. Jn 4,52-53.

4. Carantoc : nom breton, ou du moins celtique. « Salice » *(Salicis)* serait Le Saulcy, commune de Saint-Germain, à quelque 15 km Sud d'Annegray, selon ROUSSEL, I,112, qui maintient cette localisation, mise en doute par Krusch (p. 165, n. 1), dans *Revue Charlemagne* 1 (1911), p. 65-80.

aller et d'apporter au bienheureux Colomban toutes les provisions qu'il pourra réunir. Marculfe charge plusieurs chariots et se met en route. Mais quand il arrive aux confins de la solitude, impossible de trouver un chemin tracé. Pour finir, il s'avise que, si c'était là un ordre de Dieu, il n'y avait qu'à laisser les chevaux aller de l'avant : la puissance de Celui qui avait commandé tracerait le chemin. O pouvoir merveilleux ! Les chevaux vont de l'avant, leurs sabots foulent un chemin inconnu, et marchant tout droit ils arrivent devant la porte du bienheureux Colomban [5]. Émerveillé, Marculfe suit les pas des chevaux, parvient à l'homme de Dieu et lui offre le présent qu'il a apporté. Colomban rend grâce au Créateur, qui n'a pas tardé à préparer ainsi une table au désert pour ses serviteurs [6]. Ayant reçu sa bénédiction, Marculfe s'en retourna par où il était venu, et raconta à tous ce qui lui était arrivé.

De ce jour, les gens se mirent à affluer. Des légions de malades en quête de guérison affluaient auprès de Colomban et venaient chercher le soulagement de tous leurs maux. Ne pouvant détourner de lui leurs aspirations, il obéissait à toutes leurs demandes. Avec le remède de ses prières, fort de l'appui divin, il secourait et guérissait les maux de tous ceux qui venaient à lui [7].

8. Il est tenté et mis à l'épreuve. Sa constance et sa retraite en un désert plus sûr.

(15) Un jour, en ce même lieu, l'homme de Dieu se promenait au fond des bois, loin de tout chemin, et, portant un livre à l'épaule [1], réfléchissait sur les Saintes Écritures.

5. Ces chevaux trouvent le chemin comme les chameaux de *Vita Frontonii* 6-8, *PL* 73,440-441, où le rôle de Marculfe était joué par un riche séculier. *
6. Ps 77,19-20. Cf. I,17 (28).
7. Même afflux de malades chez SISEBUT, *Vita Desiderii* 5.

1. Cf. ADAMNAN, *Vita Columbae* II,8-9 : livres portés dans un *sacculus* de cuir pendant à l'épaule. A Bobbio, au Xe s., on conservait une *pera* dans laquelle Colomban avait porté les évangiles (*Miracula S. Col.* 12).

Soudain une pensée lui vint : préférerait-il subir les sévices des hommes [2] ou affronter la fureur des bêtes sauvages ? Comme il était harcelé par ces sévères pensées qui s'imposaient à lui, se signant le front plusieurs fois et priant, il se dit en lui-même qu'il valait mieux subir la férocité des animaux, sans péché de la part d'autrui, que la rage des hommes avec du dommage pour leurs âmes. Tandis qu'il roulait ces pensées en son esprit, il vit venir à lui douze loups, qui se postèrent à sa droite et à sa gauche. Au milieu d'eux, il restait immobile et disait : «Dieu, viens à mon aide ; Seigneur, hâte-toi de me secourir [3].» Les loups s'approchent, leurs gueules touchent ses vêtements. Mais comme il restait ferme, ils abandonnent cet homme intrépide et reprennent leur course errante dans la forêt.

Ayant traversé cette épreuve en sûreté, il continue sa marche dans la forêt. Il n'était pas allé bien loin quand il entend les voix d'une bande de Suèves [4] qui vagabondaient loin des chemins. A cette époque, ils pratiquaient le brigandage dans la région. Il traversa l'épreuve sans broncher, et alors, pour finir, il vint à bout de ces menaces. Était-ce une illusion créée par le diable ou un fait réel ? Il ne le sut pas de façon certaine.

Une autre fois, où il s'était éloigné de leur petite maison et enfoncé fort avant dans le grand désert, il découvrit un énorme rocher aux parois abruptes, à la croupe hérissée de blocs de pierre qui empêchaient les hommes de passer. Il y aperçut une caverne creusée dans le roc [5]. Ayant entrepris d'explorer ce repaire, il découvrit à l'intérieur de la caverne le gîte d'un ours, qui se trouvait justement à l'intérieur. Avec douceur, il commande à la bête féroce de s'en aller : «Et tu ne reviendras plus dans ces parages»,

2. L'alternative fait penser à 2 S 24,12-14 ; cf. Dn 13,23.
3. Ps 69,2, cité dans *Reg. Coen.* 9,10. Cf. CASSIEN, *Conl.* 10,10.
4. Habitants de l'actuelle Souabe. Cf. I,27 (53). *
5. Voir ROUSSEL, I,114 et 122, n. 30 : grotte dite de saint Colomban, dominant le Breuchin (rive droite), à 3 km (2 milles seulement) N.-O. d'Annegray. Les «7 milles» seraient la distance du lieu à Luxeuil.

ajoute-t-il. Avec la même douceur, la bête féroce s'en alla, et jamais plus elle n'osa revenir [6]. L'endroit était à quelque sept milles d'Annegray.

9. Pénurie [1] d'aliments. L'eau jaillit du rocher.

(16) A la même époque, il lui arriva de mener la vie solitaire dans cette caverne rocheuse. Il avait en effet l'habitude, aux approches des fêtes du Seigneur et des solennités de divers saints, de se séparer de la compagnie d'autrui et de se retirer en des lieux invisibles, ou de s'éloigner plus encore et de demeurer au fond du désert, afin de s'adonner exclusivement à l'oraison et de se livrer tout entier à un effort de vie religieuse, l'âme unifiée et libre des soucis qui l'agitent. Sa nourriture était alors si réduite qu'on eût cru qu'il vivait à peine. Il ne prenait rien d'autre qu'une petite quantité d'herbes sauvages ou de fruits minuscules qui poussent dans ce désert et qu'on appelle couramment des «blues [2] »; pour boisson, de l'eau. Ainsi, ce qu'il ne pouvait faire continuellement, absorbé comme il l'était par le soin d'autrui, il le réalisait au moins par intervalles, de façon à satisfaire en partie les désirs de son âme. Il avait à son service un petit garçon nommé Domoal, qui, en cas d'événements déterminés survenant au monastère, était seul chargé de prévenir le Père et de rapporter ses consignes aux frères. Il était donc dans cette grotte, au flanc d'une roche en saillie qui interdisait presque d'approcher d'un autre côté.

Il y avait déjà passé un bon nombre de jours quand le petit garçon mentionné plus haut commença à se plaindre tout bas : pourquoi n'avait-on pas d'eau sous la main, pour-

6. Cf. *Vitae Patrum* 6,2,15 (N 333) : un lion cède sa grotte.

1. *Ariditas (cibi)* comme en I,7 (14) : *(escae) ariditatem*.
2. «Belues» ou «blues» *(bullugas)*, nom encore donné aux myrtilles dans la région, selon ROUSSEL I,114 et 122, n. 31; J. LECLERCQ, *L'univers*, p. 17, n. 19. Voir aussi I,27 (55).

quoi fallait-il tant peiner à l'apporter, en se fatiguant les jarrets à escalader la montagne [3] ? «Mon fils, lui dit Colomban, tâte un peu la muraille rocheuse. Souviens-toi que le Seigneur a fait jaillir l'eau du rocher pour le peuple d'Israël [4].» Obéissant au Père, Domoal se mit à creuser la pierre. Aussitôt, tombant à genoux, le saint se met en oraison, suppliant le Seigneur de leur donner ce dont ils ont besoin. A sa prière, enfin, le Tout-Puissant accorde avec générosité ce qui lui était demandé avec piété. Bientôt l'eau jaillit [5], et une source intarissable se met à couler, qui coule aujourd'hui encore [6]. Et c'est justice que le Seigneur miséricordieux accorde à ses saints ce qu'ils lui demandent, puisqu'ils ont crucifié leurs propres volontés pour obéir à ses préceptes [7]. Sans autre force que la foi, ils ne doutent pas d'obtenir ce qu'ils demandent à sa miséricorde, car il a fait cette promesse : «Si vous avez la foi comme un grain de moutarde, vous direz à cette montagne : "Déplace-toi", et elle se déplacera. Rien ne vous sera impossible [8].» Et ailleurs : «Tout ce que vous demanderez dans la prière, croyez que vous le recevrez, et cela vous arrivera [9].»

3. Plaintes intérieures d'un jeune serviteur du saint, perçues par celui-ci : GRÉGOIRE, *Dial.* II,20,1 ; elles ont pour objet le transport «pénible» de l'eau dans la montagne : *Dial.* II,5,1.

4. Nb 20,7-11.

5. Même miracle, demandé pour le même motif, chez GRÉG. DE TOURS, *Vita Patrum* 11,2 (Caluppan). Voir aussi GRÉGOIRE, *Dial.* III,16,2 (Martin; même référence biblique) ; cf. *Dial.* II,5,2-3. *

6. De même GRÉGOIRE, *Dial.* II,5,3.

7. Voir GRÉGOIRE, *Dial.* III,15,17. Cf. CYPRIEN, *Or. dom.* 33; *Vita Caesarii* I,36.

8. Mt 17,20 (diffère de Vulgate).

9. Mc 11,24 (Vulgate).

10. Découverte de Luxeuil. Construction du monastère et afflux des moines.

(17) La communauté des moines étant devenue fort nombreuse, Colomban se mit à songer qu'il lui fallait chercher dans le même désert un emplacement meilleur pour y construire un monastère. A quelque huit milles de là, il trouva un ancien poste militaire qui avait été très solidement fortifié. Il s'appelait autrefois Luxeuil. Il y avait là des eaux chaudes, entourées de beaux bâtiments. Il y avait aussi, dans la forêt voisine, quantité de statues de pierre, que les païens de l'ancien temps honoraient d'un culte misérable et de rites profanes, leur offrant des sacrifices au cours de cérémonies abominables [1]. Le lieu n'était plus fréquenté que par les animaux et les bêtes sauvages, une multitude d'ours, de buffles et de loups.

C'est là que le grand homme s'installa et se mit à construire un monastère. Sa réputation faisait accourir des foules d'hommes, désireux de se consacrer au culte divin dans la vie religieuse [2], tant et si bien que la multitude énorme des moines qui s'étaient réunis là ne pouvait plus guère y rester groupée en une seule communauté de cénobites [3]. Les fils de nobles accouraient de toutes parts [4], s'efforçant, par le mépris des élégances mondaines et le dédain des orgueilleuses richesses d'ici-bas, d'obtenir les récompenses éternelles.

Quand le bienheureux Colomban vit que les gens accouraient en foule aux remèdes de la pénitence [5] et qu'il était difficile de garder pareille légion de religieux rassemblés

1. Cf. GRÉGOIRE, *Dial.* II, 8, 10, mais ici le sanctuaire est à l'abandon.
2. *Cultus religionis* comme en 5 (11) ; WALBERT, *Reg.* 1 et 24.
3. Au VIIIe s. (*Vita Walarici* 8), on évaluait à 220 le nombre des moines sous Colomban (dans les trois monastères, semble-t-il) ; au Xe s. (ADSON, *Vita Bercharii* 6 ; *Vita Waldeberti* 3), à 600 (pour Luxeuil seul ?).
4. Afflux de nobles : GRÉGOIRE, *Dial.* II, 3, 14 (enfants offerts par leurs parents).
5. *Paenitentiae medicamenta* comme en 5 (11). Cf. *Introd.* III, n. 21-25.

en un seul couvent – certes, ils n'étaient qu'un cœur et qu'une âme [6], mais une telle multitude ne pouvait guère mener ensemble la vie religieuse communautaire –, il fit l'essai d'un autre lieu, qui jouissait d'eaux abondantes, et construisit un autre monastère, qu'il appela Fontaines [7].

Pour diriger ces maisons, il nomma des supérieurs [8] dont l'esprit religieux ne faisait pas de doute [9]. Quand les communautés de moines se furent établies en ces lieux, il passait son temps chez tous à tour de rôle. Et avec l'Esprit Saint dont il était rempli, il leur traça une Règle à observer. En la lisant ou en l'écoutant, tout esprit avisé peut apprécier à leur juste valeur les institutions religieuses du saint [10].

11. Il part pour le désert avec Autierne. Fourniture de poissons.

(18) A cette époque, un frère nommé Autierne se mit à demander l'autorisation d'aller en Irlande pour y vivre loin de son pays [1]. Colomban lui dit : «Allons au désert et cherchons à voir si c'est la volonté de Dieu que tu entreprennes le voyage souhaité ou que tu restes en communauté avec les frères.» Ils partent donc ensemble, en prenant un troisième pour compagnon, un adolescent nommé Sonichaire, qui est encore de ce monde. Au désert, ils arrivent à l'endroit prévu [2] avec un seul pain pour toute nourriture.

6. Ac 4,32. Cf. II,23 (3) ; COLOMBAN, *Ep.* 4,2. Ici, *mente* remplace *anima*.
7. Fontaine-lès-Luxeuil, à 7 km au Nord-Ouest de Luxeuil.
8. *Praepositos* : cf. GRÉGOIRE, *Dial.* II,8,5 ; COLOMBAN, *Ep.* 4,2 ; *Reg. mon.* 6,6.
9. Même formule en II,5 (6) ; WALBERT, *Reg.* 14 et 24.
10. La Règle dépeint son auteur : GRÉGOIRE, *Dial.* II,36.

1. *Peregrinandi causa* : voir I,4 (8) et note 5.
2. Non à la grotte d'Annegray (FRANK, p. 312, n. 42), beaucoup trop éloignée de la Moselle, mais sur une hauteur dominant cette rivière, qui passe à plus de 15 km au Nord-Est d'Annegray. Cf. ROUSSEL, I,142, n. 32.

Au bout de douze jours, comme il ne restait plus le moindre morceau de pain et que l'heure du repas approchait, le Père commande aux deux moines de descendre le long des escarpements du rocher, d'aller jusqu'au fond de la vallée et de rapporter tout aliment comestible qu'ils pourront trouver. Tout joyeux, ils s'en vont au creux de la vallée jusqu'à la Moselle et voient là une nasse que des bergers du temps passé avaient confectionnée et posée dans l'eau. Ils s'approchent et y trouvent cinq gros poissons.

Prenant les trois qui étaient encore vivants, ils les apportent et les montrent au Père. «Pourquoi, dit-il, n'avez-vous pas apporté les cinq ?» Ils répondirent qu'ils en avaient trouvé deux morts et les avaient laissés pour cette raison. «Non, dit-il, vous ne mangerez pas de ceux-ci avant d'avoir apporté ceux que vous avez laissés.» Stupéfaits de cette miraculeuse clairvoyance due à la grâce divine, ils repartent en courant de toutes leurs jambes. Après s'être entendu reprocher de n'avoir pas recueilli la manne [3] trouvée, ils reçoivent enfin l'ordre de préparer le repas. Plein de l'Esprit Saint, Colomban savait bien, on le voit, que le Seigneur lui préparait des mets en tous lieux.

(19) Une autre fois, il demeurait dans la même solitude, mais pas au même endroit [4], et il y avait déjà passé cinquante jours. Son seul compagnon était un frère nommé Gall. Il lui commanda d'aller au Breuchin et de prendre des poissons. Gall partit, mais cru bon d'aller à une autre rivière, l'Ognon [5]. Arrivé là, il jeta son filet dans l'eau et vit arriver une foule de poissons, mais ils ne s'engageaient absolument pas dans le filet : comme s'ils se heurtaient à un mur, ils retournaient en arrière. Il peina donc toute la

3. Ps 77,24, etc. Cf. I,7 (14) et note 6. Malgré Ac 15,29 (cf. *Praef. Gild.* 13), on peut manger le poisson trouvé mort (THÉODORE, *Can.* 21).

4. L'épisode se situe très près du Breuchin, qui passe à Annegray et à Luxeuil, et non loin de l'Ognon, qui passe plus près d'Annegray (10 km au Sud-Est) que de Luxeuil (18 km au Sud-Est).

5. D'après WETTI, *Vita Galli* 9, Gall s'écartera encore de la volonté de Colomban en restant à Bregenz. Il pratiquait la pêche (*Ibid.* 7-8 ; 11 et 13).

journée sans pouvoir en prendre un seul. Au retour, il fait part au Père de ses vains efforts. Celui-ci lui reproche d'avoir désobéi : pourquoi ne s'était-il pas empressé d'aller à l'endroit indiqué [6] ? « Va vite, répète-t-il, et rends-toi à l'endroit indiqué. » Gall y alla donc, jeta son filet dans l'eau, et le filet se remplit d'une telle quantité de poissons qu'il pouvait à peine le tirer, tant il y en avait. Ce même Gall nous a souvent raconté la chose.

12. Il apprend de Dieu la maladie de ses compagnons. Guérison de ceux qui obéissent.

(20) Une autre fois, il demeurait dans la caverne rocheuse mentionnée plus haut, d'où il avait expulsé un ours, et il s'y était longtemps affligé physiquement par l'oraison et le jeûne. Il apprit par une révélation que les frères qui étaient à Luxeuil souffraient de diverses maladies et que seuls restaient sur pied ceux qui soignaient les malades. Il sortit donc de la grotte et vint à Luxeuil. Les voyant tous souffrants, il leur commande de se lever et de battre la moisson sur l'aire avec des bâtons. Ceux que brûlait la flamme de l'obéissance se levèrent donc [1], vinrent sur l'aire et se mirent à battre la moisson à coups de bâtons, avec la grâce de la foi.

Quand le Père vit que la foi et la grâce de l'obéissance abondaient en ses fils, il leur dit : « Laissez vos membres épuisés par la maladie se remettre de leurs fatigues. » Ceux qui ont obéi s'étonnent de se trouver en bonne santé, sans la moindre trace de maladie, et Colomban ordonne de préparer le réfectoire, pour qu'ils mangent tous avec grande

6. Saint reprochant à son disciple une faute cachée : 2 R 5,25-26; GRÉGOIRE, *Dial.* II,12,2; 13,3; 19,2 (cf. *Dial.* II,18; III,14,8-9).

1. Cf. *Reg. mon.* 1,1-2 : « se lever » au premier commandement.

joie [2]. Ensuite, il adresse des reproches à ceux qui n'ont pas obéi, les reprend pour leur manque de foi, leur prédit la prolongation de leur mal. Châtiment étonnant ! Pendant plus d'un an, les désobéissants furent tourmentés de ce mal, qui les punissait avec une telle violence que c'est à peine s'ils échappèrent à la mort. La pénitence qu'ils accomplirent eut pour mesure le temps qu'avait duré leur désobéissance.

13. Champ moissonné au milieu des averses. La foi de l'homme de Dieu chasse la pluie de la moisson.

(21) Sur ces entrefaites, le moment arriva de rentrer dans les granges une abondante moisson, mais le grand vent ne cessait d'accumuler les nuages. Le besoin se faisait pressant, si l'on ne voulait pas que les épis mûrs germent sur pied et que la moisson se perde. L'homme de Dieu se trouvait au monastère de Fontaines, où le sol récemment défriché avait donné une moisson particulièrement abondante. Les vents étaient déchaînés, leur souffle apportant de grosses pluies. Pas un instant les nuées du ciel n'arrêtaient de déverser leurs ondées sur la terre.

Que faire dans de telles conditions ? L'homme de Dieu se le demandait anxieusement [1]. La foi donna des armes à son âme et lui montra comment obtenir l'aide requise. Il appela tous les frères et leur commanda de couper la moisson. L'ordre du Père les surprit, mais pas un ne lui fit voir ce qu'il pensait. Ils arrivent tous et, sous la pluie battante, coupent la moisson à la faux, en regardant ce que

2. Repas extraordinaire après le travail : I,17 (28); II,25 (21) : mêmes expressions qu'ici. Cf. GRÉGOIRE, *Dial.* III,14,7.

1. «Anxiété» du saint : I,19 (34) et 20 (37). Cf. I,4 (10) et 7 (13); II,1 (1) et 4 (5); II,23 (9).

faisait le Père. Celui-ci place aux quatre coins de la moisson, pour diriger le travail, quatre hommes remplis d'esprit religieux : Cominin, Eunoc et Equonan, tous trois d'origine irlandaise, et en quatrième lieu Gurgan, un breton d'origine [2]. Après leur avoir confié ces postes, lui-même, au milieu, moissonnait avec le reste de la troupe.

Miracle étonnant ! La pluie fuyait la moisson, tandis que ses torrents se déversaient de tous côtés. Seuls, au milieu, les moissonneurs étaient brûlés par le soleil ardent [3]. Jusqu'à ce qu'ils eussent rentré la moisson, un grand souffle chaud passa sur eux. C'est ainsi que la foi et la prière obtinrent que la pluie fût écartée et que la chaleur se fit sentir au milieu des averses.

14. Une femme stérile devient féconde. La prière obtient le don d'un enfant.

(22) Il y avait alors un duc nommé Waldelène [1] qui gouvernait les populations habitant entre la chaîne des Alpes et la région boisée du Jura [2]. Il n'avait pas d'enfant. C'était, comme Juvencus le dit de Zacharie et d'Élisabeth, «pour que leur désespoir rendît le don plus doux [3].» Avec sa femme,

2. Jonas a probablement connu ces quatre hommes à Bobbio, où ils ont sans doute suivi Colomban; cf. I,20 (37).

3. Miracle analogue chez GRÉGOIRE DE TOURS, *Hist. Franc.* 3,28; 4,34; 10,29; *Vita Patrum* 17, Prol.; *Glor. mart.* 44. Voir aussi GRÉGOIRE, *Dial.* III, 11-12. Jonas peut s'inspirer d'*Hist. Franc.* 4,34.

1. Nom porté par quatre autres personnages, plus ou moins liés à Luxeuil et probablement apparentés. Voir notamment COLOMBAN, *Ep.* 4,2 (successeur désigné d'Attale en 610). *

2. L'Outre-Jura (Suisse actuelle), dont un certain Wandalmar est duc de 591 604 (FRÉD. 13 et 24). Est-ce notre Waldelène ? Celui-ci semble habiter Besançon, en Cis-Jurane. – Enfant obtenu par la prière du saint : JÉRÔME, *Vita Hil.* 7 (cf. 2 R 4,14-17). *

3. JUVENCUS, *Libri euangeliorum* I,44 (*Nec fuit his suboles...*) et 45 (cf. Lc 1,7).

nommée Flavie, personne aussi noble par la prudence que par la naissance, il se rend de la ville de Besançon auprès du bienheureux Colomban. Ensemble, ils le prient de supplier pour eux le Seigneur : grandes étaient leurs richesses, mais ils n'avaient pas d'héritier à qui laisser tout cet héritage à leur mort. Le saint leur dit : «Si vous faites vœu de consacrer au nom de votre Bienfaiteur l'enfant qu'il vous aura accordé, et de me le donner pour filleul à son baptême, j'implorerai pour vous la clémence du Seigneur, et non seulement vous aurez un fils à vouer au Seigneur, mais vous recevrez encore, par la suite, autant d'enfants que vous voudrez.» D'un cœur joyeux, ils promettent d'obéir à ses ordres : qu'il veuille bien seulement implorer pour eux sans cesse la miséricorde du Seigneur. L'homme de Dieu, comblé de dons, les assure que la chose est en son pouvoir : qu'ils se gardent seulement de violer leur engagement.

O merveille ! A peine sont-ils rentrés chez eux, la future mère se trouve enceinte et attend le don du Créateur. Dès qu'il est né, elle l'apporte à l'homme de Dieu, montre à celui-ci le présent obtenu par ses prières, rend grâces au Créateur qui accorde ainsi aux requêtes de ses serviteurs les dons qui lui sont demandés. Prenant l'enfant dans ses bras, le saint le consacra. Au baptême, il fut son parrain, lui donnant le nom de Donat [4]. Puis il le rendit à sa mère pour qu'elle le nourrît. Élevé ensuite en ce même monastère, instruit de la sagesse, il fut promu à l'évêché de Besançon et il est encore en vie actuellement, occupant ce même siège. Plus tard, pour l'amour de saint Colomban, il fonda sous sa Règle un monastère d'hommes, qu'on appelle «le Palais» en raison des vieux murs sur lesquels il s'appuie.

Après ce fils, le Dieu généreux et bon en ajouta un second, conformément à la promesse de son serviteur.

4. Siège aux conciles de Clichy (626-627) et de Chalon (647-653).

Ce nommé Chramelène [5], dont la sagesse est aussi distinguée que la noblesse, reçut, après la mort de son père, la charge de celui-ci. Tout en portant l'habit séculier, il a pour le Créateur un amour bien éveillé. Lui aussi, pour l'amour du bienheureux, fonda un monastère sous sa Règle dans la forêt du Jura sur la petite rivière du Nozon [6], et lui donna pour supérieur l'abbé Siagrius [7]. A ce premier cadeau, Dieu ajouta encore deux filles, à la fois nobles aux yeux du monde et pénétrées de la crainte du Christ. Après ces dons, Flavie, leur mère, construisit dans la susdite ville de Besançon, après la mort de son mari, un monastère de femmes [8]. Lui ayant assuré toutes les garanties, elle y rassembla une grande communauté féminine. La grâce de l'homme de Dieu les enflamma si bien qu'elles méprisèrent toutes les parures de la vie présente et tournèrent leurs aspirations vers le culte du Tout-Puissant.

15. Guérison du doigt coupé de Théodegisile et du front de Winioc. Obéissance d'un corbeau.

(23) Si nous prenons la peine d'insérer ici des faits qui sont petits aux yeux des hommes, nous subirons les aboiements des critiques [1], mais la générosité du Créateur accorde son secours miséricordieux dans les moindres choses

5. Un des ducs de la campagne de 636-637 contre les Gascons; cf. FRÉD. 78, qui le dit «de race romaine», sans doute par sa mère. On le retrouve à la bataille d'Autun en 642 (FRÉD. 90).

6. Jura suisse (Vaud). Le monastère serait Romainmôtier, fondé «en Alémanie» au Ve s. par Romain et Lupicin (GRÉG. DE TOURS, *Vita Patrum* 1,3) et relevé par Chramelène.

7. Nom de plusieurs personnages en vue, notamment d'un évêque d'Autun, correspondant du pape Grégoire. *

8. Pour Gauthstrude, abbesse de ce monastère de Jussa-Moutier, Donat écrivit une Règle composite (Benoît, Césaire, Colomban), que nous a conservée Benoît d'Aniane.

1. Réponse aux critiques : voir II,16 (11) et 25 (24).

autant que dans les grandes. En de modestes circonstances, Dieu prête l'oreille de sa bonté sans tarder, tout comme il exauce les désirs de celui qui le prie pour les affaires les plus importantes [2].

Un jour, donc, le grand homme était allé moissonner avec les frères en une pièce de terre appelée Baniaritia [3]. Sous un vent du Sud, agréable et propice, ils coupaient la moisson à la faucille, lorsque l'un d'eux, nommé Théodegisile, se coupa le doigt avec la faucille, si bien qu'il restait tout juste un peu de peau pour le retenir et le faire adhérer. Voyant de loin Théodegisile à l'arrêt, l'homme de Dieu lui commande de finir avec ses compagnons le travail commencé. Le moine indique alors le fait qui s'est produit. Aussitôt, d'un pas rapide, Colomban vient à lui, enduit le doigt de sa salive et le remet immédiatement dans son bon état antérieur [4]. Au moine, il commande d'accélérer l'ouvrage commencé, en intensifiant son effort. Avec joie, celui-ci se mit à redoubler d'ardeur au travail et à dépasser tous les autres en abattant le plus de paille, lui qui, l'instant d'avant, s'attristait d'avoir un doigt coupé. Cette histoire, Théodegisile nous l'a lui-même racontée, en nous montrant son doigt.

Une autre fois, au monastère de Luxeuil, il fit quelque chose d'analogue. (24) Un prêtre de paroisse, nommé Winioc, père de Bobolène [5], qui est actuellement à la tête du monastère de Bobbio, vint voir le bienheureux Colomban. Celui-ci était dans la forêt avec les frères pour se procurer le bois dont il avait besoin. Arrivé sur place, Winioc regardait avec admiration la vigueur qu'ils déployaient à fendre un

2. Dieu intervient dans les petites choses : CONSTANCE, *Vita Germ.* 11; FORTUNAT, *Vita Radeg.* I,30. *Aurem pietatis accommodare* : voir II,4 (5) et note 1.

3. Peut-être le Banney, au N. de Luxeuil (ROUSSEL, I,142, n. 27). En tout cas, on retrouvera Théodegisile à Luxeuil en I,17 (29).

4. Attale fera le même miracle en II,3 (4). Cf. Mc 7,33, etc.

5. Voir Prol. (1). *Parrochia* : paroisse rurale (Clermont, 535, can. 15, etc.). Comme Carantoc en I,7 (14), Winioc est un nom breton (GRÉG. DE TOURS, *Hist. Franc.* 5,22 et 8,34 ; *Vita Iudoci* 15).

tronc de chêne avec des coins et une masse, quand un coin s'échappa du tronc et entailla le milieu de son front, en faisant jaillir des veines un flot de sang. Quand Colomban vit l'os mis à nu et le sang couler, il se jeta aussitôt à terre pour prier, puis, se relevant, enduisit Winioc de sa salive et le guérit si bien qu'il lui restait à peine une trace de cicatrice.

(25) Une autre fois, au même monastère de Luxeuil, il alla prendre son repas et déposa sur une pierre, devant la porte du réfectoire, ces objets protégeant les mains que les Gaulois appellent «gants [6] », qu'il portait habituellement quand il travaillait. Dès que le calme fut revenu, un corbeau, oiseau voleur, vint se poser là, prit un des gants dans son bec et l'emporta [7]. Le repas terminé, l'homme de Dieu ressort et cherche ses gants. Tous se demandent qui a emporté l'objet. Alors le saint déclare que celui qui s'est permis de toucher à quelque chose sans permission [8] n'est autre que l'oiseau qui fut lâché par Noé et qui ne revint pas dans l'arche [9]. Jamais il ne pourra nourrir ses petits, ajoute Colomban, s'il ne rapporte pas à tire d'ailes l'objet volé. Sous les yeux des frères, le corbeau vient se poser au milieu de l'assemblée, rapportant dans son bec l'objet qu'il a eu le tort de voler. Loin d'essayer de s'envoler et de s'enfuir pour se mettre à l'abri, il reste tranquillement devant tout le monde, oublieux de sa sauvagerie, dans l'attente de son châtiment [10]. Le saint lui commande de partir. Oh l'étonnant pouvoir du Juge éternel ! Les largesses qu'il accorde à ses serviteurs vont jusque-là : la gloire leur vient non seulement des honneurs des hommes, mais encore de l'obéissance des oiseaux.

6. *Wantos* (Jonas écrit pour des Italiens) comme dans *Vita Philiberti* 11, où ils sont aussi volés et récupérés par miracle.

7. Cf. GRÉGOIRE, *Dial.* II, 8, 3 : le corbeau emporte le pain.

8. *Sine comeatu* comme chez WALBERT, *Reg.* 2.

9. Gn 8,6-7.

10. De même la louve contrite de SULPICE SÉVÈRE, *Dial.* I,14, qui célèbre à ce propos la *uirtus* du Christ ; cf. I,7 (14) et JÉRÔME, *Vita Hil.* 8,8 : *o mira uirtus*.

(30) Voici encore une information que nous tenons de Chagnoald, évêque de Laon, qui fut plus tard son assistant et son disciple [11]. Il témoignait l'avoir souvent vu, quand il marchait au désert, tout adonné au jeûne et à la prière, appeler auprès de lui bêtes, animaux et oiseaux. Aussitôt ils obéissaient et venaient. De la main, il les caressait gentiment. Comme les jeunes chiens font fête à leurs maîtres, les bêtes sauvages et les oiseaux sautaient de joie et folâtraient avec grande allégresse. Et le même témoin disait avoir souvent vu la petite bête qu'on nomme vulgairement «écureuil», appelée par lui du haut des grands arbres, se poser sur sa main, s'installer sur son cou, venir entre ses bras et en sortir.

16. La bière déborde, sans que le liquide se répande et se perde.

(26) Un autre miracle se produisit ensuite [1]. L'heure du repas approchait, et le serviteur du réfectoire s'apprêtait à servir la bière [2] (c'est une boisson fermentée, qu'on fait avec du froment ou de l'orge; de toutes les nations de la terre, si l'on met à part les Scordisques et les Dardaniens [3], ce sont celles qui habitent près de l'Océan qui en font le plus grand usage, c'est-à-dire la Gaule, la Bretagne, l'Irlande, la Germanie et les autres de mœurs similaires). Le serviteur apporte donc au cellier le récipient qu'on appelle cruche [4], et le place devant le tonneau qui contenait la bière. Il tire le fausset du trou et laisse couler dans la cruche. Soudain

11. Sur le morceau que nous insérons ici, voir *Introd.* V. Chagnoald reparaît en I,27 (55) et 28 (57); II,7 (1-2) et (5). *

1. Krusch ajoute entre crochets une phrase suspecte. *
2. *Ceruisia* (cervoise), comme dans *Reg. coen.* 3,3.
3. Ces deux peuples occupaient l'actuelle Serbie, l'un près de Belgrade, l'autre plus au Sud. Jonas emprunte sans doute à un ouvrage érudit.
4. *Tiprum*, mot inconnu par ailleurs.

un autre frère vient l'appeler de la part du Père. Dans l'ardeur de son obéissance [5], il oublie de boucher le trou et accourt en hâte auprès du bienheureux, tenant à la main le fausset – le « douzil », comme on l'appelle [6].

Quand l'homme de Dieu lui eut signifié l'ordre qu'il voulait lui donner, il se souvint de sa négligence et revint vite au cellier, pensant qu'il ne resterait rien dans le tonneau d'où coulait la bière. Il vit alors que la bière avait monté au-dessus de la cruche, sans que la moindre goutte se répandît au dehors. On aurait dit que la cruche avait doublé en longueur, comme si le vase avait poussé vers le haut en gardant exactement la forme circulaire que la cruche avait au-dessous.

Quel mérite chez celui qui donnait ses ordres, quelle obéissance chez celui qui les exécutait ! Le Seigneur voulut ainsi éviter que l'un et l'autre ne s'attristât, car si l'ardeur de celui qui commandait et de celui qui obéissait avait causé la perte de la boisson des frères, tous deux se seraient privés d'aliments auxquels ils avaient droit [7]. C'est ainsi que le juste Juge intervint pour ôter toute culpabilité à l'un et à l'autre, car si l'accident était arrivé et que le Seigneur eût permis qu'il se produisît, chacun d'eux aurait prétendu qu'il était survenu par sa propre faute [8].

5. « Feu de l'obéissance » comme en I,12 (20).
6. *Duciclum*. Comme *bullugas* en I,9 (16), le mot a passé en français.
7. Cf. *Reg. coen*. 3,3 : privation de bière pour perte d'aliments.
8. Miracle d'obéissance et assaut d'humilité : GRÉGOIRE, *Dial*. II,7.

17. Nourriture interdite à un ours, augmentation de la provision de froment et multiplication de pains. La mort de Colomba est retardée par la prière de l'homme de Dieu.

(27) A la même époque, l'homme de Dieu, toujours épris de solitude, se promenait dans la forêt, au voisinage du champ de Frédémungiac, à travers un bois épais de viornes, quand il découvrit le cadavre d'un cerf, mis à mort par des loups féroces. Un ours s'apprêtait à le dévorer, et en lapant son sang, il avait déjà un peu entamé la chair. L'homme de Dieu s'approcha et gronda l'ours : il ne fallait pas abîmer ainsi la peau, dont on avait besoin pour faire des chaussures [1] ! Alors la bête, oubliant sa férocité, se mit à être pleine de douceur [2]. Contre sa nature, elle ne grogna pas, mais baissant la tête le plus gentiment du monde, abandonna le cadavre.

De retour, l'homme de Dieu dit aux frères d'aller là-bas et d'ôter la peau du corps du cerf. Les frères y allèrent donc et trouvèrent une foule d'oiseaux de proie qui se tenaient à distance tout autour, n'osant s'approcher du cadavre à cause de la défense de l'homme de Dieu. Longtemps ils restèrent au loin en observation, pour voir si une bête ou un oiseau se laisserait pousser à l'acte audacieux de toucher à la nourriture interdite et de s'emparer de la proie. Ils virent les animaux arriver, attirés par l'odeur du cadavre, mais rester à distance et se tenir à l'écart, comme s'il y avait péril et danger de mort, le laissant là finalement pour prendre la fuite au plus vite.

1. Il est permis de prendre pour cela la peau des bêtes crevées (THÉODORE, *Can.* 19).

2. Ours doux et obéissant : I,8 (15); 27 (55). Il s'incline comme celui de Florent (GRÉGOIRE, *Dial.* III,15,3-4).

(28) Une autre fois que Colomba demeurait à Luxeuil, le prêtre Winioc, mentionné plus haut [3], vint le voir. Winioc suivait Colomba pas à pas, partout où il allait. Ils arrivèrent au grenier où l'on conservait le froment. Winioc regarde, et trouvant cette petite provision bien exiguë, lui dit qu'il n'a pas assez de pain pour nourrir une telle multitude. Et de blâmer son inertie : au lieu de dormir, il fallait chercher du froment. Le bienheureux Colomba lui répond : «Si les communautés servent leur Créateur comme elles le doivent, jamais, en aucun temps, elles ne connaîtront la faim. En effet, la voix du psalmiste le chante et le proclame : "Je n'ai pas vu le juste abandonné, ni sa postérité chercher du pain [4]." Rien n'est plus facile que de remplir le grenier de grain, pour celui qui rassasia cinq mille hommes avec cinq pains [5].»

Cette nuit-là, Winioc resta sur place, et le grenier fut rempli par la foi et la prière de l'homme de Dieu [6]. Le matin, au lever, Winioc passe près du grenier et, à sa surprise, le voit ouvert. Le gardien, avec ses clés [7], se tenait devant la porte. Il lui demande qui a envoyé tout cela, quel train de chariots a apporté tout ce froment. Le gardien du grenier lui dit : «Non, il n'est pas arrivé ce que tu crois. Regarde en effet si l'on voit sur le sol des traces de chariots et de chevaux. Cette nuit, les clés ne m'ont pas quitté un instant, mais la porte du grenier restant verrouillée, le grenier s'est rempli de froment par la grâce de Dieu.» Avec toute son attention, les yeux rivés au sol, Winioc se mit à examiner soigneusement la terre et à constater par lui-même ce qu'il en était. N'ayant pas trouvé la moindre trace, il déclara : «Le Seigneur est capable de préparer une table au désert pour ses serviteurs [8].»

3. Voir I,15 (24).
4. Ps 36,25 (Vulg.). «Le psalmiste *(psalmographus)* proclame» : 3 (9).
5. Mt 14,17-21 ; 16,9. Voir plus loin (29) et note 10.
6. Grenier à blé rempli par la prière : GRÉGOIRE, *Dial.* I,9,17. Cf. CYRILLE DE SCYTHOPOLIS, *Vita Euth.* 17. *
7. Litt. «le porte-clés» *(clauigero)*. Le mot revient en I,19 (34).
8. Ps 77,19-20, utilisé de même en I,7 (14).

Peu de temps après, Colomba vint au monastère de Fontaines. Il y trouva soixante frères qui sarclaient la terre et préparaient le sol, encombré de mottes, à recevoir la semence. Les voyant peiner beaucoup à casser les mottes, il leur dit : «Prenez le repas [9] que le Seigneur vous accorde, frères !» A ces mots, le préposé au service dit : «Mon Père, nous n'avons que deux pains et un peu de bière.» – «Va, dit Colomba, et apporte-les ici.» L'homme s'éloigna rapidement et apporta les deux pains, ainsi que la petite quantité de bière. Levant les yeux au ciel [10], Colomba dit : «Christ Jésus, unique espérance du monde, multiplie ces pains et cette boisson, toi qui de cinq pains as rassasié cinq mille hommes au désert.» Foi étonnante ! Tous furent rassasiés, et quand ils eurent pris de la boisson, chacun à sa convenance, le préposé au service ramassa les morceaux de pain qui restaient : il y en avait deux fois plus [11], et la quantité de boisson avait aussi doublé. Il comprit alors que les dons divins, dont profitent ceux qui en sont dignes, s'obtiennent plus par la foi que par le désespoir, qui au contraire fait même diminuer les dons accordés.

(29) Au cours d'un séjour de l'homme de Dieu au monastère de Luxeuil, un des frères, nommé Colomban lui aussi, fut pris de fièvre. Étant à toute extrémité, il demandait un heureux trépas [12]. Assuré de la récompense céleste, qu'il avait recherchée par un service prolongé, il voulait désormais rendre le dernier soupir, quand il vit venir à lui un homme habillé de lumière éclatante [13], qui lui dit : «A présent, je ne peux te retirer du corps, parce que j'en suis empêché par les prières et les larmes de ton père Colomban [14].» A cette nouvelle, Colomban, tout affligé, parut se réveiller et se mit à appeler son infirmier,

9. Sur ce repas, voir I,12 (20) et note 2. Miracle comme en II,25 (21).
10. Mt 14,19. Ensuite, voir Mt 14,17-21. Cf. ci-dessus, note 5.
11. Cf. Mt 14,20; 15,37.
12. Formule fréquente au L. II. Voir *Introd.*, I, note 65.
13. Cf. II,11 (1-2) : habits blancs; 23 (9) et 25 (18) : lumière éclatante.
14. Ailleurs, un mort est ramené sur terre à cause de la prière (SULPICE SÉVÈRE, *Vita Mart.* 7,6) ou des larmes (GRÉG., *Dial.* I,12,2) du saint.

qui était ce Théodegisile dont nous avons parlé plus haut [15]. «Va vite, dit-il, et fais venir Colomban, notre père commun.» Vite, l'infirmier s'en va et trouve le bienheureux Colomban en larmes à l'église [16]. Il le prie de venir tout de suite auprès du malade.

Le saint se hâte donc de venir et demande au mourant ce qu'il veut. Celui-ci lui révèle ce qui est arrivé : «Pourquoi, dit-il, me retiens-tu par tes prières en cette triste vie ? Ils sont là, ceux qui veulent m'emmener, si tes pleurs et tes prières ne les en empêchent. Lève l'obstacle qui me retient, pour que le royaume des cieux me soit ouvert.» Pénétré de crainte, Colomba fit alors retentir le signal qui commandait à tous de venir, et il tempéra de joie la douleur de perdre son saint compagnon [17]. A celui-ci, qui partait de cette vie, il donna en viatique le corps du Christ, et après les derniers baisers [18], il chanta les cantiques rituels de la mort. Le défunt était en effet de la même race que le bienheureux Colomban. Ensemble ils étaient venus d'Irlande, et ils portaient le même nom.

18. Respect témoigné par le roi Thierry. Réprimandes adressées à celui-ci. Hostilité de Brunehaut.

(31) La renommée du saint s'était désormais répandue de tous côtés dans l'ensemble des provinces de Gaule et de Germanie. Tous chantaient ses louanges, tous l'honoraient et le vénéraient, tant et si bien que le roi Thierry [1], qui régnait à cette époque, venait souvent le voir et se recommandait très humblement à ses prières.

15. Voir I,15 (23).
16. D'abord nommé *oratorium* (*RB* 52, etc.), le lieu de prière des monastères est partout devenu *ecclesia*. Voir I,20 (36); II,10 (15) et 12 (5); II,23 (10). Cf. COLOMBAN, *Reg. coen.* 2,5-7; 3,2. On trouve aussi *basilica* en I,30 (59) et II,12 (3); *templum* en I,30 (59).
17. En lisant *amissionem gaudio* (Krusch : *amissione gaudia*). *
18. Mentionnés aussi en II,25 (19), entre le viatique et le psalmodie.
1. *Theodericus* : Thierry II, roi de Bourgogne (595-613).

En effet, Sigebert, que nous avons mentionné plus haut [2], avait été assassiné dans la villa royale de Vitry, située non loin de la cité d'Arras [3], à l'instigation de son frère Chilpéric [4], alors en résidence dans la ville de Tournai, que Sigebert poursuivait à mort. Après le meurtre de Sigebert, son fils Childebert reçut le sceptre royal, avec l'appui de sa mère Brunehaut [5]. Quand Childebert mourut, tout jeune encore, ses deux fils Théodebert et Thierry régnèrent avec leur grand'mère Brunehaut. Thierry prit le royaume de Burgondie, tandis que Théodebert recevait le gouvernement du royaume d'Austrasie [6].

Thierry se félicitait donc d'avoir le bienheureux Colomban dans les frontières de son royaume. Comme il venait le voir très souvent, l'homme de Dieu se mit à lui reprocher ses unions adultères avec des concubines : pourquoi ne pas jouir des bienfaits d'un mariage régulier, de façon qu'on vît la progéniture royale sortir d'une reine honorée et non de mauvais lieux [7] ? Déjà le roi disait qu'il obéirait aux ordres de l'homme de Dieu, et répondait qu'il se séparerait de toutes ses épouses illégitimes. Mais l'antique serpent s'empara de l'âme de sa grand'mère Brunehaut, nouvelle Jézabel [8], et la dressa contre l'homme de Dieu en excitant son orgueil instinctif, car elle voyait Thierry obéir à l'homme de Dieu. Elle craignait en effet que, si le roi éloignait ses concubines et donnait à une reine autorité sur la cour, son propre prestige et sa dignité n'en fussent diminués [9].

2. I,6 (12). Un ms. de Krusch (A 3) et celui de Metz omettent ce renvoi.
3. Précision ajoutée à GRÉGOIRE DE TOURS, *Hist. Franc.* 4,52.
4. Grégoire attribue l'assassinat à Frédégonde.
5. Noël 575 (GRÉGOIRE DE TOURS, *Hist. Franc.* 5,1). *
6. En 596 (FRÉDÉGAIRE 16).
7. *Ex lupanaribus*. Ces fils de Thierry sont Sigebert (FRÉD. 21), Childebert et Corbus (24), Mérovée (29), tous nés de concubines.
8. Cf. 1 R 16-21; 2 R 9,30-37.
9. Cf. FRÉD. 30 : à l'instigation de Brunehaut, Thierry renvoie en Espagne Ermenberge, épousée l'année précédente (606-607) et prise en haine.

19. Sa visite à Brunehaut et à Thierry. Breuvages et mets se déversent. Vexations royales, expulsion de Luxeuil et délivrance de condamnés.

(32) Un jour, donc, le bienheureux Colomban rendit visite à Brunehaut, qui se trouvait alors à la villa de Bourcheresse [1]. Voyant qu'il était venu à la cour, elle amena à l'homme de Dieu les fils de Thierry, nés d'unions adultères. Quand il les aperçut, il demanda de quoi il s'agissait. Brunehaut lui dit : «Ce sont les fils du roi. Donne-leur l'appui de ta bénédiction.» – «Non, dit-il, ils ne recevront pas le sceptre royal, car ils sont issus de mauvais lieux [2].» Furieuse, elle fait sortir les enfants. Quittant la cour royale, l'homme de Dieu passait le seuil du palais, quand un bruit de tonnerre se fit entendre et secoua toute la maison. Tous en furent épouvantés, mais la fureur de cette misérable femme n'en fut pas calmée. Elle ourdit dès lors des complots insidieux, envoyant aux voisins du monastère l'ordre d'empêcher quiconque de mettre le pied hors du domaine monastique, et de n'accorder aux moines de Colomban aucune hospitalité ni aucun secours.

Voyant que les souverains lui en voulaient, le bienheureux Colomban s'empressa de se rendre auprès d'eux, pour briser de ses remontrances l'hostilité de ces misérables obstinés. Le roi était alors à la villa royale d'Époisses [3]. L'homme de Dieu y étant arrivé au coucher du soleil, on annonça au roi qu'il était là, et qu'il ne voulait pas habiter dans la demeure du roi. Thierry dit alors : «Mieux vaut honorer l'homme de Dieu en pourvoyant à ses besoins que de provoquer le courroux du Seigneur en offensant ses serviteurs.» Il ordonne donc d'apprêter les aliments nécessaires, présentés avec tout le decorum royal [4], et de les porter au

1. *Brocariacum* : Bourcheresse (Porcheresse), à 8 km S.-E. d'Autun (ROUSSEL, I, 154, n. 7 ; cf. JACOBS, II, 438), ou Bruyères-le-Châtel, près d'Arpajon (KRUSCH, 168, n. 1, d'après Longnon) ? *

2. Argument sans force juridique, selon GRÉG. DE TOURS, *Hist. Franc.* 5,21. Cf. *Introd.*, IV, n. 11-13.

3. *Spissiacum*, à 12 km O. de Semur (Côte d'Or).

4. *Regio cultu* comme en II,23 (6).

serviteur de Dieu. On vint donc, selon l'ordre du roi, lui présenter les aliments offerts par celui-ci. En voyant ce festin et ces breuvages servis avec le decorum royal, Colomban demande de quoi il s'agit. On lui dit : «C'est ce que le roi t'a fait envoyer.» Il repoussa le présent en disant : «Il est écrit : "Les présents des impies, le Seigneur les rejette [5] ". Non, il ne convient pas que les serviteurs de Dieu se souillent la bouche avec les aliments de quelqu'un qui interdit aux serviteurs de Dieu d'entrer non seulement dans ses propres maisons, mais encore dans celles des autres.» A ces mots, toute la vaisselle éclata en morceaux, le vin et les liqueurs se répandirent à terre, et le reste s'égailla de ci de là. Épouvantés, les serviteurs apportent au roi la nouvelle de l'événement. Frappé d'épouvante à son tour, celui-ci s'empresse, dès le point du jour, de se rendre auprès de l'homme de Dieu avec sa grand'mère. Ils demandent pardon pour leurs fautes, promettent de s'amender dorénavant [6]. Apaisé par ces promesses, Colomban revint à son monastère.

Mais l'engagement pris ne fut pas respecté longtemps, et les promesses furent violées. Les vexations redoublent, le roi commet ses adultères comme à l'ordinaire. A cette nouvelle, le bienheureux Colomban lui adresse une lettre pleine de reproches cinglants et menace de l'excommunier s'il refuse de se corriger immédiatement [7].

(33) Exaspérée derechef, Brunehaut excite l'esprit du roi contre le bienheureux Colomban et s'emploie de tout son pouvoir à le troubler. Grands officiers, gens de la cour, personnages de marque, elle les invite tous à semer contre l'homme de Dieu le trouble dans l'esprit du roi. Elle entreprend même une campagne auprès des évêques, allant jusqu'à dénigrer sa vie religieuse et à jeter de la boue

5. Si 34,23 (non Vulg.). Un cadeau d'impie est refusé par Attale en II,24 (15), par Menas chez GRÉGOIRE, *Dial.* III,26,6.

6. Cf. SISEBUT, *Vita Desid.* 6-7 : effrayés par des signes d'en-haut, Brunehaut et Thierry rappellent Didier d'exil et lui demandent pardon.

7. Reproches adressés aux souverains : SISEBUT, *Vita Desid.* 9. Cf. THÉODORET, *Hist. Eccl.* 5,36 = CASSIODORE, *Hist. Trip.* 10,27 : empereur excommunié par un moine. *

sur la règle qu'il avait donnée aux moines à observer. Obéissant donc aux suggestions de la misérable reine, les gens de la cour répandent contre l'homme de Dieu le trouble dans l'esprit du roi, lui faisant une obligation de se rendre sur place et d'examiner sa vie religieuse. Poussé par cette cabale, le roi vint voir l'homme de Dieu à Luxeuil. Il se plaignit à lui de ce qu'il s'écartait des usages du pays et ne laissait pas tous les chrétiens entrer dans les lieux placés sous clôture [8]. Avec son audace et sa force d'âme accoutumées, le bienheureux Colomban répondit à ces critiques du roi en disant qu'il n'avait pas l'habitude de laisser des séculiers, étrangers à la vie religieuse, entrer dans la demeure des serviteurs de Dieu, mais qu'il avait des locaux convenables et appropriés, prêts à recevoir tous les hôtes qui surviendraient. Le roi dit alors : «Si tu veux recevoir les dons de notre générosité et le soutien de notre appui, il faut que tout le monde puisse entrer partout.» L'homme de Dieu répliqua : «Si tu essaies de porter atteinte à ce qui était jusqu'à présent soumis aux normes [9] de la discipline régulière, je me passerai de tes dons et de tout secours. Et si tu es venu ici pour détruire les communautés des serviteurs de Dieu et souiller la discipline régulière, sache que bientôt ta royauté s'effondrera complètement et disparaîtra avec toute la descendance royale.» Les faits devaient lui donner raison [10].

Déjà le roi, d'un pas téméraire, avait pénétré dans le réfectoire. Effrayé par ces paroles, il se hâte de ressortir. Puis l'homme de Dieu poursuit le roi de durs reproches. Thierry réplique : «Tu espères que je te procurerai la couronne du martyre», ajoutant qu'il n'était pas assez fou pour commettre un tel crime, mais qu'il allait suivre, dans l'intérêt de tous, une ligne de conduite bien meilleure : puisque

8. La Règle de Colomban ne dit rien à ce sujet. L'entrée au monastère d'hommes est interdite à tout laïc par AURÉLIEN, *Reg.* 14 (cf. 19), mais les autres Règles n'écartent que les femmes (CÉSAIRE, *Reg. mon.* 11,1 ; *3RP* 4,2 ; *Reg. Tarn.* 20,1 ; FERRÉOL, *Reg.* 4,1).
9. Litt. «rênes» *(habenis)*, comme en I,30 (61) ; II,1 (1), etc.
10. Sur cette prophétie et les suivantes, voir *Introd.*, IV, n. 6-20.

Colomban s'écartait de tous les usages du monde [11], il voudrait bien repartir comme il était venu. Les gens de la cour font chorus, clamant qu'ils ne veulent pas avoir en ces lieux un homme qui ne communique pas avec tous. A quoi le bienheureux Colomban répond qu'il ne quittera pas la clôture du monastère, à moins d'en être arraché par la violence.

(34) Le roi s'en alla donc, laissant là un personnage de haut rang nommé Baudulfe. Resté sur place, celui-ci expulse l'homme de Dieu de son monastère et le conduit en exil à Besançon, en attendant que le roi décide à son sujet ce qu'il voudra. Tandis qu'il séjournait en cette ville, Colomban apprit que la prison locale était remplie de condamnés à mort, qui attendaient d'être exécutés. L'homme de Dieu s'y rend aussitôt, franchit la porte sans que personne s'y oppose, et prêche aux condamnés la parole de Dieu. Ils promettent, s'ils sont libérés, de se corriger et de faire pénitence pour les fautes commises.

Alors le bienheureux Colomban commande à son assistant, Domoal, dont nous avons parlé plus haut [12], de prendre dans sa main la barre de fer qui tenait ensemble et unissait les ceps, et de la retirer. Il la prend, la tire, et elle se casse en morceaux comme du bois pourri. Aux condamnés, délivrés de leurs ceps, Colomban ordonne de sortir de prison. Accomplissant le service rituel de l'Évangile, il leur lave les pieds et les essuie avec un linge [13]. Puis il leur commande d'aller à l'église et d'effacer leurs fautes en faisant pénitence pour les crimes commis et en les lavant de leurs larmes. Partis aussitôt, ils trouvent les portes de l'église verrouillées. De son côté, voyant que la puissance de Dieu, par le moyen du bienheureux Colomban, avait brisé les ceps des condamnés et qu'il ne lui restait que sa prison vide, le tribun militaire, comme un homme endormi

11. Litt. «des séculiers». Mais peut-on reprocher à des moines de ne pas se conduire comme les laïcs ?

12. Voir I,9 (16), où Domoal est encore enfant.

13. Jn 13,4-5. Cf. Ac 16,33 (en prison, après la délivrance).

qui se réveille, se lance avec ses soldats à la poursuite des condamnés en fuite.

Ceux-ci voient derrière eux les gardes approcher et constatent que les portes de l'église sont verrouillées. Pris dans cette tenaille qui les serre des deux côtés, ils appellent l'homme de Dieu pour qu'il les délivre. Haletant, angoissé, celui-ci lève la tête vers le ciel et prie le Seigneur : après avoir arraché ces hommes aux fers par sa puissance, qu'Il ne laisse pas leurs gardes les enchaîner de nouveau !

La bonté du Créateur ne se fait pas attendre. Tirant les solides verrous qui obstruaient les portes, elle ouvre l'entrée à ces hommes angoissés. Ils se précipitent dans l'église [14]. Dès que les condamnés sont entrés, les portes se referment sous le nez des soldats. Sans intervention de main d'homme, les verrous se remettent en place. On dirait qu'un gardien, usant de ses clefs, s'est empressé d'ouvrir et de fermer.

Arrivant ensemble, le bienheureux Colomban avec ses gens et le tribun avec ses soldats trouvent les portes verrouillées. Il font chercher le gardien, nommé Aspais, pour qu'il donne les clefs. L'homme arrive, veut se servir de ses clefs pour ouvrir les portes, et déclare qu'il n'a jamais trouvé la fermeture plus soigneusement verrouillée. Après cela, personne n'osa plus faire de tort à ceux que la puissance divine avait délivrés.

20. Son retour à Luxeuil. Aveuglement des gardes. Expulsion par ordre du roi, séparation d'avec ses compagnons, guérison d'agresseurs.

(35) Voyant qu'aucune surveillance ne l'empêchait d'agir et que personne ne lui faisait d'ennuis – tout le

14. Fréquentes en hagiographie, les délivrances de prisonniers se terminent souvent à l'église, lieu de refuge. Cf. GRÉGOIRE DE TOURS, *Hist. Franc.* 10,6; *Mir. S. Martini* 2,35 et 4,39, etc. *

monde voyait en effet la puissance de Dieu briller en lui, et tous par suite s'abstenaient de lui faire aucun tort, de peur de participer aux fautes commises contre lui –, l'homme de Dieu monta donc, le dimanche, jusqu'à la pointe du sommet fort escarpé de la montagne – telle est en effet la position de la ville : les maisons se pressent sur les flancs de la montagne qui monte en pente douce, puis l'escarpement se dresse jusqu'à un sommet fort élevé ; abrupt de tous côtés, le mont est entouré par le lit où s'écoule la rivière du Doubs, et il ne laisse aucun passage à ceux qui voudraient aller et venir [1] – ; arrivé là-haut, Colomban attendit jusqu'à midi, pour voir si quelqu'un l'empêcherait de retourner au monastère. Personne ne s'y opposant, il traversa la ville avec les siens et regagna le monastère.

En apprenant son retour d'exil, Brunehaut et Thierry éprouvent des accès de rage plus violents que jamais. Ils donnent à une troupe de soldats l'ordre d'expulser de nouveau l'homme de Dieu par la force et de le reconduire d'une traite à son lieu d'exil précédent. Les soldats arrivent donc avec leur tribun et parcourent les cloîtres du monastère, cherchant l'homme de Dieu. Il était assis dans l'atrium de l'église et lisait un livre. Les soldats y passent plusieurs fois et viennent tout près de lui, si près que certains buttent contre ses pieds et frottent leurs vêtements contre les siens, mais leurs yeux aveuglés ne le voient pas. C'était un joli spectacle : jubilant, il les voyait chercher, tout en restant absolument invisible ; eux voyaient sans voir cet homme qui était au milieu d'eux [2]. Le tribun arriva, regarda par une fenêtre et vit l'homme de Dieu assis gaiement et lisant au milieu d'eux. A la vue du miracle divin, il s'écria : « Pourquoi parcourez-vous l'atrium de l'église en écarquillant les yeux et ne trouvez-vous personne ? Que cette erreur insensée cesse de tromper vos cœurs : vous ne pourrez trouver celui que la puissance de Dieu tient caché. Abandon-

1. Site déjà décrit par CÉSAR, *Bell. Gall.* I,38.
2. Soldats aveuglés : 2 R 6,18 (cf. Gn 19,11) et surtout GRÉGOIRE, *Dial.* I, 2,4. Le saint reste assis et lit : GRÉG., *Dial.* II, 31, 2-3 (cf. 14,2). *

nez cette entreprise et courons annoncer au roi que vous ne l'avez pas trouvé.» L'événement le donne à entendre clairement : c'est malgré lui que ce tribun militaire était venu faire du tort à l'homme de Dieu, et c'est pour cela qu'il mérita la lumière qui le lui fit voir [3].

(36) Quand la troupe apporta la nouvelle aux souverains, ceux-ci redoublèrent de rage à poursuivre leur misérable dessein. Avec Baudulfe, déjà envoyé la première fois [4], ils dépêchent le comte Berthier [5], accompagné d'un détachement, pour le rechercher de plus belle. Arrivés sur place, ils trouvent le bienheureux Colomban à l'église, psalmodiant et priant [6] avec tous les frères de la communauté. A l'homme de Dieu, ils tiennent ce langage : «Homme de Dieu, nous te prions d'obtempérer aux ordres du roi et aux nôtres [7]. Va-t-en et reprends le chemin par lequel tu es venu jadis en ces lieux.» – «Je ne pense pas, répliqua-t-il, qu'il soit agréable au Créateur que je retourne à mon pays natal, dont je me suis éloigné une fois pour toutes à cause de la crainte du Christ.» Voyant que l'homme de Dieu ne lui obéirait pas le moins du monde, Berthier laissa là quelques gaillards particulièrement durs et s'en alla.

Ceux qui sont restés invitent l'homme de Dieu à les prendre en pitié. Malheureux qu'ils sont, on les a laissés là pour faire le coup ! A lui de les tirer du danger, car s'ils ne l'emmènent de force, il y a pour eux danger de mort. – Bien des fois il avait solennement déclaré, répond-il, qu'à moins d'être emmené de force, il ne partirait pas. – Pris entre deux feux, pressés de tous côtés par la peur, ils saisissent le manteau dont il était revêtu. D'autre se jettent

3. Tel voit le réel, occulté pour d'autres : GRÉGOIRE, *Dial.* II,10,2 (cf. *Hist. mon.* 28,451 ab). Ce bon tribun fait déjà penser à 2 R 1,13-14; voir ci-dessous, n. 8.

4. Voir I,19 (34).

5. *Bertecharius* ou *Bertharius*, chambellan de Thierry, qui le charge de lui amener Théodebert après Zulpich (FRÉD. 38).

6. Psalmodie et prière sont distinctes. Cf. *Reg. coen.* 9,9-13.

7. Jonas imite 2 R 1,9. Ordre royal : voir 19 (33).

à genoux et le prient avec larmes de leur pardonner cette faute criminelle : ils ne font pas ce qu'ils veulent, ils exécutent seulement l'ordre du roi [8].

Voyant qu'en s'obstinant dans son intransigeance il mettrait son prochain en danger, l'homme de Dieu partit, au milieu des lamentations et de l'affliction générales. On avait désigné des gardiens qui ne devaient pas le quitter avant de l'avoir expulsé du royaume auquel ils appartenaient ; ils avaient pour chef Ragomund, qui le conduisit jusqu'à Nantes. Tous les frères le suivaient comme un cortège funèbre, tant l'affliction remplissait tous les cœurs. Inquiet de la perte de tant d'hommes qui sont ses membres [9], le Père lève les yeux au ciel et s'écrie : « Éternel Créateur du monde, prépare-nous un lieu approprié, où ton peuple [10] puisse te servir à jamais. » Il adresse ensuite à toute la troupe une parole de consolation : il ne faut pas désespérer, mais faire monter vers le Dieu tout-puissant des louanges sans fin ; ce qui lui arrive n'est pas pour sa perte ni pour celle des siens, mais c'est une occasion donnée pour multiplier les communautés de moines. Ceux qui veulent le suivre n'ont qu'à venir, en se préparant de tout leur cœur à subir avec lui les mauvais traitements. Quant à ceux qui voudraient rester au monastère, ils peuvent être sûrs, en restant sur place, que le Seigneur ne tardera pas à venger l'affliction qu'on leur cause [11].

Les frères, cependant, ne se résignent pas à se séparer du pasteur qui les gardait. Alors les gardiens désignés par le roi déclarent que seuls seront autorisés à le suivre, ceux qui sont originaires du même pays [12] ou qui l'ont suivi depuis

8. Scène imitant l'arrestation d'Élie (2 R 1,13-14).

9. Répétée plus loin à propos de Colomban, cette métaphore s'applique à Attale en II,24 (16), de même qu'au Christ en I,21-22 (40.45) et à l'Église en I,2 (6). Cf. COLOMBAN, *Ep.* 2,8-9 (membres du Christ).

10. *Plebes*, traduit plus bas par « communautés ». *

11. Cette prophétie vague, qui s'ajoute aux six prédictions précises (*Introd.*, IV), ressemble à celle de Wilsinde en II,17 (12).

12. L'un de ceux-ci, le vieux Desle *(Deicola)*, aurait demandé à rester en Bourgogne et fondé le monastère de Lure (*Vita Deicolae* 2-11).

le territoire breton. Tous les autres, qui sont originaires de la Gaule, doivent y rester par ordre du roi. En se voyant arracher ses membres par la violence, ce Père incomparable sent sa propre douleur et celle de ses membres s'aggraver. Accablé du poids d'un tel crime, il supplie Dieu, consolateur de tous les hommes, de garder lui-même et de protéger ceux que l'obstination du roi séparait de lui. Parmi ceux-ci se trouvait l'homme vénérable qui allait être ensuite le Père du monastère : Eustaise, disciple et assistant [13] du saint. Il en fut séparé par la violence, étant surveillé par son oncle Mietius, qui était évêque de Langres.

(38) Le saint s'éloigna donc avec ses compagnons. C'était la vingtième année [14] depuis sont installation en ce désert. Par les villes de Besançon et d'Autun, il arriva au bourg d'Avallon. Sur la route, cependant, avant d'arriver à Avallon, un palefrenier de Thierry vint à la rencontre de l'homme de Dieu et voulut le percer de sa lance. Mais un châtiment bien mérité prévint sur-le-champ cet homme mal intentionné. La main qu'il avait levée contre l'homme de Dieu s'immobilisa [15], et la lance se ficha en terre à ses pieds. Possédé du démon, il se roula aux pieds de l'homme de Dieu. Celui-ci, le voyant frappé de ce châtiment en sa présence, le garda près de lui ce jour-là et la nuit suivante. Le lendemain matin, il le fit venir, et grâce à Dieu l'homme rentra chez lui guéri.

(39) Ensuite, en allant vers la rivière Cora [16], Colomban parvint à la demeure d'une femme noble et pieuse, Théodemande. Tandis qu'il s'y trouvait, survinrent douze hommes possédés d'un démon enragé, qui déliraient violemment et se roulaient à terre. Aussitôt l'homme de Dieu pria et les guérit.

13. *Minister* (serviteur); cf. II,1 (1) : *ministerio*. Mietius signe au concile de Paris (614).

14. Sur cette chronologie (591-610), voir *Introd.*, II, n. 27-28.

15. Miracle classique (cf. 1 R 13,4). Voir GRÉG. DE TOURS, *Hist. Franc.* 6,6 (cf. 2,37); GRÉGOIRE, *Dial.* III,37,15 et note. *

16. La Cure, affluent de l'Yonne.

Le même jour, ils arrivèrent à un village appelé Cora [17]. Là survinrent cinq hommes atteints de frénésie, qui furent guéris sur place aussitôt. De là, Colomban se dirigea vers Auxerre, et en cette ville il déclara à Ragomund, qui le conduisait sur le chemin de l'exil : «Souviens-toi, Ragomund, que ce Clotaire méprisé de vous aujourd'hui [18], avant trois ans vous l'aurez pour maître.» L'autre demanda : «Pourquoi, mon seigneur, dis-tu pareille chose ?» Colomban répondit : «Tu verras sans nul doute ce que je t'ai dit, si seulement tu es encore en vie.»

21. Guérison d'un fou et châtiment d'un homme. Un aveugle recouvre la vue.

(40) Parti d'Auxerre, Colomban vit accourir à toutes jambes un jeune homme possédé du démon. Il avait fait vingt milles en courant ainsi de toutes ses forces. A cette vue, le saint s'arrêta, attendant que cet homme atteint d'un mal démoniaque vînt à lui. Arrivé, il se roula devant l'homme de Dieu en se débattant [1]. L'homme de Dieu pria, le guérit, et le rendit à son père en bonne santé.

Puis, précédé et suivi de ses gardiens, il arriva à la ville de Nevers [2], en vue d'être mis dans un bateau sur la Loire et rendu au littoral breton. Arrivés là, ils s'embarquèrent sur le bateau, trop lentement au gré d'un des gardiens, qui prit une rame et en frappa l'un d'eux, un très saint homme, de vie religieuse parfaite, qui s'appelait Lua [3]. Voyant ses membres battus sous ses yeux, l'homme de Dieu s'écria : «Pourquoi, cruel, ajoutes-tu souffrance à souffrance ?

17. Homonyme de la rivière, cette localité n'est pas Cure (15 km S.-O. d'Avallon), mais Saint-Moré (15 km N.-O. d'Avallon). *
18. Allusion aux défaites neustriennes de 600 et 604 (FRÉD. 20 et 26). *

1. *Discerpens*, comme en I,25 (49); II,25 (10). Cf. Mc 1,26; 9,25.
2. Itinéraire étrange, qui suppose un contre-ordre. *
3. Nom irlandais, d'après BERNARD, *Vita Malachiae*, 6,12.

Ne suffit-il pas, pour votre ruine, de perpétrer ce criminel forfait ? Pourquoi bats-tu les membres épuisés du Christ ? Pourquoi te montrer sans douceur contre un homme plein de douceur ? Pourquoi exercer ta cruauté sur des personnes pleines de mansuétude ? Souviens-toi que le châtiment divin va te frapper à l'endroit même où, dans ta fureur, tu as frappé un membre du Christ ! » Bientôt le châtiment suivit, vérifiant la sentence de condamnation qui venait d'être prononcée. Comme il revenait en une autre occasion et passait par ce même port, l'homme fut frappé par Dieu et se noya à l'endroit même. Quant au motif pour lequel le juste Juge remit son châtiment à plus tard, n'était-ce pas pour éviter que la vindicte qu'il méritait ne salît alors le regard du saint [4] ?

(41) De là, ils parvinrent à la cité d'Orléans. Voyant que le roi avait donné l'ordre de ne le laisser même pas entrer dans les églises [5], Colomban, très peiné, dut se contenter de reposer un peu sous une tente au bord de la Loire. Manquant des vivres nécessaires, il envoya deux frères en ville pour se les procurer. L'un d'eux, nommé Potentin, est encore en vie et a réuni en Armorique, aux environs de la ville de Coutances [6], une communauté de moines. Ayant parcouru la ville sans rien trouver, car la crainte du roi remplissait tous les cœurs, ils revenaient sur leurs pas vers l'entrée de la ville, quand ils rencontrèrent sur une place une femme étrangère d'origine syrienne [7]. En les voyant, elle leur demanda qui ils étaient. Ils lui firent connaître les faits, ajoutant qu'ils avaient cherché le nécessaire sans rien trouver. Elle dit alors : « Venez, messieurs, chez votre servante, et prenez avec vous ce qu'il vous faut. Car, moi aussi, je suis une étrangère, venue du lointain Orient. »

4. Conclusion interrogative comme en II,21 (19) et 25 (19), avec réminiscence de SULPICE SÉVÈRE, *Vita Mart.* 4,8.

5. Orléans est la capitale de Thierry (FRÉD. 16), d'où la vigilance spéciale contre Colomban, rappelée à la fin du chapitre. *

6. Fondation inconnue par ailleurs, semble-t-il.

7. GRÉG. DE TOURS, *Hist. Franc.* 8,1, atteste la présence de Syriens à Orléans, comme à Bordeaux (7,31) et à Paris (10,26). Cf. *Glor. Mart.* I,95.

Ils la suivirent, ravis. Arrivés chez elle, elle les fit asseoir, en attendant qu'elle leur apportât ce qu'ils devaient emporter. Il y avait là, assis près d'eux, son mari, aveugle depuis longtemps. Ils demandèrent qui c'était. «C'est mon mari, dit-elle. Il est syrien comme moi. Depuis bien des années il est aveugle, et je le traîne avec moi.» Les moines disent alors que, si on l'amène au serviteur du Christ Colomban, il peut retrouver la vue grâce aux prières de celui-ci. Ajoutant foi à l'annonce de ce bienfait, l'homme prend courage, se lève et les suit avec un guide.

Potentin raconta donc l'accueil hospitalier que leur avaient fait ces étrangers. Il n'avait pas fini son récit que l'aveugle était là, suppliant l'homme de Dieu de lui rendre la vue par ses prières. Voyant sa foi, Colomban demande alors à tous de prier pour l'aveugle. Longtemps il reste prosterné à terre. Puis, se levant, il touche les yeux de sa main. Après un signe de croix, la vue revient à celui qui l'avait demandée. Tout joyeux d'avoir retrouvé la lumière, il rentra chez lui. C'était justice : au dedans, ces gens avaient eu assez de lumière pour voir leurs hôtes; au dehors, ils ne devaient pas en manquer.

A la suite de ce fait, une foule de possédés, horriblement tourmentés par des démons furieux, viennent trouver l'homme de Dieu pour se faire guérir. La santé leur est rendue grâce au Seigneur : tous, en ce lieu, furent guéris par l'homme de Dieu. Bouleversée par ces miracles, la population de la cité soutenait secrètement l'homme de Dieu par ses présents. A cause des gardiens, en effet, on n'osait rien lui donner ouvertement, de peur d'encourir la colère du roi. Ensuite la troupe reprit son voyage.

22. Bateau arrêté, vol manifesté, fourniture d'aliments en abondance.

(42) En naviguant sur la Loire, ils arrivent à la cité de Tours. Là, le saint prie ses gardiens d'approcher le bateau du port et de le laisser aller au tombeau du bienheureux confesseur Martin. Les gardiens refusent [1], exigent une navigation rapide, pressent les rameurs de passer le port à la plus grande vitesse dont ils sont capables, ordonnent au pilote de maintenir le bateau en plein milieu du courant. Voyant cela, le bienheureux Colomban lève au ciel son visage attristé, se plaignant du chagrin qu'on lui cause en ne lui permettant pas de visiter le tombeau des saints. Tous eurent beau faire effort, aussitôt que l'on arriva en face du port, le bateau s'arrêta, comme si on avait jeté l'ancre, et mit le cap sur le port [2]. N'y pouvant rien, les gardiens, à leur corps défendant, laissent le bateau aller où il veut. De façon étonnante, il vole comme sur des ailes [3] depuis le milieu du fleuve jusqu'au port, et abordant à celui-ci, ouvre la voie à l'homme de Dieu. Ce dernier rend grâces au roi éternel, qui ne dédaigne pas d'obéir ainsi à ses serviteurs. Sorti du bateau, il se rend au tombeau du bienheureux Martin. Toute la nuit, il y reste en prière.

Au lever du jour, Leupaire [4], évêque de la ville, l'invita à déjeuner. Colomban ne refusa pas, surtout pour procurer du repos à ses frères, et il resta ce jour-là avec le prélat. Quand l'heure du repas arriva et qu'il fut à table avec lui, interrogé sur le motif de son retour dans sa patrie, il répondit : «C'est ce chien de Thierry qui m'arrache à mes frères.» (43) Alors un des convives, nommé Chrodoald, qui

1. Peut-être parce que Tours appartient à l'Austrasie. Le bon accueil de l'évêque s'explique dans cette perspective. *

2. Cf. JÉRÔME, *Vita Hil.* 29,11-13 : bateaux détournés par le saint.

3. *Pennigero... uolatu* comme chez JÉRÔME, *Vita Pauli* 8. *

4. *Leuparius* ou *Leupecharius*, inconnu par ailleurs, Tours n'étant pas représenté au concile de Paris (614).

avait épousé une tante [5] du roi Théodebert mais gardait sa fidélité au roi Thierry, répondit d'un ton humble à l'homme de Dieu qu'il valait mieux boire du lait que de l'absinthe. L'homme de Dieu lui dit : «Je vois que tu veux garder ta foi jurée au roi Thierry.» L'autre déclare qu'il gardera en effet sa promesse de fidélité tant qu'il pourra. «Puisque tu es lié par serment à Thierry, dit Colomban, je vais t'envoyer porter à ton maître et ami un message réjouissant. Voici donc ce que tu lui annonceras : avant trois ans, lui et ses enfants périront, et le Seigneur extirpera son lignage jusqu'à la racine.» – «Pourquoi, serviteur de Dieu, dis-tu pareille chose [6] ?», demanda Chrodoald. Colomban répondit : «Ce que le Seigneur me donne à dire, je ne peux le taire [7].» Par la suite, tous les peuples de la Gaule ont constaté la réalisation de cette parole, et ainsi fut confirmée la sentence prononcée précédemment devant Ragomund.

(44) Après le déjeuner, l'homme de Dieu revint au bateau et trouva ses compagnons fort tristes et abattus. Il s'enquit de la raison et découvrit que, la nuit précédente, un vol leur avait fait perdre ce qu'ils avaient sur le bateau; les pièces d'or qu'il n'avait pas données aux pauvres avaient été emportées par le même voleur. A cette nouvelle, il retourne au tombeau du bienheureux confesseur et se plaint à lui [8] : s'il avait passé la nuit sans dormir auprès de ses restes, ce n'était pas pour que le saint laissât faire du tort à lui-même et à ses frères ! A l'instant même, le voleur qui avait pris le sac aux pièces d'or se met à crier sous les tourments qu'il subit, disant qu'il a caché les pièces à tel et tel endroit. Voyant cela, tous ses complices rapportent

5. *Amita*, sœur du père. On connaît deux sœurs de Childebert : Ingonde, mariée à Herménégilde et morte en Afrique (GRÉG. DE TOURS, *Hist. Franc.* 5,39; 8,28), et Chlodosuinde, demandée en mariage par Récarède (*Ibid.* 9,16. 20) et accordée à ce roi visigoth (9,25), mais qui ne semble pas l'avoir épousé. Chrodoald : nom d'un dignitaire austrasien, tué par Dagobert (FRÉD. 52 et 87). *

6. Question comme en 20 (39).

7. On songe à Balaam (Nb 22,38, etc.) et à Michée (2 Ch 8,13), mais aussi à Equitius (GRÉGOIRE, *Dial.* I,4,8).

8. Reproches adressés au saint : GRÉGOIRE, *Dial.* I,4,21; 9,18.

tout ce qu'ils ont volé, et prient l'homme de Dieu de leur pardonner une si grande faute. Ce miracle terrorisa tout le monde, si bien que désormais ceux qui l'avaient appris n'osèrent plus toucher à aucun des objets appartenant à l'homme de Dieu, les considérant tous comme sacrés.

Après l'avoir pourvu du nécessaire, Leupachaire prit congé de l'homme de Dieu. (45) Ce fut donc avec joie que celui-ci descendit en bateau jusqu'à la ville de Nantes, où il resta quelque temps. Un jour, devant la porte de la maisonnette où séjournait l'homme de Dieu, un pauvre cria. Il appelle son assistant [9] et lui dit : «Donne de la nourriture à cet homme qui demande à manger.» – «Nous n'avons pas de pain, répond l'autre, mais seulement un tout petit peu de farine [10].» – «Combien en as-tu ?», reprend Colomban. L'assistant affirma qu'il avait en tout et pour tout – c'était du moins ce qu'il croyait – un boisseau de farine. «Donne tout, dit Colomban, sans rien réserver pour demain» Obéissant, l'assistant donne tout au pauvre, sans rien réserver pour leurs besoins communs.

Ils jeûnaient donc depuis trois jours [11], n'ayant rien d'autre que la grâce de l'espérance et de la foi pour sustenter leurs membres épuisés par le jeûne, quand ils entendent soudain frapper à la porte avec force. Le portier demande quel besoin oblige à troubler les oreilles des frères par ce bruit retentissant. Celui qui frappait à la porte dit qu'il était envoyé par sa dame, nommée Procula. Elle avait reçu de Dieu l'ordre [12] d'envoyer des vivres à l'homme de Dieu Colomban et à ses compagnons, qui séjournaient dans la ville de Nantes. Les vivres approchaient. Il était donc venu à l'avance pour qu'on prépare les récipients où on les mettrait. Il y avait là cent boisseaux de vin et deux cents de froment,

9. *Minister*; cf. I,20 (37) et note 13. Mais peut-être s'agit-il du cellérier; cf. I,17 (28).

10. Écho de 1 R 17,12. Ensuite, *ut rebatur* pourrait signifier : «comme il le pensait» (l'enquête au cellier a vérifié ses premiers dires). Générosité héroïque : GRÉGOIRE, *Dial.* II,28,1.

11. Retour aux premiers temps d'Annegray : I,7 (13).

12. *Admonita*. Cf. 7 (13) : *admonitione*; (14) : *rei admonitae*.

ainsi que cent boisseaux encore de malt [13]. Vite, le portier court donner ces nouvelles au Père. «Suffit», répond celui-ci, «je le sais bien ! Rassemble les frères, afin de prier ensemble le Seigneur pour la bienfaitrice et de rendre grâces en même temps au Créateur, qui ne cesse de secourir ses serviteurs dans toutes leurs détresses. Ensuite, nous recevrons le don qui nous est fait [14].»

O merveilleuse bonté du Créateur ! S'il laisse dans l'indigence, c'est pour rendre manifestes les dons qu'il accordera aux indigents; s'il permet qu'on soit éprouvé, c'est pour secourir dans l'épreuve et susciter plus d'intérêt envers lui au cœur de ses serviteurs; s'il abandonne ses membres aux sévices qui les déchirent, c'est pour développer et affermir l'amour qu'ils porteront au médecin qui les guérit.

(46) En même temps, une autre femme noble et pieuse, nommée Doda, envoya deux cents boisseaux de froment et cent d'aliments divers. Cette affaire couvrit de honte l'évêque de la ville, qui s'appelait Sophrone [15], duquel ils n'obtinrent pas le moindre don et ne purent même rien acquérir par voie d'échange.

Au cours de ce séjour, une femme possédée d'un démon détestable vint avec sa fille, qui était remplie du même mal affreux. Quand Colomban les vit, il pria pour elles notre commun Seigneur, leur rendit la santé et les renvoya chez elles.

13. *Braces*. Cf. WALBERT, *Reg.*12 : *braxatorium ad ceruisiam faciendam*.
14. De même WALBERT, *Reg.* 3 : tout don reçu est d'abord porté à l'oratoire, afin que *omnis simul congregatio pro eo orent* (le bienfaiteur).
15. Ou plutôt Euphrone, d'après les actes du concile de Paris (614).

23. Navire repoussé par l'eau. Vénération inspirée aux adversaires.

(47) Après cela, Sophrone, évêque de Nantes, et le comte Théobald [1] avaient hâte de mettre le bienheureux Colomban sur un navire à destination de l'Irlande, selon l'ordre du roi. Mais l'homme de Dieu déclara : « S'il y a là un navire en partance pour les côtes de l'Irlande, qu'on y embarque tous les bagages et mes compagnons. Moi, pour l'instant, je vais monter dans un petit bateau et descendre la Loire, jusqu'à ce que j'arrive en pleine mer. » On trouva donc un navire qui avait apporté de la marchandise de chez les Scots [2], et on y embarqua au complet bagages et compagnons. Déjà le navire, poussé par les rames et secondé par le vent, s'acheminait vers la pleine mer, quand une masse d'eau arriva, le repoussa vers le rivage, et le laissant échoué sur un terrain plat, rentra tranquillement dans la mer, tandis que le vent tombait.

Pendant trois jours, la carène resta à sec. Le patron du navire comprit qu'il devait cet arrêt à l'embarquement des bagages et des compagnons de l'homme de Dieu. Enfin il s'avisa de débarrasser le navire de tout ce qui appartenait à l'homme de Dieu. Aussitôt une masse d'eau arriva et emporta la carène au large. Émerveillés, tous connurent alors que ce n'était pas la volonté de Dieu que Colomban revînt jamais en son pays [3].

Il retourna donc au logement qu'il occupait auparavant. Personne, à présent, ne l'empêchait d'aller où il voulait [4]. Bien plutôt, chacun faisait son possible pour honorer l'homme de Dieu et le soutenir financièrement. Aucune forme de protection ne lui fit défaut, car l'aide du Créateur

1. Nom d'un prince mérovingien (GRÉG. DE TOURS, *Hist. Franc.* 3,6) et d'un moine de Bobbio : voir II,25 (20).

2. Navire de commerce scot comme dans *Vita Philiberti* 32 (Noirmoutier). On le préparait quand Colomban écrivit à Luxeuil (*Ep.* 4,8). *

3. Confirmation du dessein divin affirmé par Colomban en I,20 (36).

4. Même constatation dans *Ep.* 4,8 : on semblait même désirer sa fuite.

l'assistait en tout. Jamais, en effet, il ne s'endormira, celui qui, de l'ombre de ses ailes, couvre Israël [5]. A tous il se montre en leur accordant tout, afin d'être par tous glorifié pour les dons qu'il leur accorde.

24. Sa visite au roi Clotaire. Joie du roi.

(48) Après être resté peu de temps à Nantes, Colomban se rendit auprès de Clotaire, fils du roi Chilpéric, qui régnait sur les Francs de Neustrie, région située à l'extrémité de la Gaule, au bord de l'Océan [1]. Clotaire avait appris les mauvais procédés dont l'homme de Dieu avait été accablé par Brunehaut et Thierry. Quand il le vit, il le reçut comme un don du ciel. Tout joyeux, il le pria de s'établir, s'il le voulait, sur le territoire de son royaume, se déclarant prêt à lui rendre tous les services qu'il voudrait [2]. Mais Colomban répondit qu'il ne voulait pas se fixer en cette région, à la fois pour allonger son propre pèlerinage [3] et pour apaiser l'inimitié que sa présence attirerait au roi. Clotaire le garda donc auprès de lui autant de jours qu'il le put. Repris par lui pour certains vices qui épargnent rarement une cour royale, Clotaire promit de tout corriger selon ses avis. Clotaire était en effet zélé pour la sagesse et l'aimait [4]. Ayant trouvé dans le saint le don qu'il désirait, il cherchait à lui être agréable.

Tandis que Colomban séjournait auprès de Clotaire, une querelle éclata entre Théodebert et Thierry. En litige au sujet des frontières de leurs royaumes [5], tous deux envoyèrent des ambassadeurs à Clotaire, chacun lui demandant

5. Citation composite : Ps 120,4 et 16,8.

1. Note pour lecteurs italiens. «Océan» : Manche et Mer du Nord.
2. Offres royales comme en I,6 (12).
3. *Peregrinatio* : voir I,3 (8) et n. 5 ; 4 (9) ; cf. 11 (18).
4. Promesse d'amendement comme en I,19 (32). Éloge du roi : FRÉD. 42.
5. Il s'agissait de l'Alsace : FRÉD. 37 (année 610).

de l'aider contre son adversaire. Clotaire eut soin d'en faire part au bienheureux Colomban et de le consulter à ce sujet : était-il d'avis que le roi devait prendre le parti de l'un et combattre l'autre ? Rempli de l'esprit de prophétie, le saint lui répondit : « Tu n'écouteras les avis ni de l'un ni de l'autre. Avant trois ans [6], les deux royaumes tomberont dans tes mains. » Voyant que l'homme de Dieu, quand il lui disait cela, parlait en prophète, Clotaire ne voulut écouter ni l'un ni l'autre. Avec foi, il attendit le temps promis, et alors, victorieux, il triompha.

25. Son passage à Paris. Rencontre et guérison d'un fou.

(49) Après cela, l'homme de Dieu demanda à Clotaire de lui donner son aide : s'il le pouvait, il traverserait le royaume de Théodebert, passerait la crête des Alpes et gagnerait l'Italie [1]. Le roi lui donna donc des compagnons pour le conduire à Théodebert. Il se mit en route et parvint à la cité de Paris [2].

Arrivé là, il rencontra à la porte un homme possédé d'un esprit impur, qui se démenait, se débattait [3], parlait à tort et à travers. Sur un ton plaintif, il interroge l'homme de Dieu : « Pourquoi, homme de Dieu, viens-tu en ces parages [4] ? » De sa voix haletante et rauque, il criait déjà depuis longtemps que Colomban, l'homme de Dieu, arrivait de loin. En le voyant, l'homme de Dieu dit : « Va-t-en, esprit pernicieux, va-t-en, et ne te permets pas d'obséder plus longtemps des corps lavés par le bain du Christ. Retire-toi devant

6. Même délai qu'en I,20 (39) et 22 (43). On est donc encore en 610, avant l'accord entre Clotaire et Thierry mentionné par FRÉD. 37 (an 611). *

1. On entrevoit pour la première fois la fondation de Bobbio.
2. Déjà Martin avait guéri un lépreux à la porte de Paris (SULPICE SÉVÈRE, *Vita Mart.* 18,3; cf. GRÉG. DE TOURS, *Hist. Franc.* 8,33).
3. *Discerpens* comme en I,21 (40); cf. Mc 1,26.
4. Cf. Mc 1,24. Démon annonçant le saint : JÉRÔME, *Vita Hil.* 26,1. *

la puissance de Dieu et tremble à l'invocation du nom du Christ. » Mais le démon résista longtemps de toutes ses énergies cruelles et funestes. Enfin l'homme de Dieu met sa main dans la bouche de l'énergumène et lui touche la langue [5]. Par la puissance de Dieu, il ordonne à l'esprit de sortir. Alors l'horrible force se débat tellement qu'on peut à peine la contenir avec des liens. Les entrailles se soulèvent, et dans un vomissement le démon s'en va, en répandant parmi les assistants une telle puanteur qu'ils auraient mieux supporté, pensèrent-ils, l'odeur du soufre.

26. Accueil de Chagnéric et d'Authaire. Bénédiction donnée à leurs maisons et consécration de leurs enfants.

(50) De là, il se rend à la ville de Meaux. Il y avait là un noble, Chagnéric, commensal [1] de Théodebert, homme sage, conseiller très écouté du roi et possédant autant de sagesse que de noblesse. Il reçut l'homme de Dieu avec une joie singulière et promit de se charger de le faire parvenir à la cour de Théodebert, sans qu'il eût besoin d'autres compagnons délégués par le roi. S'il écartait ainsi les services d'autrui, c'est qu'il voulait garder avec lui l'homme de Dieu aussi longtemps que possible [2] et procurer à sa maison l'honneur de recevoir ses enseignements. L'homme de Dieu bénit donc la maison et voua au Seigneur, en la bénissant, sa fille, nommée Burgondofare, qui était encore une enfant. Ce qu'il advint ensuite de celle-ci, nous le raconterons plus loin [3].

5. A Trèves, Martin met la main dans la bouche d'un possédé, dont le diable sort par l'anus (SULPICE SÉVÈRE, *Vita Mart.* 17,6-7). Puanteur sulfureuse : CASSIEN, *Conl.* 2,11,5.

1. Chagnéric est *conuiua* (cf. Dn 14,1) et conseiller du roi comme Agnoald, son frère (*Vita Agili* 1 et 4). Son éloge est à tempérer d'après II,7 (1-2).
2. On garde le saint autant que possible : I,24 (48).
3. Voir II,7 (1-2); 10 (14); 11-22 (1-21).

Poursuivant son voyage, il arriva à la villa d'Ussy [4], qui se trouve sur la rivière de la Marne. Il y fut reçu par un nommé Authaire, dont la femme s'appelait Aiga. Ils avaient deux fils [5], encore enfants, que leur mère présenta à l'homme de Dieu pour qu'il les bénît. Voyant la foi de cette mère, il consacra les enfants en les bénissant. Par la suite, dès qu'ils furent entrés dans l'adolescence, ils jouirent d'une grande faveur auprès du roi Clotaire d'abord, puis de Dagobert. Après avoir brillé de la gloire du monde, ils aspirèrent à ne pas perdre la gloire éternelle à cause de celle du monde. L'aîné, nommé Ado, renonça à ses propres désirs et construisit ensuite, dans la contrée de Jouarre [6], un monastère placé sous la règle du bienheureux Colomban. Le cadet, nommé Dado, construisit un monastère, placé sous la même règle, dans la contrée de Brie, sur le ruisseau de Rebais [7].

Si abondante était la grâce qui coulait sur l'homme de Dieu que tous ceux qu'il consacra persévérèrent dans la pratique du bien jusqu'à leur dernier jour [8]. On a toutes les raisons de le dire : ceux qu'il exhorta spécialement se sont ensuite félicités d'avoir mérité de rester innocents, et par un juste retour des choses, le soutien de ce grand homme assura un surcroît de la grâce initiale à quiconque s'appuya sur ses enseignements et ne se laissa pas détourner du droit chemin.

4. Ussy-sur-Marne (rive droite), à 15 km en amont de Meaux.

5. Jonas ne mentionne pas le troisième, Radon, fondateur de Reuil *(Radolium)*; cf. *Vita Agili* 14. *

6. *Intra Iorani saltus*. Malgré Krusch (p. 54; cf. p. 120, n. 1), Jonas ne pense pas au Jura, appelé de même *Iurani saltus* et *saltum Iorensem* en I,14 (22), mais reproduit une prononciation courante de *Iotranum*, «de Jouarre» (J. GUÉROUT, *Jouarre*, p. 29, n. 64; cf. p. 6, n. 13). Sur *saltus* («grand domaine»), voir GUÉROUT, *Ibid.*, p. 29-30. Fondation masculine, ou plutôt monastère double, Jouarre est assez vite passé sous le contrôle des moniales, dirigées par les nièces de Mode, seconde femme d'Authaire.

7. Référendaire de Dagobert (FRÉD. 78), Dado (diminutif) devient évêque de Rouen en mai 641 sous le nom d'Audinus (Chalon 647-653) ou Audoinus (*Vita Eligii* I,35), qui sera célèbre (saint Ouen). Sur le *saltum Briegensem* (Brie), voir II,7 (1) et note 3. *Resbacem*, qui désignait originellement le ruisseau *(Bach)*, s'est ensuite appliqué au monastère, appelé par Ouen «Jérusalem»; cf. II,8 (5) : *Resbacensis coenobii*.

8. Conclusions analogues en I,5 (11) et 14 (22).

27. Accueil de Théodebert. Installation à Bregenz et reproches adressés aux païens. Arrivée d'oiseaux, partage de fruits et leçon donnée par un ange dans une vision.

(51) Ensuite, Colomban arriva chez Théodebert. Quand Théodebert le vit, il le reçut dans sa capitale [1] avec joie. En effet, plus d'un frère de Luxeuil était venu à lui après le départ de Colomban, et il les avait reçus comme un butin arraché à l'ennemi. Théodebert l'assura qu'il trouverait dans son royaume de beaux emplacements, parfaitement appropriés pour des serviteurs de Dieu. Quant à des peuplades auxquelles ils pourraient prêcher [2], ils en avaient partout à proximité. L'homme de Dieu répondit : « Si tu me donnes ces assurances encourageantes et qu'aucune fausseté ne vicie tes promesses, je resterai quelque temps pour voir si je peux semer la foi au cœur des peuples voisins. »

Le roi lui donna donc le choix [3] : partout où il voulait, il pouvait chercher un emplacement et voir par l'expérience s'il lui convenait, à lui et aux siens. Après enquête, ils découvrent un endroit que l'opinion générale leur présentait comme très favorable. Il se trouvait sur le territoire de la Germanie, mais à proximité du Rhin ; c'était une ancienne ville détruite [4], appelée Bregenz. Mais on ne saurait passer sous silence ce que l'homme de Dieu fit alors, tandis qu'il naviguait sur le Rhin.

(52) Un jour qu'ils voyageaient en bateau sur le Rhin [5], comme nous disions, ils arrivèrent à une cité appelée Mayence. A l'arrivée, les rameurs que le roi avait envoyés

1. *Suis sedibus* : Metz; cf. FRÉD. 16 : *sedem habens Mettensem.*
2. Dessein encore absent en I,24-25 (48-49), mais qui renoue avec la prédication initiale en Gaule; voir I,4-5 (10-11). A Nantes, Colomban songeait à prêcher, mais craignait la « tiédeur » des païens (*Ep.* 4,5).
3. Comme l'avait fait Sigebert, d'après I,6 (12). Cf. 24 (48).
4. Comme Annegray en I,6 (12). Bregenz, à l'extrémité Est du Lac de Constance, est à une dizaine de km de l'embouchure du Rhin.
5. Colomban composa alors un *Carmen nauale* de 24 vers (Walker, p. 190).

en compagnie de l'homme de Dieu disent à celui-ci qu'ils ont des amis en ville qui leur fourniront les vivres dont ils ont besoin. En effet, ils n'avaient plus d'argent pour acheter des vivres, car le voyage durait déjà depuis longtemps. « Allez », leur dit l'homme de Dieu. Ils allèrent, mais ne trouvèrent rien. Interrogés, au retour, par l'homme de Dieu, ils répondent qu'ils n'ont rien pu obtenir de leurs amis. « Laissez-moi aller un peu chez mon ami », dit-il à son tour. Ils s'étonnèrent : comment pouvait-il avoir un ami en cette ville où il n'avait jamais été ?

Il se mit en route et s'en alla à l'église. Entré dans celle-ci, il se prosterna sur le sol et pria longuement, suppliant son Seigneur, auteur de toute bonté. Aussitôt, l'évêque de la cité [6] sortit de chez lui et vint à l'église, où il trouva le bienheureux Colomban et lui demanda qui il était. Comme il se déclarait étranger, l'évêque lui dit : « Si tu as besoin de t'approvisionner en vivres, viens vite chez moi et emporte tout ce dont tu as besoin. »

Tandis que le saint rendait grâces au Créateur qui avait inspiré la bonne action, ainsi qu'à celui qui offrait l'approvisionnement requis et souhaité, ce dernier insiste auprès de lui et lui commande de prendre tout ce qu'il faut. Vite, il envoie au navire des serviteurs pour faire venir tout l'équipage, en ne laissant sur place qu'un gardien, de façon à emporter tout ce qu'ils voulaient. Qu'on ne croie pas que cela se fit par hasard, car l'évêque aimait par la suite témoigner qu'il n'avait jamais été aussi attentif à donner le nécessaire et qu'il avait été amené à l'église par un avertissement de Dieu [7], sans autre motif que le service du bienheureux Colomban.

(53) Ils arrivent ensuite au but du voyage [8]. Quand il eut parcouru les lieux, l'homme de Dieu dit qu'il ne les

6. Leudegasius (Catalogue épiscopal) ou Lesio (FRÉD. 38); cf. *Introd.*, IV, n. 18-19.

7. *Diuina monitione*; cf. I,7 (13-14); 22 (45) et n. 12; 27 (54).

8. Bregenz, où, d'après WETTI, *Vita Galli* 5-6, ils auraient été envoyés par Willimar, prêtre d'Arbon, après un séjour à l'entrée du Lac de Zurich, interrompu par les violences antipaïennes de Gall et la colère des païens.

trouvait pas à sa convenance ; néanmoins, il promit d'y rester un peu pour répandre la foi dans la population. Aux alentours, en effet, se trouvent les peuplades des Suèves. Tandis qu'il demeurait là et circulait parmi les habitants du pays, il en trouva qui voulaient offrir un sacrifice impie. Ils avaient placé en évidence un grand récipient, appelé vulgairement « cuve », contenant vingt boisseaux, plus ou moins, et l'avaient rempli de bière. L'homme de Dieu s'approche et demande ce qu'ils veulent en faire. Ils répondent qu'ils veulent sacrifier à leur dieu, appelé Votan [9]. En entendant parler de cet acte funeste, le saint souffle sur le récipient. O merveille, le récipient éclate avec fracas et se brise en morceaux, la force enragée s'en échappe avec le breuvage de bière [10]. Ainsi devient-il manifeste que le récipient recélait le diable, qui se servait de ce breuvage impie pour prendre les âmes des sacrificateurs.

A cette vue, les barbares stupéfaits disent que l'homme de Dieu a un souffle puissant, pour être capable de faire éclater ainsi un récipient renforcé de cercles. Avec des paroles tirées de l'Évangile, Colomban leur fait ses remontrances pour qu'ils renoncent à ces sacrifices, et il leur ordonne de rentrer chez eux. Beaucoup d'entre eux, convertis à la foi du Christ par la parole persuasive et l'enseignement du bienheureux, reçurent alors le baptême. D'autres, déjà baptisés mais encore esclaves de l'erreur impie [11], étaient ramenés au sein de l'Église et à l'observation de la doctrine évangélique par les exhortations de ce bon pasteur.

(54) A cette époque, Thierry et Brunehaut n'enrageaient pas seulement contre Colomban, mais en voulaient aussi à Didier, le très saint évêque de la cité de Vienne. Ils commencèrent par le condamner à l'exil et s'évertuèrent

9. Krusch ajoute : « qu'ils croient être Mercure, à ce que d'autres disent ». Omis par le ms. A 3 et celui de Metz, ces mots semblent être une glose inspirée de PAUL DIACRE, *Hist. Lang.* I,9.

10. Répétition du miracle d'Époisses; voir I,19 (32). Cf. GRÉGOIRE, *Dial.* II,3,4 ; GRÉG. DE TOURS, *Vita Patrum* 5,2, où c'est un signe de croix qui brise le vase, comme ce sera le cas chez JONAS, *Vita Vedastis* 7.

11. « Sacrilèges » de chrétiens : voir COLOMBAN, *Paenit.* 38 (24).

à lui infliger quantité de mauvais traitements. Pour finir, ils le couronnèrent d'un glorieux martyre [12]. Sa Vie, qui a été écrite, raconte en détail les grandes épreuves par lesquelles il remporta auprès de Dieu ce triomphe glorieux.

Colomban séjournait donc avec les siens dans la cité de Bregenz, quand survint une période de disette cruelle. Mais si les aliments faisaient défaut, la foi demeurait intacte et inébranlable, capable d'obtenir du Seigneur le nécessaire. Les corps épuisés étaient à leur troisième jour de jeûne [13], quand survint une énorme quantité d'oiseaux, à l'instar des cailles qui couvraient jadis le camp d'Israël, si bien que toute la surface de ce coin de terre se trouva remplie de cette foule d'oiseaux. L'homme de Dieu comprit que c'était pour subvenir à ses besoins et à ceux des siens que cette nourriture s'abattait sur le sol, d'autant qu'on n'en trouvait absolument pas hors du coin de terre où il habitait. Aux siens, il ordonne de rendre grâces et louanges au Créateur d'abord, puis de prendre les oiseaux pour s'en nourrir [14]. Miracle étonnant, stupéfiant que celui-là : selon l'ordre exprès du Père, on prenait les volatiles, et ils ne faisaient rien pour s'envoler et s'enfuir.

Pendant trois jours, donc, cette manne d'oiseaux resta sur le sol. Le quatrième jour, l'évêque d'une des cités d'alentour [15], mû par une inspiration divine, envoya au bienheureux Colomban un copieux chargement de blé. Mais dès que ce gras froment fut arrivé, le Tout-Puissant, qui avait fourni la volaille aux affamés, commanda aux armées d'oiseaux de s'en aller. De la bouche d'Eustaise [16], qui se

12. Résumé de SISEBUT, *Vita Desiderii* 4-10, cité ensuite. Cf. *Introd.*, IV, n. 30-39. En présentant ce «martyre», bien antérieur (607) d'après FRÉD. 32, comme contemporain du séjour de Colomban à Bregenz, Jonas suit la chronologie artificielle de Sisebut. *

13. Cf. I,7 (13) et 22 (45). Cailles : Ex 16,13 (cf. Nb 11,31).

14. Priorité de la prière : I,22 (45). D'après II,25 (21), la volaille n'est pas interdite, mais le miracle contribue ici à l'autoriser.

15. Les plus proches étaient Constance et Coire. Voir cependant DUCHESNE, *Fastes*, t. III, p. 18-20 : Constance avait-elle déjà un évêque ?

16. *Cognouimus referentem* comme en 15 (30). Sur Eustaise, voir 20 (37). *

trouvait alors sur place parmi les religieux sous l'obédience de l'homme de Dieu, nous avons appris que personne, dans leur nombreuse troupe, ne disait avoir vu auparavant cette espèce d'oiseaux. Leur chair avait un goût plus exquis qu'un festin de roi. O présent merveilleux de la divine puissance ! Quand les festins de la terre font défaut aux adorateurs du Christ, alors enfin leur sont donnés ceux du ciel, comme il est dit d'Israël : «Il leur donna le pain du ciel [17].» Quand, au contraire, les ressources de la terre apportent leur secours, les dons de la grâce se retirent.

(55) A cette époque, sous un rocher en plein désert, Colomban affligeait son corps par le jeûne, sans rien manger d'autre que les fruits sauvages dont nous avons parlé plus haut [18], quand un ours vint en cachette, avec la gloutonnerie coutumière de cet animal, et se mit à dévorer les aliments nécessaires au saint, en arrachant de tous côtés les fruits avec sa gueule. L'heure du repas venue, Colomban envoya son assistant, Chagnoald [19], cueillir la ration de fruits accoutumée. Y étant allé, Chagnoald vit l'ours se promener au milieu des arbustes et des buissons, cueillant les fruits à coups de langue. Vite, il revient sur ses pas et donne la nouvelle au Père. Celui-ci lui ordonne d'y aller et de laisser une partie des arbustes à la bête pour sa consommation, en lui commandant de réserver pour lui l'autre partie.

Chagnoald s'en alla donc et exécuta les prescriptions du Père. Avec son bâton, il sépara les arbustes et buissons à fruits, disant à la bête de manger sa part, selon l'ordre de l'homme de Dieu, et de réserver l'autre part à l'usage de l'homme de Dieu. Obéissance étonnante chez un animal ! L'ours n'osa pas prendre sa nourriture dans la partie qui lui était interdite, mais se contenta de chercher sa pâture sur les

17. Ps 77,24. Plus haut, la saveur inconnue rappelle Sg 16,2-3.
18. Voir I,9 (16) : «blues» (myrtilles) des Vosges.
19. Frère de Fare, il n'a pas été mentionné en I,26 (50), mais figure déjà comme *minister* du saint en I,15 (30), qui se situe probablement à Bregenz.

arbustes de la partie délimitée et autorisée [20]. Et il en fut ainsi tant que l'homme de Dieu séjourna en cet endroit.

(56) Cependant la pensée lui vint d'aller au pays des Wendes, appelés aussi Slaves [21], pour répandre en ces âmes aveugles la lumière de l'Évangile et ouvrir la voie de la vérité à ces gens qui, depuis toujours, erraient hors de tout chemin. Mais tandis qu'il nourrissait ce projet, un ange du Seigneur lui apparut dans une vision et lui montra l'ensemble du monde enfermé dans un petit cercle, comme on a coutume de représenter l'univers à la plume, en traçant un rond sur une page [22]. «Tu vois, dit-il, que l'univers entier reste désert. Va à droite et à gauche, où tu voudras, et mange les fruits de ton labeur [23].» Colomban comprit donc que ce peuple n'était pas prêt à profiter de la foi, et il demeura là où il était, en attendant de s'ouvrir un chemin pour aller en Italie.

28. Guerre entre les rois. Révélation accordée à l'homme de Dieu. Théodebert livré par trahison.

(57) Pendant ce temps, la guerre éclate entre Thierry et Théodebert. Chacun d'eux s'emporte jusqu'à vouloir la mort de son frère, fiers qu'ils étaient tous deux de la force de leur peuple. Alors l'homme de Dieu se rend auprès de Théodebert et s'efforce de le persuader de renoncer à son entreprise orgueilleuse et arrogante, en se faisant clerc [1] et en se soumettant dans une église à la discipline sacrée de

20. L'ours obéit comme en I,8 (15) et 17 (27). De même les onagres avaient obéi à Antoine d'après JÉRÔME, *Vita Hil.* 21,7-8. *
21. Même dualité de noms chez FRÉD. 48. Les Wendes habitent les bords de l'Oder. Ils sont païens (FRÉD. 68).
22. «A la plume... sur une page» : *paginali stylo*, cf. ENNODE, *Ep.* 2,13.
23. Cf. Ps 127,2 (Psautier Romain).

1. *Clericum* ne signifie pas ici «moine» (Mabillon, Roussel, Frank). *

la religion, de peur d'être privé de la vie éternelle en même temps qu'il perdrait la vie présente. Cette proposition provoqua la risée du roi et de tout son entourage. Jamais on n'avait entendu dire, déclarèrent-ils, qu'un Mérovingien élevé à la royauté se fût fait clerc volontairement. A cette protestation générale, le bienheureux Colomban répondit : « S'il n'assume pas volontairement l'honneur de la cléricature, il sera sous peu clerc malgré lui. » Cela dit, l'homme de Dieu retourna à son monastère, et les événements qui suivirent sans tarder proclamèrent bientôt l'accomplissement de sa parole prophétique.

Sur le champ, Thierry déclare la guerre à Théodebert, le bat près de Toul et le met en fuite [2]. Puis, rassemblant sa forte armée, il se met à sa poursuite. De son côté, Théodebert s'entoure des forces de plusieurs peuples et arrive au bourg de Tolbiac [3] pour y livrer bataille. Le combat s'engage, d'innombrables combattants tombent en rangs serrés de part et d'autre. Enfin Théodebert, vaincu, prend la fuite.

A cette époque, l'homme de Dieu se trouvait au désert, sans autre serviteur que son assistant Chagnoald. Au moment où commença la bataille de Tolbiac, l'homme de Dieu, assis sur un tronc de chêne pourri, lisait un livre. Soudain, le sommeil tomba sur lui, et il vit ce qui se passait entre les deux rois. Aussitôt réveillé, il appelle son assistant et lui annonce la lutte sanglante des rois, en gémissant de tant de sang humain versé. Étourdiment, l'assistant lui dit : « Mon Père, donne à Théodebert l'appui de ta prière, afin qu'il écrase votre ennemi commun, Thierry. » Le bienheureux Colomban réplique : « Le conseil que tu me donnes est stupide et contraire à l'esprit religieux. Ce n'est pas ce que voulait le Seigneur, lui qui nous a commandé [4] de prier pour nos

2. En mai 612 (FRÉD. 38).
3. Zulpich, à 30 km S.-O. de Cologne. Sous Clovis, les Francs y avaient combattu les Alamans (GRÉG. DE TOURS, *Hist. Franc.* 2,37 ; cf. 2,30 ?), mais JONAS, *Vita Vedastis* 2, ne localisera pas ce combat célèbre. La bataille de 612 fut très meurtrière selon FRÉD. 38, qui parle de « phalanges » comme Jonas.
4. *Rogauit* comme plus bas (ordre de Brunehaut). Cf. Mt 5,44.

ennemis. A présent, c'est au juste Juge de décider ce qu'il veut faire de ces hommes.» Par la suite, l'assistant s'enquit du jour et de l'heure de l'événement [5], et trouva que celui-ci s'était produit au moment précis où l'homme de Dieu en avait reçu la révélation.

Thierry poursuivit donc Théodebert, le fit prisonnier grâce à la trahison des siens [6] et l'envoya à leur grand'mère Brunehaut. Quand celle-ci l'eut entre ses mains, comme elle avait pris parti pour Thierry, elle commanda, dans sa fureur, que Théodebert fût fait clerc. Quelques jours plus tard, alors qu'il avait embrassé la cléricature, elle poussa l'impiété jusqu'à le faire tuer [7].

29. Mort de Thierry et massacre de ses enfants. Accomplissement de la prophétie faite à Clotaire.

(58) Ensuite Thierry, tandis qu'il résidait en la ville de Metz, fut frappé par Dieu et mourut au milieu des flammes d'un incendie [1]. Après lui, Brunehaut plaça sur le trône son fils Sigebert [2]. Mais Clotaire, se souvenant de la prophétie de l'homme de Dieu, rassembla une armée et entreprit de recouvrer les territoires du royaume qui relevaient de son autorité [3]. Sigebert marcha contre lui, décidé à engager le combat contre les forces ennemis. Clotaire le fit

5. Voir Jn 4,52-53; GRÉGOIRE, *Dial.* II,35,4 et note.

6. Cette «trahison» n'est pas mentionnée par FRÉD. 38, qui rapporte seulement la capture de Théodebert par Bertharius; cf. I,20 (36) et n.

7. Envoyé par Thierry à Chalon (FRÉD. 38), Théodebert aurait péri par la faute de Brunehaut (FRÉD. 42). Le reste n'est connu que par Jonas.

1. La cause de la mort de Thierry n'est pas indiquée par l'Appendice de Marius d'Avenches (*PL* 72,802), qui date de 624, mais SISEBUT, *Vita Desid.* 10 et FRÉD. 39 parlent de dysenterie. C'est sans doute à quoi Jonas pense aussi. «Feu» et «incendie» désignent la fièvre en II,1 (2); 5 (6); 22 (21); 24 (15); de même *ignis* seul en II,10 (18); 12 (4); 13 (7).

2. Ainsi FRÉD. 39. Cf. l'Appendice de Marius.

3. Territoires perdus par Clotaire : FRÉD. 20 (cf. 25-26 et 37-38). En 613, d'après FRÉD. 40, il envahit simplement l'Austrasie.

prisonnier et le tua, puis captura ses cinq frères, fils de Thierry, avec leur arrière-grand'mère Brunehaut. Il mit à mort les enfants, un à un [4]. Quant à Brunehaut, il la fit monter d'abord sur un chameau et la donna ignominieusement en spectacle à ses ennemis en la promenant tout autour du camp. Puis il la fit attacher à la queue de chevaux indomptés et périr d'une mort misérable [5].

Ayant donc radicalement extirpé et exterminé la race de Thierry, Clotaire devint l'unique souverain des trois royaumes. Ainsi s'accomplit intégralement la prophétie du bienheureux Colomban : en moins de trois ans, un des rois avait été radicalement supprimé avec toute sa postérité, un autre était devenu clerc malgré lui, le troisième avait étendu son domaine et son pouvoir sur les trois royaumes.

30. [Entrée en Italie. Accueil du roi Agilulfe, qui laisse le choix du lieu. Construction de Bobbio et mort du bienheureux.]

(59) Quand le bienheureux Colomban vit que Théodebert avait été vaincu par Thierry, comme nous l'avons raconté plus haut [1], il quitta la Gaule et la Germanie pour entrer en Italie. Il y fut reçu avec honneur par Agilulfe, roi des Lombards [2], qui lui offrit de choisir lui-même en Italie, où il voudrait, le lieu où il habiterait. Il séjournait dans la cité de Milan et s'employait à déchirer et à mettre en pièces

4. Ou peut-être «à part» (de Brunehaut). Sigebert n'avait que trois frères; cf. I,18 (31) et n. 7. Seul, Corbus fut tué avec Sigebert. Mérovée fut épargné par Clotaire, son parrain. Childebert s'échappa et disparut (FRÉD. 42).

5. A Renève-sur-Vingeanne (30 km E. de Dijon), d'après FRÉD. 42, qui parle d'un seul cheval vicieux. Les «chevaux indomptés» viennent de SISEBUT, *Vita Desid*. 10, ainsi que «ignominieusement... ennemis» (Brunehaut aurait été promenée nue sur le chameau). Date : automne 613.

1. Cf. 28 (57) : on revient en 612 (printemps-été).

2. De 590 à 616. «Choisir» : voir I,27 (51) et note 3.

les mensonges des hérétiques, c'est-à-dire l'erreur arienne, en y appliquant le cautère des Écritures – il publia même, contre les Ariens, un petit livre rempli de science [3] –, (60) quand, par un dessein de la divine Providence, un homme appelé Iocundus se présenta au roi et lui dit qu'il connaissait, dans la campagne solitaire des Apennins, une basilique dédiée au bienheureux Pierre, prince des Apôtres. Il avait vu des miracles s'y produire. Le sol était riche et fécond, l'eau y coulait, le poisson abondait [4]. Cet endroit, une antique tradition l'appelait Bobbio [5], du nom du cours d'eau qui l'arrose et se jette dans une autre rivière, nommée Trebbia, sur les bords de laquelle Hannibal avait jadis hiverné et subi de terribles pertes d'hommes, de chevaux et d'éléphants.

Colomban y alla, trouva la basilique à moitié détruite, et mettant toute son énergie à la rénover, lui rendit sa beauté passée. On vit, au cours de cette restauration, un étonnant miracle du Seigneur. Parmi des rochers abrupts, au plus épais de la forêt, en des lieux inaccessibles, on coupait des troncs de sapins. Mais les arbres coupés ailleurs ou tombés sur place en des positions incommodes empêchaient les chariots d'approcher. Il y avait là un tronc que trente ou quarante hommes auraient eu peine à transporter sur un terrain plat. Par l'unique sentier à forte pente qui y donnait accès, l'homme de Dieu s'en approche avec deux ou trois compagnons et – chose étonnante – charge l'énorme poids sur ses épaules et celles des frères. Sur ce chemin où ils avaient eu peine à avancer, tant il était raide, quand rien n'entravait leur marche, ils avançaient rapidement, maintenant qu'ils portaient des troncs pesants [6]. C'était le monde à l'envers : ces hommes chargés allaient joyeusement d'un pas assuré, comme s'ils n'avaient rien à faire, comme si d'autres les véhiculaient.

3. Semble perdu. Cf. *Instr.* 1,2-3 ; 2,1 (Symbole *Quicumque*).
4. Aliment des moines. Cf. I,11 (18-19).
5. A 46 km S.-O. de Plaisance. Selon TITE LIVE (21,58,11), Hannibal ne subit pas ces pertes sur la Trebbia, où il avait vaincu les Romains et hiverné sans dommage, mais en essayant ensuite de passer l'Apennin.
6. Un miracle analogue clôt le Livre suivant : II,25 (23).

Voyant l'aide extraordinaire qui leur était accordée, l'homme de Dieu exhorta ses frères à achever allègrement l'œuvre entreprise et, forts de tels encouragements, à se fixer dans ce désert avec décision. C'était la volonté de Dieu, affirmait-il. Une fois le temple couvert d'un toit, il restaura les murs en ruines et entreprit la construction des autres bâtiments nécessaires au monastère [7].

Cependant Clotaire, voyant que la prophétie de l'homme de Dieu à son sujet s'était accomplie, fait venir le vénérable Eustaise, qui gouvernait à sa place le monastère de Luxeuil. Avec bonté, il lui ordonne [8] de se charger d'une ambassade aux frais de l'État. Il prendrait avec lui des personnages nobles, à son choix, qui seraient garants de l'engagement pris par le roi, et avec eux, il se mettrait à la recherche du bienheureux Colomban. Quand ils l'auraient trouvé, où que ce fût, ils mettraient toute leur habileté à le persuader de venir auprès du roi.

Le vénérable disciple partit donc sur la piste de son maître. L'ayant rejoint, il lui transmit le message de Clotaire. A la vue d'Eustaise, le bienheureux Colomban fut rempli de joie. Se félicitant du beau cadeau qu'était sa venue, il le garda quelque temps et lui recommanda de se souvenir de ses propres peines, d'instruire la troupe des frères selon les normes de la discipline régulière, de tenir uni le peuple du Christ qu'était cette communauté nombreuse et de le former selon sa propre règle [9]. Puis, il le laisse partir, en lui enjoignant de retourner auprès de Clotaire, avec l'ordre de rendre la réponse suivante aussi agréable que possible aux oreilles du roi : revenir en arrière [10], il ne le croyait

7. Pour celui-ci, Colomban obtint une charte d'Agilulfe (*PL* 80,321-322), dont le successeur, Adalwald, en octroya aussi à Attale et à Bertulfe (*Ibid.*, 323-326).

8. *Rogat*; voir I,28 (57) et note 4. C'était vers l'époque du concile de Paris (octobre 614). «Engagement» *(undemonium)* du roi comme en I,19 (33) et 27 (51). *

9. *Institutis suis*. Cf. II,10 (12-13 et 17).

10. *Repedare* comme en I,20 (36) et 23 (47). La *peregrinatio* est sans retour.

pas du tout opportun; tout ce qu'il demandait, c'était que le souverain accordât soutien et protection à ses moines qui habitaient Luxeuil.

Au roi, Colomban adressa une lettre pleine de remontrances. Le roi reçut avec joie ce cadeau agréable entre tous, le regardant comme un gage de son alliance avec l'homme de Dieu, et il ne laissa pas tomber sa demande dans l'oubli. Il prit soin de donner au monastère toutes les sauvegardes, le dota de revenus annuels, élargit son domaine en tous sens, selon les désirs du vénérable Eustaise, et, pour l'amour de Dieu, fit tout ce qui était en son pouvoir pour aider les moines qui y demeuraient.

Au bout d'un an [11], le bienheureux Colomban acheva sa bienheureuse vie au monastère de Bobbio. Le 23 Novembre, il rendit au ciel son âme, libérée du corps. Si l'on veut connaître son zèle énergique, on le trouvera dans ce qu'il a dit [12]. Ses restes sont conservés en ce lieu, et ils y brillent d'un pouvoir miraculeux sous l'égide du Christ [13], à qui appartient la gloire pour les siècles des siècles. Amen.

11. Après la visite d'Eustaise (cf. n. 8), donc en 615. C'était un dimanche.

12. *Dictis* : peut-être les Sermons *(Instructiones)*, plutôt que les Règles, Pénitentiels et Épîtres. Cf. I,3 (9) : *dicta.* *

13. *Christo praesule*, comme dans l'*Edictum Clotarii* 1 (*CC* 148 A, p. 283,10).

Vers [1] à chanter au réfectoire le jour de sa fête.

Tu es grand, ô illustre prêtre [2], enveloppé d'une auguste [gloire.
Tu es la gloire des tiens, Colomba, parfum de l'univers.
Les cohortes des moines [3] t'appelleront leur illustre père.
Sage t'ont nommé les grands, prophète t'ont appelé les rois.
5 Illustrés par tes œuvres, tes préceptes le confirment :
La beauté sacrée de la vie religieuse procure l'éclat.
On te tient pour la gloire des vertus, pour un soldat [du Christ [4]
En tenue de parade à jamais, quand tu profères tes préceptes [par des discours sacrés.
De tous les métaux précieux, lesquels peuvent s'égaler à toi ?
10 Les exploits des siècles passés [se comparent-ils à tes saintes actions ?
Ni la tête d'or [5], la Babylone des Perses,
Ni l'argent du vieux Darius le Mède, n'a rien eu de pareil.
Ni le bronze du Macédonien ne s'est jadis signalé ainsi [à la guerre,
Ou le riverain du Nil et Cenchris [6] noyés dans la mer.
15 Ils n'ont rien fait de grand qui ressemble à tes hauts faits,
Homère de Smyrne et Maron de Mantoue,
Ni Hannibal le Carthaginois ou Porus, l'opiniâtre [7] Indien,
Ni Marius, Catulus [8], Scipion, Sylla, Gracchus,

1. Chaque ligne contient deux vers de 7 syllabes, deux lignes forment une strophe. Jonas semble avoir pris pour modèle le *De mundi transitu* de Colomban. Voir D. SCHALLER, *Die Siebensilberstrophen*, p. 473-475.
2. *Sacerdos* : cf. I,2 (6) et note 8.
3. Même expression en I,31 (41) : *monachorum cohortem*. Cf. II,1 (1).
4. 2 Tm 2,4. «Préceptes» : sans doute la Règle.
5. Voir Dn 2,32-40. Cf. JÉRÔME, *Com. in Dan.* 3, qui joint les Perses aux Mèdes (argent). Jonas personnifie ceux-ci (Darius), ainsi que le «fer» romain (César), qu'il repousse au v. 19, après une série d'évocations bibliques ou profanes.
6. *Nilicola et Cincris*. Voir GRÉG. DE TOURS, *Hist. Franc.* 1,10 *(Nilicolae)* et 16 : *Cenchris*, Pharaon du temps de l'Exode (cf. EUSÈBE, *Chron.* : *Chencheres*).
7. *Pernix*. Cf. QUINTE CURCE, 8,14,38 : *pertinacia Pori*.
8. Sans doute le vainqueur des îles Égates, consul en 242, donc bien antérieur à Marius, de même que Gracchus vient avant Sylla.

Ni César, l'homme de fer, Bocchus le Numide [9], l'Ambron,
20 Le Celtibère, le Scythe, l'Ibère et le Sicambre.
Fécond comme le cèdre et le palmier [10], tu donnes tes fruits.
Tu es agréable comme l'or fin de Thessalie [11].
Ton parfum a l'agrément des arbres à encens d'Arabie [12].
Tu distilles le baume à la manière de l'arbre coupé d'Engaddi.
25 Sarment touffu, tu demeures la vraie vigne [13],
Onctueux comme l'olivier, tu déverses l'huile.
Grande est ta douceur, éclatante ta bonté.
Scrutant les profondeurs mystiques et pénétrant les secrets
[cachés,
Tu as bâti une maison fondée sur ce roc
30 Qui affermit la masse de l'univers créé.
Sur lui quiconque s'appuie, à jamais ferme il demeure [14].
Il est pierre d'angle [15], chrysoprase, jacinthe,
Sardonyx, émeraude, topase, béryl,
Chrysolithe et jaspe, saphir, améthyste,
35 Chalcédoine et sardoine, perle candide,
Mise à la base de la Jérusalem d'En-Haut [16].
Tu vis après la mort, achetant de ta mort la vie,
Tu voues à leur perte les fautes damnables,
[en subissant le dam de ta chair.
Tu t'exemptes de fautes crucifiables,
[en te chargeant de la croix du Christ.
40 En fuyant ta patrie, à la Patrie tu retournes.
Tu t'allies au roi éternel en méprisant les rois.
Aux délices du Paradis à tout jamais tu pénètres,

9. Ou plutôt le Gétule, beau-père de Jugurtha le Numide. Mais *Numida* est peut-être un nom à part, comme *Ambro* (peuple gaulois, allié des Cimbres en 102).

10. Ps 91,13. Cf. Prol. (4) : *poma palmarum*.

11. Selon la plupart des mss, y compris celui de Metz. Krusch lit *Aethaliae* (l'île d'Elbe). *

12. *Sabeorum... turea... uirga* : VIRGILE, *Georg.* 2,117. Cf. Prol. (4), où le « baume d'Engaddi » précède les « aromates d'Arabie ».

13. Cf. Jn 5,1-5.

14. Mt 7,24 ; cf. 1 P 1,25.

15. Ep 2,20 ; 1 P 2,6. Ensuite, voir Ap 21,19-20, où les douze fondements sont rangés différemment et distingués des portes de perles.

16. Litt. « du Seigneur » *(herilis)*.

Pour y posséder le bonheur en des campagnes verdoyantes.
Le Seigneur, ami des vertus, t'a couronné,
45 En ses éternelles demeures il t'a placé.
Là, de ta voix sacrée, tu chantes des hymnes joyeuses.
A présent, tu reçois les trésors
[que tu as naguère mis en réserve,
Ceux que par un pieux commerce tu troquas dans le siècle [17].
Tu vois les chœurs des anges et des prophètes,
50 Les blanches foules des martyrs [18] et des justes,
Inondé de lumière dorée [19], tu brilles en ce camp,
Où le Christ, ton chef, t'a ramené,
[après avoir occis par le poignard [20] l'ennemi.
Tu as trouvé le Seigneur, ce Jésus que tu cherchais ici-bas,
Qui rend ainsi son trophée au guerrier triomphant du monde.
55 Tu marches sur la voie que tu t'es jadis préparée,
Qui conduit aux éternelles joies du paradis.
Tu as méprisé le monde, afin de posséder le Messie,
Avec qui tu demeures pour les siècles sans fin à venir.
Gloire à la Trinité, puissance à jamais digne de nos chants,
60 Dans les siècles présents et tous ceux à venir.

17. Cf. Mt 6,20; 19,21. «Mis en réserve» : peut-être «cachés» (Mt 13,44).
18. *Martyrum candidatas cateruas* : écho du *Te Deum*.
19. *Luce fulua* comme en II,11 (2); 23 (9); 25 (18). Cf. PRUDENCE, *Cath.* 9,76.
20. *Sica* comme en I,3 (7).

J'ajoute un hymne [1] que vous pourrez faire chanter le jour de son décès, car le premier, que je vous ai envoyé récemment, ne contient pas ses miracles.

1. Solennel en nos siècles,
Resplendit le jour de gloire,
Où saint Colomban est monté
Aux cieux, portant son trophée.

2. Mais sa mère, I,2 (6)
Avant de lui donner le jour,
Voit, sorti de son sein, le soleil
Répandre le jour sur la terre.

3. Élevé ensuite en Irlande, 3 (7-9)
Instruit de la sainte doctrine,
Il arrive sur le sol des Gaules 5 (10-11)
Et apporte le salut au peuple.

4. Les malades sont aussitôt guéris, 7 (13-14)
Du roc jaillissent les eaux, 9 (16)
Le poisson s'offre à consommer, 11 (18-19)
La pluie s'éloigne de la moisson. 13 (21)

5. Une femme stérile obtient un enfant, 14 (22)
Un oiseau rend l'objet volé, 15 (25)
Au grenier le froment se multiplie, 17 (28)
Le chair coupée se retrouve intacte. 15 (23)

6. Touché, il voit sans être vu. 20 (35)
La geôle subit des pertes. 19 (34)
Loin de l'homme s'enfuit la peste, 20-21 (38-41)
Qu'y avait mise un cruel démon.

7. La Loire arrête le bateau. 22 (42)
Les objets volés sortent de leur cache. 22 (44)

1. Octosyllabes iambiques. Près des deux tiers des miracles sont recensés, avec de légers déplacements. Les prophéties sont omises.

L'aveugle recouvre la vue. 21 (41)
Donnée, la nourriture se multiplie. 22 (45)

8. Les oiseaux viennent se faire manger. 27 (54)
Les bêtes obéissent aux ordres. 27 (55)
Sûre d'elle-même, la foi
Voit accomplies toutes ses demandes [2].

9. Gloire à Toi, égale Trinité [3],
Unique déité,
Avant tous les siècles,
Maintenant et à jamais.

2. Bon résumé du thème central de l'œuvre.

3. Doxologie du ms. B 1 b (Krusch). Celui de Metz en a une autre, qu'on retrouve dans l'*Antiphonaire de Bangor* 585 et 588-589 *(Gloria... Unigenito)*. *

LIVRE II

Table des chapitres

24. Un moine est vengé [1] des Ariens.
25. Le moine Mérovée est vengé. Mort du moine Agibod et de Théodoald. Baudachaire et Léobard.

1. Dans ce titre et le suivant, *ultio* ne signifie pas « châtiment », comme plus haut (1 et 10), mais « vengeance ».

LIVRE II

[VIE DU BIENHEUREUX ABBÉ ATTALE]

1. L'abbé Attale embrasse la vie monastique et remplace Colomban. Châtiment de coupables.

(1) Quand donc le vénérable Colomba quitta ce monde, il eut pour successeur Attale, homme d'un esprit religieux admirable à tous égards. Après son maître, ses vertus resplendirent avec éclat. Burgonde d'origine, il était noble de naissance ; plus noble encore par la sainteté, il suivit les traces de son maître. Cependant, je ne dois pas omettre de raconter comment il débuta, cherchant dès ses premiers pas à faire de grands progrès.

Son noble père l'avait donc fait instruire des lettres et des arts libéraux [1], et ensuite il le confia à un évêque de ce temps, Arigius [2]. Mais voyant qu'il n'en tirerait aucun profit, Attale se mit à désirer, tout débutant qu'il était, un genre de vie supérieur. Il chercha à se débarrasser des vanités du monde et à s'enrôler dans une milice monastique [3]. Quittant ses compagnons à la dérobée, avec deux serviteurs seulement [4], il s'en fut donc au monastère de Lérins. Il y vécut longtemps, mais voyant que ses confrères ne mettaient pas l'encolure sous le harnais [5] de la discipline régulière, il se mit à s'inquiéter et à se demander où il pour-

1. *Liberalibus litteris*, comme à propos de Colomban en I,3 (7).

2. Plutôt qu'à l'évêque de Gap, présent à Valence (583-585) et à Mâcon (585), fort estimé du pape Grégoire, Jonas pense à celui de Lyon, qui fit condamner Didier de Vienne à Chalon en 603 (FRÉD. 24) et reçut alors de Colomban un mémoire sur la date de Pâque (COLOMBAN, *Ep.* 2,5). Très lié avec Brunehaut, il n'en présida pas moins le concile de Paris (614). *

3. Mêmes expressions, pour l'entrée de Colomban à Bangor, en I,4 (9).

4. Cf. *Vita Caesarii* I,5 : jeune clerc, Césaire, «avec un seul serviteur», part pour Lérins.

5. Litt. «sous les rênes» *(habenis)* ; voir I,19 (33) et note 9.

rait trouver une voie supérieure. Il partit donc et se rendit auprès du bienheureux Colomban à Luxeuil. Voyant son intelligence et ses capacités, le saint le prit à son service particulier et s'efforça de lui inculquer tous les préceptes divins [6].

(2) Après le bienheureux Colomban, il dirigeait remarquablement le monastère en question et y inculquait l'observance intégrale de la discipline régulière, quand l'antique serpent se mit à répandre le venin fatal de la discorde par ses morsures malignes. Astucieusement, il excita contre lui le cœur de certains de ses sujets. Ils ne pouvaient, disaient-ils, supporter son autorité, empreinte d'un zèle excessif; impossible de subir le poids d'une règle aussi rude !

Habile comme il l'était, Attale s'efforça de leur administrer les calmants que lui suggérait sa bonté, et de leur donner à boire un antidote salutaire qui fît crever l'abcès et disparaître le pus. Il tâchait d'amollir ces cœurs enflés. Ses longs efforts pour les corriger ne réussirent pas à les retenir auprès de lui. Alors, profondément affligé, il multiplia ses instances, avec des égards pleins de bonté, pour qu'ils ne s'en aillent pas loin de lui et ne s'écartent pas du sentier qui monte tout droit. «Souvenez-vous, suppliait-il, que nos pères ont conquis le royaume des cieux par la mortification et le mépris de la vie présente.»

Voyant enfin qu'il n'obtenait rien et qu'il ne pouvait garder sous le harnais de sa communauté des esprits qui tiraient dans une autre direction, il les laissa partir avec leur obstination. Une fois séparés de lui, les uns cherchèrent asile sur les bords de la mer [7], les autres gagnèrent des lieux déserts où ils pourraient jouir de la liberté [8]. Mais ils ressentirent vite les maux que leur valaient leur témérité et

6. En 610, Colomban le désigne pour lui succéder (*Ep*. 4,2-3 et 9).

7. Les ermites aiment les îles : JÉRÔME, *Ep*. 3,4 ; SULPICE SÉVÈRE, *Vita Mart*. 6,5, etc.

8. Cf. COLOMBAN, *Ep*. 1,7 : cénobites qui s'enfuient au désert.

leur orgueil. Tandis qu'ils séjournaient en ces lieux et déchiraient à belles dents l'homme de Dieu, l'un d'eux, nommé Roccolène [9], qui passait pour attiser la querelle, fut pris soudain d'un accès de fièvre et se mit à crier, sous l'effet du châtiment qui le brûlait, qu'il voulait se rendre auprès du bienheureux Attale, si seulement il en avait la force, et soulager par le remède de la pénitence les maux que lui avaient valu ses méfaits. A peine avait-il eu le temps de prononcer ces mots qu'il entra aussitôt dans le silence et rendit le dernier soupir [10]. Voyant que l'injure fait à l'homme de Dieu attirait la vengeance divine, la plupart des présents reviennent à l'homme de Dieu et avouent leurs fautes, avec promesse de s'amender complètement s'ils étaient réadmis. Avec une joie sans pareille, le saint les réadmit, comme des brebis arrachées à la gueule du loup, et leur rendit leurs places puisqu'ils reconnaissaient leurs délits.

Quant à ceux qui furent empêchés par le respect humain ou la présomption, qui, souillés par l'arrogance, refusèrent de rentrer et dédaignèrent l'occasion de pénitence qui leur était donnée, ils furent emportés par diverses morts. Leur sort donna à entendre qu'ils étaient les complices de celui qui avait fomenté la révolte et que la vengeance divine avait frappé le premier : manifestement, c'est pour cela qu'ils n'obtinrent pas comme les autres d'être pardonnés. L'un d'eux, nommé Théodemund, mourut d'un coup de hache. Un autre, au passage d'une petite rivière, eut les jambes prises et se noya dans ce tout petit cours d'eau. Un troisième, qui se nommait Theutaire, s'embarqua pour un voyage en mer et périt avec le navire. Voyant cela, les derniers survivants rejettent tout respect humain et reviennent, après leurs compagnons, au bienheureux Attale. Comme les autres précédemment, celui-ci les réadmit, et ils furent sauvés.

9. Nom d'un duc neustrien persécuteur et puni par Dieu (GRÉG. DE TOURS, *Hist. Franc.* 5,1 et 4; *Mirac. S. Mart.* 2,26).

10. Trépas subit d'un damné : voir II,19 (16).

2. Un torrent détourné par la puissance divine.

(3) D'autres miracles accomplis par lui sont attestés par tous les frères du monastère, parmi lesquels je me trouvais moi-même, affecté au service particulier du bienheureux [1]. Un jour, le petit cours d'eau dont j'ai parlé plus haut [2], qu'on appelle le Bobbio, se mit à enfler, à faire rage et à tout emporter, comme le font les torrents qui descendent des sommets des Alpes [3], quand ils grossissent sous l'effet de fortes pluies. Amoncelant les pierres qu'il arrachait aux rochers et les troncs d'arbres qu'il accumulait dans sa fureur, il menaçait de démolir le moulin du monastère, en l'entraînant dans sa course, et de submerger tout le bâtiment, qui branlait déjà sous ses coups.

Entendant le bruit, le gardien du moulin, nommé Agibod [4], se rend sur place, pour voir si la masse d'eau qui fait un tel vacarme ne cause pas de graves dégâts. Dès qu'il arrive, il voit qu'à moins d'une prompte intervention tout va être emporté, et il croit devoir en informer le Père en toute hâte pour qu'il apporte son secours et délivre le moulin de la violence des eaux : il en est encore temps et il le faut ! L'homme de Dieu lui dit : « Va, appelle-moi le diacre Sinoald. Quant à toi, recouche-toi et dors. Sois sans crainte, ne t'attriste pas. »

C'était le matin, avant que l'aurore ne répandît sur la terre sa douce lumière [5]. Le diacre Sinoald vint donc auprès de l'homme de Dieu. Le bienheureux Attale lui dit : « Prends le bâton qui me sert de canne [6], va au Bobbio et dis-lui sur un ton de commandement [7], après avoir tracé

1. Cf. II,1 (1) : Attale sert Colomban ; 9 (7) : Jonas secrétaire.
2. Voir I,30 (60).
3. Mentionnées en I,25 (49) ; cf. Prol. (4). Bobbio est dans les Apennins : I,30 (60) ; cf. I, Prol. (1).
4. Sur le sort de ce saint moine, voir II,25 (18-19). Il garde le moulin comme le diacre Sabinien de Condat (*Vita Patr. Iurens.* 52).
5. Réminiscence de VIRGILE, *Aen.* 4,584.
6. Même ordre d'Élisée à Giézi : 2 R 4,29.
7. Cf. GRÉGOIRE, *Dial.* III,10,2 : l'évêque de Plaisance fait dire au Pô de se retirer. Le diacre envoyé se rit de l'ordre, qui est exécuté par un notaire. Le fleuve obéit aussitôt. *

le signe de la croix du Seigneur[8], qu'il cesse de tarauder cette rive et ne porte pas plus loin son audace présomptueuse, mais s'en aille de l'autre côté, en laissant intact ce côté-ci. Le Seigneur le lui commande : il doit se retirer, qu'il le sache ! »

Obéissant aux ordres de l'homme de Dieu, notre homme s'arme de foi, s'en va, pose le bâton sur la rive, commande au torrent, de par la volonté de l'homme de Dieu, confirmée par la puissance divine, de s'écarter de ce lieu et de porter ses coups furieux contre l'autre flanc de la colline. Le torrent obéit aussitôt, sort de son lit et bat de ses flots le flanc de la colline. Volant comme un oiseau sur le flanc escarpé de la colline, il contraignait ses eaux à passer là-haut, jusqu'à ce qu'elles se fussent creusé un lit suffisamment profond pour y couler à l'aise.

L'aurore se levait, elle commençait à poindre et à rendre la lumière au monde. Réfléchissant, Sinoald se dit à lui-même : « Je vais voir si les eaux déchaînées obéissent à l'homme de Dieu. » Il se rend sur la rive, voit le lit déserté, aperçoit le torrent qui bat le flanc de l'autre colline pour s'ouvrir un lit où il puisse s'écouler. Accourant auprès de l'homme de Dieu, il lui annonce la victoire remportée, le triomphe. « Jamais, aussi longtemps que je vivrai sur terre, lui dit l'homme de Dieu, tu ne te permettras de dire cela à qui que ce soit[9]. » Évidemment, il ne voulait pas que des compliments flatteurs[10] salissent son cœur plein de vertu. Même dotés de vertus diverses, les hommes doivent tous veiller soigneusement à éviter ce vice, car l'astucieux ennemi met tous ses soins perfides à souiller les saints de Dieu, au moins en leur for intérieur, où la souillure est invisible et paraît moins grave, quand il ne peut le faire en les entraînant à des fautes manifestes et plus grossières[11].

8. Même détail chez EUGIPPE, *Vita Seuerini* 15,1-3. *

9. Cf. Mt 17,9 ; GRÉGOIRE, *Dial.* I,9,5 (même motivation). *

10. *Fauor adulatorum* ; voir I, Prol. (3). Crainte de la « faveur » comme en II,4 (5), de l'« adulation » comme en II,10 (17) ; souci de cacher les faits surnaturels : II,6 (7) ; 21 (19) ; 23 (9) ; 25 (20) et (23).

11. Écho de GRÉGOIRE DE TOURS, *Vita Patrum* 15,1. *

3. Un pouce coupé, guéri par la prière [1] de l'homme de Dieu.

(4) Il arriva ensuite qu'un moine nommé Fraimeris [2], un jour qu'il cultivait le sol avec une charrue pour y semer du froment, rencontra tout-à-coup un terrain dur, dont la résistance vint à bout de la solidité de son manche et le cassa. Le frère s'efforçait de le réparer, quand soudain son outil le frappa à l'improviste et lui trancha le pouce gauche. Déposant celui-ci dans le sol et le couvrant de terre, il l'ensevelit à la façon d'un défunt, et laissant là sa charrue, s'en retourne au monastère, se prosterne de tout son long devant le Père et avoue en confession ce qui lui est arrivé [3].

Voyant cela, l'homme de Dieu lui dit : « Où est le morceau de pouce coupé ? » – « Enterré, enfoui dans le sillon », répond le frère. – « Tu as eu tort, dit le Père, pourquoi ne l'as-tu pas apporté ? Va vite sans rien dire à personne, prends-le et rapporte-le ici. » Le blessé s'en va donc, refait le chemin et rapporte le pouce arraché. La distance était d'environ un mille, car il fallait gravir la pente raide de la montagne, passer son dos courbé et traverser la Trebbia. Prenant alors le morceau de pouce, l'homme de Dieu l'enduit de sa salive et le met sur la main. Collé à la chair, le pouce y adhère comme par le passé. Le Père commande à Fraimeris de se retirer en silence, sans rien dire [4].

Étonnant pouvoir du Tout-Puissant ! C'est ainsi qu'il glorifie les siens sur terre. Par leur moyen, il restitue à des membres coupés et refroidis leur beauté d'antan.

1. En réalité, Attale guérit sans prier. De même Colomban, qui a déjà fait ce miracle en I,15 (23).
2. On trouve une *uilla Framereias* en Hainaut dans *Vita Gisleni* 16.
3. Cf. COLOMBAN, *Reg. coen.* 1,1 (confession quotidienne) et 3,2 (prostration prolongée pour réparer une grosse perte) ; *RB* 46,1-3 : avouer *(prodiderit)* immédiatement tout accident. La scène rappelle GRÉGOIRE, *Dial.* II, 6, 2. *
4. Cf. II,2 (3) et note 10.

4. Guérison d'un malade à Milan.

(5) Une autre fois, le même Attale était allé à Milan. Il y avait là un petit enfant que la fièvre avait mis à toute extrémité. On n'attendait plus que son décès. Apprenant l'arrivée d'Attale, ses parents accoururent en toute hâte et le supplient de les secourir. L'homme de Dieu voulait se dérober. Par leurs larmes et par des serments redoutables, ils le mettent en demeure de venir avant que la fièvre maligne n'ôte à l'enfant son dernier souffle. Soucieux d'éviter l'admiration du public et le bruit, il leur dit : «Allez, et je vous suivrai dès que je pourrai.» Alors il s'en va faire le tour des basiliques et des tombeaux des saints, priant pour que le malade recouvre la santé immédiatement. Ensuite, pour tenir sa promesse, il se rend en hâte auprès du malade. Afin qu'on ne publie pas le don qu'il est sur le point de faire, il entre dans la maison à la dérobée. A peine a-t-il touché le malade que la puissance divine, répondant à ses saintes prières, rend au mourant la santé perdue. D'une seule voix, les parents rendent grâce au Créateur, qui prête ainsi l'oreille, dans sa bonté, aux demandes de ses serviteurs [1].

Aimé de tous [2], Attale se distinguait par sa ferveur, par son allégresse, par sa charité pour les voyageurs et pour les pauvres. Il savait à la fois tenir tête aux orgueilleux et se soumettre aux humbles, répondre aux sages en se mettant à leur niveau et expliquer les mystères aux simples. Il s'entendait à résoudre les questions et à en poser. Quand l'hérésie faisait rage, il restait ferme et inébranlable. Fort dans l'adversité, modeste dans le succès, il gardait en tout la juste mesure, faisant preuve de discernement en toute circonstance [3]. Ses sujets étaient remplis d'amour et de crainte [4], ses disciples exhalaient la bonne odeur de sa doctrine. Auprès

1. *Pietatis... accomodat aures* comme en I,15 (23). La formule est romaine (*Sacramentaire Grégorien* 822 et 847, etc.).
2. *Gratus omnibus* : de même II,9 (6); 13 (6); 23 (2).
3. Cf. CASSIEN, *Conl.* 2,2 et 6,10; BAUDONIVIE, *Vita Radegundis* II,3.
4. De même à Lérins selon HILAIRE D'ARLES, *Vita Honorati* 17.

de lui, personne n'était déprimé par le chagrin [5] ou emporté par une joie sans mesure.

5. Attale annonce sa mort.

(6) Quand l'Inventeur de toutes choses [1] voulut le libérer des maux d'ici-bas, il décida de lui faire savoir par une vision qu'il devait, sur le point de quitter ce monde, faire tous ses préparatifs de départ [2]. Un délai de cinquante jours lui était octroyé pour se préparer au voyage. Mais l'homme de Dieu ne savait pas exactement, en son âme, si le voyage consisterait à quitter cette vie ou à se rendre ailleurs sur terre. Il se prépare donc à l'un et à l'autre. Il renforce la clôture du monastère, refait les toitures, raffermit tous les édifices, afin de ne rien laisser branlant quand il s'en irait. Les bêtes de somme, il les fait se reposer, les livres, il les fait relier solidement. Sur son ordre, on nettoie le matériel, on recoud ce qui est décousu, on répare ce qui est cassé, on met les chaussures en état pour que tout soit prêt. Pour sa part, il accable son corps de jeûnes, de veilles, de prières. Jamais on ne l'avait vu s'adonner aussi intensément à la prière.

Que personne ne rie [3] ! Je vais raconter ce que cet homme fit alors pour moi. Il y avait neuf ans que j'étais entré au monastère, et souvent mes parents lui avaient demandé de me permettre de venir les voir, mais ils n'avaient rien obtenu. Or, il me dit de lui-même, sans que personne lui en ait parlé : « Va vite, mon fils, rendre visite à ta mère et à ton frère. Adresse-leur une bonne exhortation et reviens immédiatement. » Je voulais remettre le voyage, disant que

5. Cf. HILAIRE, *Vita Hon.* 18; HÉRACLIDE, *Parad.* 12 (289 A) = *HL* 24,1.

1. *Rerum repertor* comme en II,6 (7); 15 (9); 23 (3); 25 (17). C'est le titre de Jupiter chez VIRGILE, *Aen.* 12,829. Cf. II,12 (5) : *rerum sator*.

2. Même avis de départ donné en songe et même incertitude sur la nature du voyage chez GRÉGOIRE, *Dial.* IV,49,3 (le moine Antoine).

3. Souci défensif : I,15 (23) et note 1. Sur cette page autobiographique, voir *Introd.*, I.

ce serait bientôt la saison propice, car on était en février et il faisait très froid. Mais il me dit : «Dépêche-toi, mets-toi en route et va où je t'ai dit. Tu ne sais si plus tard tu pourras le faire.» Il me donna donc pour compagnons le prêtre Blidulfe [4] et le diacre Herménoald, deux hommes de valeur religieuse parfaitement sûre, et ensemble nous arrivâmes au but du voyage. Ce lieu était la ville bien connue de Suse, antique colonie de Turin, à une distance de cent quarante milles du monastère.

Arrivé là, je fus chaleureusement reçu par ma mère, après tant d'années de séparation. Mais ma mère ne jouit pas longtemps de cette faveur tant souhaitée. La nuit même qui suivit, je fus pris de fièvre, et tout embrasé [5], je me mis à crier que c'étaient les prières de l'homme de Dieu qui me torturaient, pour m'empêcher de rester là contre son ordre un seul instant; si l'on ne m'emportait pas aussitôt, si je ne regagnait pas le monastère avec ce qui me restait de forces, j'allais mourir aussitôt. A cela ma mère répondit : «Mieux vaut pour moi, mon enfant, te savoir là-bas sain et sauf que de pleurer ta mort ici.»

Ce fut long, je l'avoue, d'attendre le jour. A peine l'aurore commençait-elle à poindre que nous nous remîmes en chemin pour rentrer. Pendant trois jours nous ne prîmes aucune nourriture, jusqu'à ce que nous eussions parcouru la moitié du trajet, ou peu s'en faut [6]. Tandis que nous nous hâtions ainsi et pressions le pas, je récupérai la santé. Arrivés au monastère, nous trouvons le Père déjà pris de fièvre et près de mourir. Il se réjouit de nous voir. Cela nous montra clairement que c'étaient les prières de l'homme de Dieu qui avaient obtenu qu'une poussée de fièvre m'obligeât aussitôt à revenir au monastère avant qu'il ne meure.

4. Voir I,24 (12-15). Formule *de quorum religione nihil dubitabatur* : I,10 (17) et note 9. Cf. PACHÔME, *Praec.* 53-54 (compagnon de sortie sûr). *

5. «Incendie» de la fièvre comme en II,1 (2). Cf. I,29 (58) et note 1.

6. Voyage rapide, par étapes de 35 km.

6. Le ciel s'ouvre. Consolation divine et décès.

(7) Attale était arrivé aux derniers instants de sa vie quand, profitant du souffle qui lui restait encore, il ordonna qu'on le traînât hors de sa cellule. Se levant de son lit avec le peu de forces qu'il avait, soutenu des deux côtés par les frères, il s'avança et sortit de cellule. Quand il aperçut la croix, qu'il avait fait placer à cet endroit pour se munir en la touchant du front à chacune de ses entrées et sorties [1], il se mit à verser des larmes de douleur et à célébrer le triomphe de la croix : « Salut, dit-il, ô sainte croix, qui as porté le rachat du monde et qui soutiens l'étendard de l'éternité ! C'est toi qui as porté remède à nos blessures, c'est toi qu'a baignée de son sang le rédempteur du genre humain, descendu pour cela du ciel en cette vallée de larmes [2]. C'est sur toi qu'il a effacé l'affreuse ride du premier Adam, et second Adam désormais, lavé à grande eau la souillure du monde [3]. »

Sur ces entrefaites, il demande à tous de s'en aller et de regagner leurs cellules, en le laissant seul pendant un moment. Tous s'en allèrent donc, mais l'un d'entre eux, nommé Blidemund, resta derrière l'homme de Dieu, retenant son souffle. Il pensait en effet que, si les jambes de l'homme de Dieu, fatiguées comme elles l'étaient, venaient à défaillir, il serait là pour le prendre dans ses bras au moment où il tomberait. Quand Attale crut donc qu'il ne restait personne, il se mit à invoquer avec force larmes la clémence du Créateur, demandant qu'elle lui accordât ses dons avec largesse malgré son indignité, qu'elle effaçât ses fautes passées, assainît tout son être et, lui faisant miséricorde une fois de plus, ne le tînt pas éloigné des récompenses célestes. Tandis que la douleur lui arrachait des soupirs et que ses

1. Précise le geste prescrit par *Reg. coen.* 3,5 : *Qui egrediens domum... crucem non adierit...* Entrées et sorties : voir II,9 (10-11). *
2. Cf. Jn 6,38 ; Ps 83,7 (Vulgate). *
3. Cf. Ep 5,26-27 ; 1 Co 15,45-47. *

larmes coulaient, il leva les yeux au ciel et le vit s'ouvrir devant lui [4]. Pendant plusieurs heures, les yeux fixés là-haut, il laissa échapper de son cœur d'interminables gémissements. Enfin il rend grâces au Tout Puissant de lui avoir montré, ouvertes pour lui, les portes du ciel, que son âme, dépouillée de ses membres corporels, ne tarderait pas à franchir. Alors il donne le signal pour que les frères le ramènent en cellule.

Voilà ce qui nous fut rapporté le jour même par le frère en question. Telle fut la vision consolante que Dieu accorda à son serviteur, pour lui faire rendre le dernier soupir dans la joie, sûr de trouver le pardon ou plutôt la gloire [5]. Tout cela, l'homme de Dieu avait voulu le cacher, et c'est ce qui serait arrivé si Blidemund n'était resté en cachette derrière son dos.

Le lendemain, il dit adieu à tous les frères, les exhortant à ne pas arrêter leur marche, mais à la poursuivre tous les jours avec plus d'énergie, en s'affermissant dans la pratique du bien. Ayant donné à tous ses encouragements, il fut délivré des liens de la vie présente et rendit son âme au ciel [6]. Oui, l'Inventeur de toutes choses agit avec justice, quand il orne ses saints de toutes sortes de vertus, ainsi qu'il est écrit : «Son Esprit a orné les cieux [7].» Aspirant en effet à la vie céleste, ils s'efforcent d'accomplir ses commandements, afin d'obtenir les fruits de la vie éternelle, en récompense de la peine qu'ils se donnent pour lui obéir.

4. Cf. Mc 1,10; Ac 7,55-56.
5. Vision procurant joie et sécurité à l'heure de la mort : GRÉGOIRE, *Dial.* IV,49,4 (le moine Merulus). *
6. Cf. I,30 (61). C'était un 10 mars, en 626 probablement.
7. Jb 26,13 (Vulgate). La suite sera citée en II,10 (13).

[VIE DE SAINT EUSTAISE]

7. Gouvernement d'Eustaise. Il rend à une jeune fille la vue et la santé physique. Elle embrasse la vie monastique.

(1) Revenu d'Italie, comme nous l'avons dit plus haut, après sa visite au bienheureux Colomban [1], le vénérable Eustaise gouvernait donc paternellement, en toute justice, ses nombreux moines. Un jour, les intérêts de la communauté l'obligèrent à se rendre auprès du roi Clotaire, qui habitait à cette époque aux extrémités de la Gaule, près de l'Océan [2]. Son itinéraire le fit passer par le domaine et le pays de Brie. Il arriva à une maison de campagne, appartenant à Chagnéric, où son maître avait jadis séjourné quelque temps. Cette maison de campagne s'appelle Poincy. Elle se trouve à environ deux milles de la ville de Meaux [3]. Chagnéric y habitait en ce temps-là avec sa femme Léodegonde, qui était chrétienne et bien disposée [4]. Eustaise amenait avec lui leur fils Chagnoald, dont nous avons parlé plus haut [5].

En voyant Eustaise, Chagnéric fut extrêmement heureux de le recevoir. Les deux parents avaient avec eux leur fille Burgondofare, que le bienheureux Colomban, comme nous l'avons dit plus haut [6], avait consacrée au Seigneur. Cependant son père l'avait fiancée et voulait, contre la volonté de la petite, la donner en mariage. Atteinte d'une ophtalmie et prise d'une très forte fièvre, elle ne semblait guère pouvoir survivre. La trouvant à l'agonie, le bienheureux

1. Voir I,30 (61). C'était en 614.
2. Désigne la Neustrie : voir I,24 (48) et note 1; cf. I,16 (26).
3. En I,26 (50), Chagnéric semblait résider à Meaux. Sur Poincy *(Pipimisiacum)*, à environ 4 km (et non 3, correspondant à 2 milles) du Meaux gallo-romain, voir GUÉROUT, *Testament*, p. 813-816. *Saltus* et *pagus* de Brie : cf. GUÉROUT, *Jouarre*, p. 30-31.
4. *Sanae mentis* désigne l'orthodoxie en II,9 (3), l'attachement à la Règle en II,10 (4). Ici, sans doute pour dissocier la femme pieuse de son mari impie.
5. Cf. I,15 (30) et 27-28 (55 et 57).
6. Voir I,26 (50), où Chagnoald n'était pas mentionné.

Eustaise adresse des reproches au père, lui disant que c'est par sa faute qu'elle endure pareil châtiment, parce qu'il a voulu transgresser l'interdit de l'homme de Dieu. Lui, feignant d'acquiescer, déclare : « Plaise à Dieu qu'elle retrouve la santé et qu'elle entre au service de Dieu ! » Il ne devait pas, disait-il, s'opposer à de tels désirs.

Eustaise s'approche donc du lit de la jeune fille et lui demande si c'est avec son consentement qu'on a transgressé l'interdit du bienheureux Colomban, en la faisant revenir aux désirs de la terre après ceux du ciel. Mais la jeune fille proteste solennellement qu'elle n'a jamais acquiescé à de tels désirs ni voulu échanger les liens du ciel avec ceux de la terre. A présent comme par le passé, elle se déclare prête à suivre les exhortations du bienheureux. « La nuit dernière, dit-elle, j'ai vu un homme qui te ressemblait et qui rendait la lumière à mes yeux [7]. En même temps, j'entendais une voix me dire : "Tout ce que cet homme te dira, fais-le, et tu seras guérie." Enseigne-moi donc les règles que je dois observer, et chasse par ta prière le mal que le Seigneur m'a infligé. » Prosterné à terre, le vénérable prie donc le Seigneur avec larmes d'accorder le bienfait promis. Puis, se levant, il trace un signe de croix sur les yeux, passe la main sur ceux-ci et implore la venue du secours divin. La guérison vient aussitôt : vue recouvrée [8], disparition de la fièvre brûlante. Eustaise confie à la mère l'enfant guérie : quand il reviendra de sa visite à Clotaire, il lui donnera l'habit religieux.

(2) Mâis quand le père vit que sa fille était guérie, il décida de la remettre à son mari, en jetant sa promesse antérieure aux plus profondes et sombres oubliettes. A cette nouvelle, la jeune fille confia son dessein à une compagne, avec laquelle elle pourrait prendre la fuite. Celle-ci ayant donné son assentiment, elles furent assez heureuses pour prendre la fuite sans être vues et parvinrent à la basi-

7. Malade connaissant en songe le saint qui doit le guérir : POSSIDIUS, *Vita Augustini* 29,5 ; GRÉGOIRE, *Dial.* III,25,1.

8. Rites et guérison d'aveugle comme en I,21 (41).

lique du bienheureux Pierre, prince des Apôtres [9]. A cette nouvelle, le père furieux envoya des serviteurs à leur poursuite, avec l'ordre de prendre sa fille et de la mettre à mort sans pitié. Les serviteurs s'en vont et trouvent la jeune fille réfugiée à l'intérieur de l'église. Attendant un peu, pour laisser à la colère du père le temps de s'apaiser, ils menacent la jeune fille de mort. « Si vous croyez que je crains la mort, dit-elle, essayez ici même, sur le pavé de l'église. Avec joie, je recevrai la mort pour un tel motif, à cause de celui qui n'a pas dédaigné de mourir pour moi. »

Sur ces entrefaites, Eustaise revient, délivre la jeune fille prisonnière, adresse au père des reproches terribles. Par les mains de Gondoald, évêque de la ville [10], il lui fait revêtir l'habit religieux et recevoir la consécration selon le rite salutaire. Sur la propriété de son père, entre les rivières du Morin et de l'Aubetin, il fait bâtir un monastère [11] pour les vierges du Christ, après avoir désigné les frères qui auraient mission d'élever la bâtisse. Pour enseigner la règle aux sœurs, il nomme Chagnoald, frère de la jeune fille, et Walbert, qui fut son successeur [12]. Les nombreux miracles qui s'accomplirent plus tard dans ce monastère, nous tâcherons de les raconter plus loin [13], si la vie nous est donnée pour cela.

9. Localisation incertaine; cf. GUÉROUT, *Fare*, col. 517.

10. Présent aux conciles de Paris (614) et de Clichy (626-627).

11. A moins de 10 km O. de Coulommiers. Appelé *Euoriacas* en II,11 (1), *Eboriacum* par Fare elle-même (*Testament* 4), *Brige* (Brie) par BÈDE, *Hist. Eccl.* 3,8, Faremoutiers finira par prendre le nom de sa fondatrice.

12. Phrase ambiguë, Walbert ayant succédé à Chagnoald comme supérieur de Faremoutiers avant 626-627, puis à Eustaise comme abbé de Luxeuil en 629. Sans doute Jonas songe-t-il plutôt au premier fait; cf. GUÉROUT, *Faremoutiers*, col. 535.

13. Voir II,11-22 (1-21).

8. Une autre jeune fille recouvre la vue. Profit tiré de la vie monastique par certains.

(3) De retour à Luxeuil, le vénérable Eustaise se dispose à exécuter l'ordre [1] de son maître, en procurant l'aliment de la foi aux peuplades voisines. Il s'en va prêcher aux Warasques [2], dont certains pratiquaient des cultes idolâtres, d'autres étaient entachés des erreurs de Photin et de Bonose [3]. Quand il les eut convertis à la foi, il se rendit auprès des Boiens, appelés aujourd'hui Bavarois [4], et au prix de grands labeurs les instruisit, les ramena à l'orthodoxie, en convertit beaucoup à la foi. Après être resté chez eux quelque temps, il leur laissa des hommes intelligents pour continuer avec empressement l'œuvre laborieuse en y peinant à leur tour, tandis qu'il s'empressait lui-même de rentrer à Luxeuil.

(4) En chemin, il arriva chez un certain Gondoin, qui résidait alors dans un domaine rural appelé Meuse, du nom de la rivière qui passe par là [5]. A la vue d'Eustaise, cet homme fut rempli de joie, et il le reçut dans sa maison comme une fortune [6]. Eustaise entre donc, et après avoir béni la maison [7], demande à Gondoin de lui présenter ses enfants. L'homme obéit et présente deux fils qui promettaient [8]. «As-tu d'autres enfants ?», lui demande Eustaise. Il déclare n'en avoir point d'autre, si ce n'est une fille aveugle nommée Salaberge. «Fais-la venir», dit Eustaise. En la

1. Non mentionné en I,30 (61).
2. Au bord du Doubs (*Vita Salabergae* 7). Sur cette mission, d'où sortit le monastère de Cusance (30 km N.-E. de Besançon), voir ÉGILBERT, *Vita Ermenfridi* 1-5, qui cite notamment le lieu dit *Mandurum* (Mandeure, près de Montbéliard).
3. Évêques de Sirmium et de Sardique (IVe s.). Au Ve s., les Photiniens sont appelés Bonosiens (GENNADE, *Script.* 14), et ensuite ces *Bonosiaci* sont seuls mentionnés en Gaule (Orléans 538, can. 34; Clichy 626-627, can. 5) et à Rome (GRÉGOIRE, *Reg. Ep.* 11,52). Les Bonosiens niaient la divinité du Christ (*Vita Salabergae* 1).
4. *Boias... Baioarii.*
5. Village de Meuse (Haute-Marne), à 10 km O. des sources de la Meuse. Cf. I,20 (39) : *Cora* désigne à la fois le village et la rivière.
6. Formules comme en I,24 (48) et 27 (51). Cf. I,30 (61); II,7 (1).
7. Cf. I,26 (50) : Colomban bénit la maison avant l'enfant.
8. Le ms. de Metz les appelle Bobo et Odo (cf. *Vita Salabergae* 5).

voyant, il demande si cette jeune âme aspire au service de l'amour divin. Du mieux que lui permet son âge encore tendre, elle se dit entièrement disposée à obéir à ses saintes exhortations. Il se met à l'œuvre, accable son corps de deux [9] jours de jeûne, arme son âme de foi, verse sur les yeux de l'huile bénite. Enfin l'aveugle obtient, par l'intervention du saint, de recouvrer la vue. Grâce à l'intervention de son serviteur, la divine bonté guérit les yeux de leur mal, afin qu'ayant retrouvé la vue, la fillette comblée des bienfaits divins aspire plus ardemment au service de la crainte de Dieu [10]. A présent, encore en vie et toute donnée au culte divin, elle pourvoit non seulement à son propre bien, mais aussi à celui des autres [11].

(5) Après avoir quitté ces lieux, Eustaise poursuivait son voyage, quand un frère nommé Agile, qui est à présent abbé du monastère de Rebais [12], fut pris de fièvre violente. Eustaise le toucha, le guérit par ses prières et lui rendit aussitôt sa santé normale.

Ensuite il arriva à son monastère, dont nous avons parlé [13]. Il s'y employa à susciter, aussi bien au sein de la communauté que dans la population environnante, une vie chrétienne vigoureuse. Nombreux furent ceux qu'il attira aux remèdes de la pénitence. Il donna tous ses soins à instruire de nombreux sujets par sa parole diserte. Nombreux furent ceux d'entre eux qui devinrent par la suite pasteurs d'Églises : Chagnoald à Laon ; Achaire, évêque de Vermand, Noyon et Tournai [14] ; Régnier à Augst et à Bâle [15] ; Omer à Boulogne et Thérouanne [16].

9. Trois, selon *Vita Salab.* 5, suivie par *Vita Agili* 11.

10. Histoire singulièrement semblable à celle de Fare en II,7 (1).

11. Avant ses fondations monastiques (la seconde, définitive, à Laon), Salaberge fut mariée deux fois et eut cinq enfants (*Vita Salab.* 6-11).

12. Agile : fils d'Agnoald et neveu de Chagnéric (cf. I,6, n. 2 ; 26, n. 1). Rebais en Brie, fondé par Ouen : voir I,26 (50) et note 7.

13. Luxeuil, nommé en II,8 (3).

14. Tous deux présents à Clichy (626-627). Acharius meurt en 640. Sur ses trois sièges, énumérés en ordre chronologique, voir DUCHESNE, *Fastes* III, p. 99. Seul, Vermand sera nommé en II,10 (17).

15. Cf. *Vita Audomari* 4. Augst (E. de Bâle) : DUCHESNE, *Fastes* III, p. 4.

16. Originaire de Coutances (*Vita Audomari* 3). *

9. Opposition et rejet d'Agrestius.

(6) Alors que tous se félicitaient de lui et qu'aucun de ceux qui avaient reçu les leçons du bienheureux Colomban ne se plaignait d'avoir perdu celui-ci, surtout quand on voyait les enseignements du maître refluer sur son disciple – alors que tous se félicitaient donc de lui, que tous les magnats francs le comblaient d'honneur, que l'affection et la vénération du roi Clotaire le rendaient célèbre, la jalousie s'empara, comme à l'ordinaire, du Chélydre [1] qui en veut à la réputation des saints. Du sein maternel, il suscita un nouveau Caïn, envieux de son frère qu'il veut tuer. Bien mieux, c'est un nouveau traître qui se lève, afin de déchirer les paroles du maître et de mettre en pièces ses solides enseignements, en pliant son propre esprit fragile à la fragilité des opinions vulgaires.

Le Chélydre suscite donc un des moines d'Eustaise, nommé Agrestius, qui avait été jadis notaire du roi Thierry et, le cœur touché d'une certaine componction, avait abandonné tout ce qu'il possédait, était venu à Luxeuil, avait remis au Père sa personne et tous ses biens. Pour ne rien omettre, je dirai qu'il fit montre apparente de vie religieuse au monastère, puis demanda l'autorisation de partir en mission pour prêcher aux païens. Longtemps, le saint l'en blâma, lui reprochant de se croire, lui qui était encore novice dans la vie religieuse, apte à une pareille tâche et digne de l'accomplir. Non, il fallait être paré de tout ce qui fait l'ornement d'un homme d'Église pour recevoir pareille tâche. Car Jérémie, choisi par le Seigneur et envoyé en mission, s'en déclare indigne en disant : « A, a, a, Seigneur Dieu, je suis un enfant, je ne sais pas parler », et Moïse, quand le Seigneur le choisit, proteste que sa langue est embarrassée [2].

1. Premier des reptiles malfaisants chez VIRGILE, *Georg.* 3,415. Adversaire suscité par le Serpent : I,18 (31). Cf. Gn 4,8 ; Mt 26,14-16.
2. Jr 1,6 ; Ex 4,10. Cf. GRÉGOIRE, *Mor.* 35,3 ; *Hom. Ez.* I,8,19.

(7) Ses propos n'ayant eu aucun effet, Eustaise laisse partir cet homme qu'il ne peut retenir [3]. Arrivé chez les Bavarois, Agrestius y resta peu de temps et ne produisit aucun fruit, à la manière d'un grand platane agité par le vent : sous la brise, le feuillage tremble et babille, mais l'abondance des fruits lui reste inconnue. Ensuite, l'homme se rend à Aquilée. Or les habitants d'Aquilée sont en rupture de communion avec le Siège Apostolique – au sujet duquel le Seigneur, dans l'Évangile, dit au bienheureux Pierre, prince des Apôtres : «Tu es Pierre, et sur cette pierre je bâtirai mon Église, et les portes de l'enfer ne prévaudront pas contre elle [4] » – en raison de la dispute des Trois Chapitres, source de querelles prolongées dont nous n'avons pas à parler dans le présent ouvrage. Arrivé à Aquilée, Agrestius adhère au schisme aussitôt. Se séparant de la communion du siège de Rome et se mettant au ban de la communion universelle, il condamnait tous ceux qui étaient unis au Siège romain : seule, Aquilée conservait la foi orthodoxe ! Imbu de cette doctrine schismatique, il envoie au bienheureux Attale, par l'entremise d'Aureus, notaire du roi lombard Adalwald, une lettre venimeuse, pleine de reproches. Après l'avoir lue, le bienheureux Attale s'en moqua et me la donna à garder. Pendant plusieurs années, je l'ai conservée sans la montrer. Ensuite, je l'ai perdue par ma faute. Personne ne l'avait écrite pour lui, elle était de sa propre main.

(8) Après avoir envoyé cette lettre au bienheureux Attale, Agrestius se hâte d'aller à Luxeuil. Il essaie sur le bienheureux Eustaise son dard schismatique, cherchant à corrompre cette âme saine par sa folle doctrine. Voyant cela, le vénérable adresse à l'égaré des avertissements paternels. Mais ses avis salutaires et son antidote curatif [5] n'ayant pas réussi à guérir cette âme atteinte de la peste, il l'exclut de sa propre communion et de celle des siens.

3. Mêmes formules en II,1 (2). Mission bavaroise : II,8 (3).

4. Mt 16,18. Trois Chapitres : textes de Théodore de Mopsueste, Théodoret de Cyr et Ibas d'Édesse condamnés comme nestoriens à Constantinople (553) et tenus pour orthodoxes par les évêques d'Italie du Nord.

5. Mêmes expressions en II,1 (2).

(9) Repoussé par Eustaise, Agrestius se jette de ci de là pour tâcher de gagner des adhérents à sa cause. Mais sa maladresse n'obtient aucun résultat. Alors il s'en prend aux observances religieuses du bienheureux Colomban, se déchaîne contre sa Règle et la déchire à belles dents. Grognant comme un porc qui se roule dans la fange, il tâche d'entraîner les orgueilleux de son espèce à gronder comme lui. Il avait l'approbation d'Abelin, évêque de Genève [6], qui était un de ses proches parents. Cet Abelin fit donc tous ses efforts pour s'adjoindre les évêques voisins, de façon à former une ligue qui soutînt Agrestius. Ils allèrent jusqu'à tâter le roi Clotaire, pour voir s'il leur donnerait son appui. Mais lui, sachant et connaissant d'expérience la sainteté du bienheureux Colomban et la doctrine de ses disciples, s'applique à réfuter ceux qui grognent contre cette sainte doctrine. N'arrivant à rien, il décide de la soumettre à l'examen d'un concile, ne doutant pas que l'autorité doctrinale du bienheureux Eustaise viendrait à bout de tous les adversaires de la sainte Règle, grâce à sa prudence et à son éloquence, avec l'assistance de l'Esprit Saint.

(10) En vertu d'une ordonnance émanant du roi, plusieurs évêques de Burgondie s'assemblèrent donc en un lieu voisin de la ville de Mâcon. Treticus [7] était le président de ce synode, que réclamait avec une insistance particulière un ennemi du bienheureux Eustaise, Garnier [8]. Mais la prière du bienheureux Eustaise fut la plus forte : celui qui entendait susciter et soutenir la misérable querelle allait être châtié par le Seigneur, et la force de tous ses associés en serait brisée. Au jour choisi et fixé pour le début de l'attaque contre Eustaise, Garnier fut arrêté par la mort et rendit l'âme. En sa personne, le parti d'Agrestius vit sa force brisée. Le trouble est général. On demande à Agrestius quels sont ses griefs contre la Règle du bienheureux Colomban et

6. FRÉD. 3 nomme un Abbelinus, comte d'Outre-Jura, vaincu par les Alamans en 610.

7. «Évêque de Lyon», ajoute le ms. de Metz. La même année (626-627), il préside aussi à Clichy.

8. *Warnacharius*, maire du palais, mort en 626-627 (FRÉD. 54).

contre le vénérable Eustaise. Balbutiant, tenant des propos sans autorité et mal conçus, il dit que leurs usages comportent des pratiques incongrues et opposées aux normes canoniques. On le presse de s'expliquer. Il finit par proférer un chef d'accusation : leur Règle veut que la cuiller qu'ils lèchent soit signée [9] à mainte reprise du signe de la croix, et qu'à l'entrée de tout bâtiment, au dedans du monastère, on demande une bénédiction, aussi bien quand on entre que quand on sort [10]. Voyant qu'il n'y avait rien, dans ces griefs, qui méritât d'être discuté en concile, les évêques demandent s'il en a d'autres à formuler. Sur quoi il éclate, disant qu'il sait bien que Colomban s'écarte des usages de tout le monde : même dans la célébration de la messe, il multiplie oraisons et collectes [11] et (il prescrit) quantité d'autres choses incongrues, qu'il faut exécrer comme des traditions hérétiques, ainsi que leur auteur.

(11) Se voyant taxé d'hérésie, lui et les siens, avec son maître, Eustaise répondit : «C'est à vous, qui êtes la gloire du sacerdoce, de discerner quels sont ceux qui répandent dans les Églises des semences de vérité et de justice, et ceux dont l'enseignement s'oppose à la vérité et à la vraie religion. Car tout ce qui s'écarte de la véritable règle de conduite doit être rejeté du corps de l'Église. C'est à vous de juger si les pratiques qui nous sont reprochées s'opposent à la doctrine des Écritures.» Mais les évêques lui disent : «Nous voulons entendre de ta propre bouche ce que tu juges opportun de répondre.» Alors Eustaise dit : «Il ne me paraît pas du tout contraire à la religion de tracer le signe de la croix sur la cuiller que lèche un chrétien ou sur n'importe quel vase ou verre à boire, puisque le signe du Seigneur chasse par sa venue le funeste adversaire qui s'oppose à nous. Quand, d'autre part, un moine entre ou sort de sa cellule, je trouve louable qu'il s'arme de la bénédiction du Seigneur, selon la parole du psalmiste : "Le Seigneur te garde de tout mal. Que le Seigneur garde ton âme. Que le Seigneur garde

9. Citation littérale de *Reg. coen.* 1,7.
10. Voir *Reg. coen.* 3,5 (sortie) et 8 (entrée). Cf. 9,8[f-k].
11. Cf. *Reg. mon.* 7,13-14, où il s'agit cependant de l'office, non de la messe.

ton entrée et ta sortie, dès à présent et à jamais [12]." Et sans doute ce texte s'applique-t-il à tout chrétien : celui qui entre dans l'Église par la foi doit conserver la grâce du baptême et la tenir ferme jusqu'à la fin en persévérant [13] avec vigueur. Mais je trouve bon aussi de l'appliquer aux démarches de la vie quotidienne, soit qu'on entre, soit qu'on sorte, soit qu'on aille n'importe où, et que chacun de nous s'arme alors du signe de la croix [14] et se munisse de la bénédiction de ses confrères. Quant à la multiplication des oraisons aux offices sacrés [15], je pense qu'elle profite à toutes les Églises. En effet, plus on cherche le Seigneur, plus on le trouve, et plus abondante est la prière qui frappe à sa porte [16], plus prompt l'éveil de sa miséricorde envers ceux qui demandent. Il n'est rien à quoi nous devions peiner davantage que de rester en prière. A travers le groupe des Apôtres, le Seigneur nous adresse cet appel : "Veillez et priez, afin de ne pas entrer en tentation [17]." De même, l'Apôtre nous prescrit de prier sans cesse [18]. De même encore, toute la série des saintes Écritures nous commande d'appeler Dieu à notre aide. Celui qui néglige d'appeler, Dieu à son tour le néglige, le retranche des membres du Christ et le rejette. Il n'est rien de si utile et salutaire que de frapper à la porte de notre Créateur en multipliant les prières et en prolongeant les oraisons. »

(12) Ces réponses et d'autres du même genre ayant confondu Agrestius, il ajouta de nouveaux bavardages importuns, s'en prenant à la manière différente de tondre les cheveux [19] et à l'aspect différent qui en résultait : on s'écartait de l'usage universel.

12. Ps 120,7-8 (Psautier Romain et Vulgate).
13. Cf. Mt 10,22. La «sortie» est la fin de la vie : CASSIODORE, *Comm. Ps.* 120,8, qui cite aussi Mt 10,22.
14. Non mentionné par Agrestius, ce signe de croix en sortant est prescrit, après la bénédiction, dans *Reg. coen.* 3,5.
15. Plus vague que *missarum solemnia*, dont parlait Agrestius (10).
16. Cf. Mt 7,7-8 ; Lc 11,9-10.
17. Mt 26,41.
18. 1 Th 5,17. Sur *rogat* («prescrit»), voir I,28 (57) et note 4.
19. Accusation grave : en Angleterre, la tonsure irlandaise soulèvera presque autant de tempêtes que la date de Pâques (BÈDE, *Hist. Eccl.* 3,25-26 ; 5,21-22). Eustaise ne répond rien à ce grief.

10. Châtiment des partisans d'Agrestius. Sa mort. Décès d'Eustaise.

A ce supplément de fadaises [1], à ce futile bavardage, Eustaise, en homme judicieux qu'il était, solidement armé de patience et de science, répondit : «Devant les évêques ici présents, moi, disciple et successeur de celui dont tu condamnes la Règle et les enseignements, je te cite au tribunal divin pour y être confronté avec lui avant la fin de cette année [2]. Tu subiras ainsi l'examen du juste juge, dont tu t'efforces de salir le serviteur en disant du mal de lui.»

A ces mots, certains des partisans d'Agrestius sont pris de peur. Tous joignent leurs exhortations pour que les cœurs s'unissent dans la paix : que l'un renonce à son audace présomptueuse et téméraire, que l'autre ouvre paternellement les bras au coupable en le reprenant avec bonté. A ces appels, le bienheureux Eustaise répondit : «Bien volontiers, je satisferais à vos demandes, si cette pauvre âme faisait fléchir sa dureté maligne, et si, guérie de son mal par le cautère, purgée à fond par l'antidote [3], elle s'efforce de revenir à la santé.» Contraint par tous, Agrestius demande donc la paix – une paix simulée, comme le montra la suite des événements. Quant à Eustaise, son âme douce et vertueuse le fait acquiescer à la requête qu'on lui présente. Il accorde la paix, il donne un baiser.

(13) Cependant Agrestius avait, par crainte de se déconsidérer, fait taire sa folie patente, mais sans mettre fin à tous ses maux. Par la suite, il se mit à travailler les monastères et, sous l'apparence d'un disciple, à se faire payer sa trahison [4]. Il se rendit auprès du vénérable Romaric. Cet homme avait été un des plus hauts dignitaires de la cour du roi Théodebert. Touché par l'exemple du bienheureux Co-

1. *Microloga*, épithète que s'applique COLOMBAN, *Ep.* 1,2 ; 5,1.
2. Cf. Jr 28,16-17. Appel au jugement de Dieu : CÉSAIRE, *Reg. uirg.* 64,5, etc.
3. *Antidoto* comme en II,1 (2) et 9 (8).
4. Mt 26,14-16. Cf. II,9 (6) et note 1.

lomban et la prédication d'Eustaise [5], il était venu à Luxeuil et s'était soumis à la discipline monastique [6]. Après y avoir mené longtemps la vie régulière, il fonda sur ses terres, avec l'autorisation du bienheureux Eustaise, un monastère féminin [7], auquel il donna à observer la Règle du bienheureux Colomban. Il se distinguait déjà par sa belle vie religieuse, quand Agrestius vint à lui, feignant d'être soumis et obéissant. En même temps, le tentateur verse tout doucement ses propos ironiques dans les oreilles d'Amé, que le vénérable Eustaise avait nommé supérieur de cette communauté pour y inculquer la Règle [8].

A cette époque, en effet, Amé et Romaric avaient tous deux été repris par Eustaise en raison de certains relâchements. Les voyant blessés, Agrestius en profita pour attirer à ses vues leurs esprits irrités. Peu à peu il injecta dans leurs esprits encore sains ses propos empoisonnés et y répandit son propre mépris insensé de la Règle du bienheureux Colomban. Hélas, ses funestes conseils et ses avis délétères souillèrent de leur insanité la saine doctrine. Rejetant la Règle antérieure, les maîtres se mirent à donner à leurs ouailles des enseignements sans valeur. Alors que, selon le mot de Job, la main divine, telle une sage femme, fait sortir le serpent du trou [9], ils ne craignirent pas de l'y ramener avec son envieuse jalousie.

(14) Ensuite, Agrestius se rendit auprès de Burgondofare, pour la corrompre, s'il le pouvait, par ses incitations. D'une manière toute virile, qui n'avait rien de féminin, la vierge du Christ le confondit en lui répondant : « Es-tu venu

5. Selon *Vita Romarici* 4-5 (cf. *Vita Amati* 14), c'est Amé qui, « sorti du désert », convertit Romaric, alors à la cour de Clotaire (après 613).

6. *Monachorum* (ms. de Metz). Krusch lit *monarchiam*. *

7. Ce monastère d'Habendum a pris le nom du fondateur (*Romarici mons*, Remiremont). La suite montre qu'il était double.

8. Comme Chagnoald et Walbert à Faremoutiers : II,7 (2). Moine d'Agaune pendant 30 ans, Amé *(Amatus)* y était ermite depuis 3 ans quand Eustaise, revenant de Bobbio en 614, l'amena à Luxeuil et l'envoya prêcher (*Vita Amati* 2-13).

9. Jb 26,13. Cf. II,6 (7) et note 8.

ici, ennemi de la vérité, inventeur d'arguties nouvelles, pour instiller ton venin dans la douceur du miel et changer en mortelle amertume les nourritures qui donnent la vie ? Ceux dont tu médis, je connais, moi, leurs miracles pour en avoir fait l'expérience. J'ai embrassé leur doctrine salutaire, je sais que leurs enseignements en ont conduit beaucoup au royaume des cieux. Je voudrais que tu te rappelles le mot d'Isaïe : "Malheur à qui appelle bien ce qui est mal, et mal ce qui est bien [10]." Hâte-toi de rejeter complètement et au plus vite pareille folie.» Ayant donc eu la bouche fermée par cette réponse de la servante du Christ, Agrestius revient auprès de Romaric et Amé pour continuer son entreprise de détournement et de tromperie.

(15) Le châtiment divin ne se fit pas attendre longtemps. Alors que tous inclinaient désormais à suivre ceux qui méprisaient les enseignements d'antan, des loups enragés firent d'abord irruption dans la clôture au milieu de la nuit, déchirèrent à belles dents deux des meneurs du mouvement et les laissèrent atteints de la rage, voués à une mort misérable. Un autre, nommé Plaureius, qui soufflait de tous ses poumons sur le brasier de la discorde, fut pris d'une rage démoniaque, qui lui infligea une mort infâme : de sa propre main, il se pendit. Ce châtiment n'ayant pourtant pas corrigé les coupables, un autre plus grave suivit aussitôt : soudain, la foudre tombe du ciel, s'abat sur le monastère avec un fracas énorme, parcourt l'église en zigzags, renverse la toiture, brûle et jette en pâmoison la communauté. A ces femmes qui avaient donné aux honteuses suggestions un assentiment d'abord dû à leur excessive simplicité, puis mêlé de quelque malice, la présente punition voulait montrer qu'elles devaient fuir la colère future [11]. Sur le champ, il en mourut une vingtaine. Ensuite, sous le choc de la terreur, la mort les enleva peu à peu, si bien que ce châtiment en fit mourir, dit-on, plus de cinquante.

10. Is 5,20 (Vulgate : *dicitis* pour *dicit*).
11. Cf. Mt 3,7.

Quant à l'auteur du crime, Dieu l'épargnait pour qu'il fît pénitence : s'il comprenait et revenait, il recouvrerait la santé sans nul doute. Car le Seigneur ne veut la perte de personne, mais attend toujours que l'égaré, quelle que soit la gravité de ses fautes, revienne en prenant le remède de la pénitence [12].

(16) Agrestius n'ayant pas compris que la pénitence lui avait été offerte plusieurs fois, la sentence prononcée par le bienheureux Eustaise, qui en avait appelé au jugement divin, allait s'accomplir : trente jours avant que l'année en cours s'achevât, il fut abattu d'un coup de hache [13] par un serviteur qu'il avait lui-même racheté. Le motif du crime était, dit-on, qu'il avait eu des rapports avec la femme de cet homme. Bien que beaucoup le disent en entendent l'affirmer comme un fait véritable, ce n'est pas à nous de l'assurer. Car «Dieu, comme dit Salomon, soumettra tout à son jugement, le bien comme le mal, sans laisser passer aucun écart.» Et l'Apôtre dit : «L'œuvre de chacun, l'épreuve du feu fera voir ce qu'elle vaut [14].» Ce que nous devons dire, toutefois, c'est que la juste sentence du jugement divin ne tarda pas à le frapper ici-bas, afin que ses partisans apprennent à ne pas dénigrer les serviteurs de Dieu et que lui-même subisse le châtiment mérité par sa rébellion criminelle.

Quant à Amé et à Romaric, ils demandent pardon au bienheureux Eustaise et, ayant fait disparaître tout laisser-aller, l'obtiennent.

(17) De leur côté, Abelin et les autres évêques gaulois s'emploient désormais à soutenir les institutions du bienheureux Colomban. Nombreux, dès lors, sont ceux qui, pour l'amour de Colomban, construisent des monastères observant sa Règle, réunissent des communautés, rassemblent des troupeaux du Christ. Parmi eux, un homme qui portait

12. Paraphrase d'Ez 18,23; 33,11.
13. Comme déjà le révolté Théodemund, d'après II,1 (2).
14. Ec 2,14; 1 Co 3,13.

alors le titre d'Illustre et qui gouverne à présent, comme évêque, l'Église de Vermand – puisqu'il est encore en vie, je dois m'abstenir de faire son éloge, sous peine d'être accusé de flatterie [15] – Éloi, donc, construisit près de Limoges, au bord de la rivière de Vienne [16], le fameux monastère de Solignac, à quatre milles de la cité, ainsi que plusieurs autres moutiers dans la même région. De plus, il bâtit à Paris un monastère de femmes [17], que lui avait octroyé la munificence royale, et il mit à sa tête la vierge du Christ Aurea.

Dans la cité de Bourges, une femme de naissance et de religion également nobles, Bertoare [18], construisit un monastère de femmes observant la Règle du bienheureux Colomban. Dans le territoire dépendant de la cité de Bourges, le vénérable Théodulfe, surnommé Babelène, construisit à son tour des monastères pratiquant, selon la Règle de Colomban, une vie religieuse sans défaut. Le premier se trouve sur une île de la rivière Marmande [19] ; il y réunit une communauté religieuse masculine. Le second, qui se nomme Jouy, est situé non loin de la petite rivière de l'Aubois [20]. Le troisième est pour les vierges du Christ ; il se trouve en une localité nommée Charenton, au bord de la rivière Marmande mentionnée plus haut. Enfin il en construisit un autre pour vierges du Christ près de la ville de Nevers, toujours sous la même Règle.

15. Écho de JÉRÔME, *De uiris ill.* 124 (Ambroise). Succédant à Achaire (cf. II,8 et note 14), Éloi fut sacré le 13 mai 641 (*Vita Eligii* II,2).

16. Ou plutôt la Briance, affluent de la Vienne, à 9 km («6 milles», non 4) de Limoges d'après *Vita Eligii* I,16. La charte de fondation (632) mentionne Benoît avant Colomban.

17. Saint-Martial, près de l'actuel Palais de Justice, avec la basilique funéraire Saint-Paul, origine de l'actuelle église de ce nom près de la Bastille. Il avait des terres à Gentilly (*Vita Eligii* II,17). Éloi y aurait réuni 300 moniales (I,17-18), dont 160 moururent avec Aurea au cours d'une peste (II,53).

18. Mentionnée, avec son monastère, dans *Vita Austregesili* 9 et 13.

19. Aujourd'hui Isle, à 14 km S.-E. de Charenton (Cher).

20. *Gaudiacum.* Sur ce lieu-dit, à 4 km S.-O. de Sancoins (Cher), voir LAUGARDIÈRE, p. 172, qui le préfère à Jouet-sur-l'Aubois (Krusch).

(18) A la suite de ces victoires, le bienheureux Eustaise s'employa à corriger ceux qui avaient failli et décida de les admettre dans la communauté de ceux qui étaient restés en paix avec lui. Le nombre des moines placés sous son obédience dans le monastère dont nous avons souvent parlé était devenu si considérable que l'on se mit à bâtir quantité de monastères dans le voisinage. Ce fut Walbert, son successeur, qui les établit définitivement et mena à bien leur construction. Attendant désormais son bienheureux départ de cette vie, Eustaise s'applique de toutes ses forces et de tout son pouvoir à considérer les mystérieux enseignements de la Révélation. L'âme tendue vers Dieu seul, il s'épanche en prières qu'il fait monter vers lui.

Il s'était adonné à cet exercice pendant plusieurs années, quand survint le temps de son appel. Une sentence du juste juge prononça que quelques jours de maladie corporelle guériraient ce que n'avaient pas purifié des années passées à souffrir de divers maux. Tandis que cette peine le brûlait, il lui fut demandé, au cours d'une vision nocturne, s'il préférait être guéri par quarante jours [21] de peine légère, ou entrer au ciel pour y jouir de la vie bienheureuse au bout de trente jours de flammes plus brûlantes. Il répondit qu'il valait mieux subir pendant peu de temps les tourments les plus durs que d'être consumé plus longtemps de peines plus légères. Il purgea donc la peine corporelle qu'il avait prévue et choisie.

Le trentième jour, il dit adieu à tous et leur fit une triste prédiction en annonçant qu'il partirait ce jour-là. Ayant reçu le viatique, il rendit son âme au ciel, ne laissant ici-bas que des regrets [22], et aux vivants son gouvernement paternel ainsi que l'exemple de sa vie religieuse. En vainqueur triomphant, il est entré au royaume céleste sous la conduite du Christ, à qui soit puissance et honneur pour tous les siècles des siècles. Amen.

21. Cf. II,5 (6) : prémonition de 50 jours (Attale).
22. De même Agibod en II,25 (19). Eustaise meurt en 629.

[LES MIRACLES D'ÉBORIAC]

11. Le monastère d'Éboriac. Mort de Sisetrude et chant des anges.

(1) Le lecteur s'en souvient, je l'espère : j'avais promis plus haut [1] de parler du monastère nommé Éboriac, édifié par Burgondofare avec zèle et dévouement sous la Règle du bienheureux Colomban, de dire combien et quels grands miracles le Semeur de toutes choses [2] avait daigné faire éclater en ce lieu pour l'encouragement de ses servantes.

Déjà, Burgondofare maintenait sous la discipline régulière la cohorte des nombreuses vierges qui, sous la conduite du Christ, s'étaient réunies autour d'elles; lors donc, une de ses disciples nommée Sisetrude, cellérière du monastère [3], connut par révélation son prochain départ de cette vie. Un délai de quarante jours lui était ménagé [4] : ainsi avertie, elle recevait l'ordre de préparer son voyage, de corriger ses mœurs, d'amender sa vie et de se tenir prête en toutes choses.

Trente-sept jours s'étaient écoulés [5] qu'elle avait passés en grande piété, brisant son corps par le jeûne, la prière mêlée de larmes et le labeur des veilles, afin d'aplanir les chemins de son prochain voyage. Alors se présentèrent deux jeunes gens vêtus de longues robes blanches [6] ; retirant l'âme du corps, ils l'emportèrent à travers les airs, et après l'avoir examinée, la déposèrent dans les cieux. Mêlée au chœur des anges et introduite dans la foule de tous les élus en vê-

1. Voir II,7 (9) : annonce de miracles *(uirtutes)*.
2. *Rerum sator* comme en II,12 (5). Cf. ARNOBE, *Adu. nat.* 2,45.
3. Cf. II,7 (26) et WALBERT, *Reg.* 4, paraphrase de *RB* 31.
4. De même en II,10 (18). «Préparatifs» : II,5 (6). Cf. GRÉGOIRE, *Dial.* IV,18,1 : Musa doit se préparer à partir dans 30 jours.
5. Anticipation de trois jours comme chez GRÉGOIRE, *Dial.* IV,6,4-6 (Romula visitée par les saints) et 27,10-13 (Armentarius emmené au ciel).
6. Hommes «en blanc» : GRÉGOIRE, *Dial.* IV,27,4; «jeunes» : *Dial.* IV, 27,7 (cf. *Dial.* I,4,8 et 12,2).

tements blancs, elle fut invitée à recevoir les joyeux honneurs de sa victoire sur le siècle. Déjà, elle savourait l'exultation débordante. Sans la moindre inquiétude, elle était au milieu des joies éternelles. Mêlée au chœur des vierges, elle tressaillait d'allégresse dans la gloire suprême, devant le tribunal du Juge clément, lorsqu'il lui fut enjoint de retourner à son corps et de revenir le troisième jour. Elle est ramenée dans son corps [7], afin d'être mieux préparée après ces trois jours et d'accomplir le cycle des quarante jours.

(2) Revenue dans son corps, elle appelle la Mère, prie toute la compagnie des servantes de Dieu de la secourir de leurs prières, et leur affirme que trois jours lui sont accordés d'ici à la fin de sa vie. Le troisième jour étant donc arrivé, elle demande à la Mère de venir et supplie que toutes attendent son décès. Toutes l'entourent alors, veulent l'empêcher de partir, lui promettent le retour à la santé, refusant de croire à sa prédiction. Elle voit les deux jeunes gens, qu'elle avait vus auparavant, venir vers elle et lui demander si elle désire partir. Joyeuse, elle s'écrie : « Je m'en vais, mes seigneurs [8], je m'en vais ; que je ne sois pas plus longtemps retenue dans cette vie pleine de misères, mais que je retourne à cette lumière dorée dont je suis revenue ! » La Mère Burgondofare lui demande à qui s'adressent de telles paroles [9]. « Ne vois-tu pas, répond-elle [10], ces jeunes gens vêtus de robes longues, qui avant-hier m'avaient emmenée au ciel, et maintenant sont prêts à m'y reconduire ? » A la Mère émerveillée et à toutes celles qui l'entourent, elle dit un dernier adieu et quitte cette vie. Attentives toutes à son départ, toutes entendent les chœurs des anges chanter et porter dans les airs de douces mélodies, et toutes en sont frappées de crainte en même temps que de joie. Sorties de la cellule où se trouvait le corps de la défunte, elles con-

7. Cf. SULPICE SÉVÈRE, *Vita Mart.* 7,6 : deux anges ramènent l'âme à son corps.

8. De même le prêtre de Nursie et la petite Musa (GRÉGOIRE, *Dial.* IV, 12, 4 et 18,2). « Lumière dorée » : voir *Hymne* I, v. 51 et note 19.

9. Même question des proches chez GRÉGOIRE, *Dial.* IV, 12,4.

10. Même réponse du mourant chez GRÉGOIRE, *Dial.* IV, 12,4 (cf. 15,4).

tinuèrent à entendre, aussi longtemps qu'une oreille humaine put les saisir, les voix angéliques chanter [11].

Ce fut là le premier des encouragements qu'il plut au Seigneur de donner à ses servantes dans ce monastère, afin que, retenues encore ici-bas, elles aspirent de toute leur âme à la perfection de la vie religieuse.

12. Gibitrude embrasse la vie monastique. Sa sortie de ce monde.

(3) Et voici un nouvel encouragement. Une vierge nommée Gibitrude, noble par sa naissance et sa piété [1], appelée par la vocation, quitta le monde pour gagner le susdit moutier et fut reçue avec joie par Burgondofare, la Mère du monastère, tel un agréable présent [2], car elle lui était proche parente. Gibitrude avait été enflammée d'un feu si ardent qu'en toutes choses on voyait la grâce du Saint Esprit flamboyer en elle.

Encore retenue à la maison paternelle, sous l'inspiration de l'Esprit Saint, elle voulait pratiquer la vie religieuse; elle avait demandé à son père et à sa mère de lui construire un oratoire où elle pourrait servir son Créateur. Toutefois les parents prirent mal la chose. Ils étaient tous deux de nobles Francs [3] et ne se souciaient nullement d'entrer dans la voie conduisant au royaume des cieux, mais désiraient bien plus maintenir le vain éclat de leur noblesse mondaine et désiraient donc avoir une descendance de leur fille, plutôt que de donner leur enfant au Ciel. Mais comme ils ne pouvaient venir à bout de la détermination de la jeune fille, cédant à ses instances, ils lui construisirent un tout petit

11. Cf. GRÉGOIRE, *Dial.* IV, 16, 7 : la psalmodie s'éloigne vers le ciel.

1. Comme Bertoare en II,10 (17); cf. I,14 (22) : Flavie.
2. Même formule en I,30 (61) à propos de Clotaire.
3. Parente de Gibitrude, Burgondofare («de race burgonde») était donc sans doute franque, elle aussi, malgré son nom (GUÉROUT, *Fare*, col. 510-511).

oratoire [4]. Comme elle le fréquentait jour et nuit, la ruse de l'ennemi malin se mit à lui décocher des traits; il entreprit, en se servant de sa nourrice [5], de lui préparer des embûches, l'empêchant de fréquenter l'oratoire. La jeune fille, se voyant tourmentée, commença d'implorer de la clémence du Créateur que celle qui l'empêchait de prier avec assiduité et voulait lui ôter la lumière de l'âme fût elle-même privée de la lumière extérieure [6].

(4) Pas de lenteur dans la bonté divine : aussitôt frappée d'un mal d'yeux, la nourrice était privée de l'indispensable lumière; le Juge clément redoublait la crainte des parents en frappant le père de fièvres. Celui-ci, bien qu'enflé de sa noblesse, commença, à l'exemple de sa fille, de montrer une crainte religieuse et la pria d'intercéder auprès du Seigneur pour son père; et si par son intercession la santé lui revenait, il se disait prêt à faire sa volonté en toutes choses. La guérison ne fut pas longtemps différée [7] ni refusée à qui la demandait avec confiance. Le feu de la fièvre dissipé, le père était aussitôt rendu à la santé, et de nouveau la jeune fille le priait de la laisser aller au monastère.

Elle avait passé là de nombreuses années de vie religieuse, lorsqu'il arriva que Burgondofare fut saisie par les fièvres, et l'on crut qu'elle allait être détachée des liens de la vie présente [8]. Gibitrude, voyant la Mère du monastère à toute extrémité, angoissée, entre dans la basilique [9] et supplie le Seigneur, la voix pleine de larmes, de se souvenir de son ancienne miséricorde et de ne pas laisser mourir la Mère, mais bien plutôt de la recevoir et de la prendre elle-même avec ses compagnes dans le ciel, et seulement après d'y appeler la Mère. Ses larmes à peine taries, elle entend une voix d'en-haut lui dire : « Va, servante du Christ, il a été

4. *Oraculum* (cf. GRÉGOIRE, *Dial.* II, 8, 11) équivaut à *oratorium.* *
5. *Baiolam*, bonne d'enfants; cf. JÉRÔME, *Ep.* 3,5 (masculin).
6. Prière pour le châtiment d'un adversaire : II,9 (10) et 17 (12).
7. La négation *(nec)* semble porter aussi sur ces deux mots.
8. Occasion probable du Testament de Fare, cette maladie mortelle pourrait dater d'octobre 633 ou 634 (GUÉROUT, *Fare*, col. 524).
9. Appelée plus loin *ecclesia*. Cf. I,17 (29) et note 16.

fait selon ta demande. Elle, donc, restera en vie parmi les autres, mais toi, tu seras déliée la première des liens de la chair.» Peu après, saisie par la fièvre, sa dernière heure vint et elle rendit l'âme.

Accueillie déjà par les anges et transportée au-delà de l'éther – ainsi qu'elle le racontait elle-même ensuite –, placée devant le tribunal du Juge éternel, comme elle contemplait les troupes des élus vêtus de blanc [10] et toute la milice céleste, debout face à la gloire du Juge éternel, elle entendit une voix venant du trône : « Va-t'en, car tu n'as pas complètement renoncé au siècle. Il est bien écrit : "Donnez et il vous sera donné", et ailleurs dans l'Oraison : "Remettez-nous nos dettes comme nous les remettons à ceux qui nous ont offensés [11]"; or, tu n'as pas tout pardonné à tes compagnes, car tu as retenu les offenses qu'elles t'ont faites. Souviens-toi de tes sentiments de rancœur envers trois de tes sœurs, et que tu n'as rien fait du tout pour guérir complètement par le remède de l'indulgence la blessure qui t'avait touchée au vif. Corrige ton caractère, amende tes sentiments que, par tiédeur et par négligence, tu as rendus laids.»

(5) O merveille ! De retour sur terre, et reprenant son ancienne vie, elle révèle, au milieu de pitoyables lamentations, la sentence portée, elle confesse son crime, appelle les compagnes contre lesquelles elle avait entretenu du ressentiment, implore le pardon afin que cette rancune dissimulée ne lui mérite pas d'être privée de la vie éternelle. Ayant recouvré la santé, elle vécut six mois encore ici-bas; puis, saisie par la fièvre, elle prédit le jour de sa mort [12], annonça même l'heure de sa sortie du monde. Son départ fut si heureux que dans la cellule où reposait le corps inanimé, on aurait cru que les baumiers distillaient [13]. A nous tous qui étions là présents [14], cela parut un grand prodige.

10. *Candidatorum* comme en II,11 (1).
11. Lc 6,38; Mt 6,12 (Vulgate).
12. Cf. GRÉGOIRE, *Dial.* I,8,2, etc. (voir *SC* 265, p. 357).
13. De même chez GRÉGOIRE, *Dial.* IV,15,5; 16,5; 17,2.
14. Jonas a donc passé un mois au moins à Faremoutiers en 634 ou 635.

En outre, le trentième jour, comme selon l'usage de l'Église nous voulions faire sa commémoraison et célébrer solenellement la messe [15], un tel parfum remplit l'église qu'on aurait pu croire qu'il y avait là les effluves de tous les onguents et de tous les aromates [16]. Et c'est à juste titre que le Semeur de toutes choses fait resplendir de ses grâces éclatantes les âmes qui lui sont ici consacrées et qui, pour son amour, n'ont voulu en aucune façon s'attacher au monde ni l'aimer [17].

13. Vie et mort d'Ercantrude.

(6) Une jeune fille, encore une enfant, nommée Ercantrude, de parents nobles, se convertit et entra dans le susdit monastère. Après qu'elle y eut passé de nombreuses années dans une vie de piété, il advint que le juste Juge voulut l'éprouver ici-bas par des souffrances physiques. Son âge encore tendre subit de si grands tourments qu'on aurait cru, devant ses multiples et atroces souffrances, voir revivre en elle l'exemple de Job. Mais, malgré sa jeunesse, admirable était la patience qu'on découvrait en elle, admirable sa vertu d'humilité, admirable sa mansuétude, admirable sa piété, admirable sa douceur, admirable sa charité [1]. Au milieu de ses cuisantes douleurs, elle gardait sa force d'âme, une foi inébranlable, une immuable bonté, une extraordinaire abondance de larmes. Plus son corps était torturé par la douleur, plus l'espérance des joies [2] et l'exultation de la vie éternelle réjouissaient son âme.

La Mère l'avait élevée sous une garde si vigilante dans la clôture du monastère qu'elle eût été incapable de recon-

15. Messe du 30ème jour : AMBROISE, *De ob. Theod.* 3 (cf. Dt 34,8) ; *Sacramentaire Gélasien* III, CV.
16. Cf. GRÉGOIRE, *Dial.* III, 30,5 (autres références *supra*, n. 13).
17. Conclusion analogue en II,6 (7). *Rerum sator* : II,11 (1) et 18 (13).

1. Ces vertus, dont trois sont répétées plus bas, étaient déjà celles des compagnons de Colomban en I,5 (11), où *tanta* remplace *mira*.
2. Cf. Rm 12,12 : *spe gaudentes*.

naître les différents sexes, ne distinguant pas un homme d'une femme, ni une femme d'un homme [3]. Elle était le modèle de toutes par sa conduite généreuse, sa courageuse patience, son ardente piété, son affectueuse douceur; aussi était-elle chère à toutes [4]. Il lui arriva cependant de commettre une action contraire à la règle. Elle en fut reprise par la susdite Mère, qui lui imposa une pénitence en réparation de sa faute, la privant de recevoir le Corps du Seigneur jusqu'à ce qu'elle eût purgé sa peine [5]. Entendant cette interdiction de recevoir le Corps sacré, son cœur fut profondément meurtri, elle fondit en larmes, car le lendemain c'était la sainte solennité du trépas du bienheureux évêque Martin.

(7) Veillant donc cette nuit-là, et implorant la rémission de sa faute pour ne pas encourir un tel dommage que d'être écartée par sa faute du Corps du Christ, elle mérita enfin, à force de larmes, par ses cris de douleur et ses fréquents soupirs, le pardon et la consolation du Seigneur. « Va, lui dit-il, dès aujourd'hui tu es réconciliée avec le Corps du Christ, car la faute pour laquelle tu priais t'est pardonnée. Fais connaître à la Mère ce que je t'ai dit. » Dès le matin, elle le manifeste humblement à la Mère en confession [6], et, réconciliée au Corps sacré, elle mena dans la suite une sainte vie.

Beaucoup plus tard, le Créateur de toutes choses voulant la mettre au ciel, une fièvre brûlante la saisit. Déjà à toute extrémité, elle s'écria : « Vite, accourez, séparez de vous celle qui est morte et chassez-la de la compagnie des autres, car il ne convient pas que des vierges crucifiées pour le monde, vivant pour le Christ et non plus pour elles-

3. Garde maternelle comme en I,2 (6). Ensuite, voir *Vitae Patrum* 5,5,21 : un enfant élevé au monastère ignore les femmes.

4. Voir II,4 (5) et note 2.

5. WALBERT, *Reg.* 16, distingue les communiantes et les non communiantes (pour fautes graves). Selon *Vita Patrum Iurensium* 151, c'est l'abbé, non le prêtre, qui prive de la communion.

6. Cf. II,19 (15). Cette première confession a lieu après la *secunda*, au dortoir, d'après WALBERT, *Reg.* 16; DONAT, *Reg.* 19,2-3.

mêmes [7], gardent parmi elles une morte, séparée de la vraie vie.» Toutes s'interrogent mutuellement et cherchent à comprendre ce que leur sœur a voulu dire. Mais l'une d'elles, confuse et frappée de terreur, se prosterne sur le sol, confesse son péché et promet de s'amender en tout. Elle était, en effet, fort occupée du monde et, regrettant la vie séculière, ne s'étudiait nullement à se mortifier, mais vivait toute au siècle.

Après, lorsque la nuit noire fut tombée, chassant la lumière et tenant la terre dans l'obscurité, Ercantrude demanda qu'on éteignît la lampe dans la cellule où elle était couchée. Ses sœurs lui demandent ce qu'elle veut dire, et elle de répondre : «Ne voyez-vous pas combien est éblouissante la lumière qui s'approche, et ne les entendez-vous pas, les chœurs de ceux qui chantent [8] ?» Comme on s'enquérait de ce qu'elle entendait chanter, elle répondit : «"Louez le Seigneur, parce qu'il est bon, parce que Sa miséricorde est à jamais. Louez le Dieu des dieux, parce que Sa miséricorde est à jamais [9]" et les paroles qui suivent; voilà ce que toutes les bouches chantent.» Puis, à toutes celles qui, ravies d'admiration, l'entouraient, tant à la Mère qu'à ses compagnes, elle dit un dernier adieu [10] et rendit l'âme, et après son heureux trépas, parvenue au ciel, elle mérita d'y posséder les joies éternelles et de recevoir, en échange des peines de cette vie, les richesses de la vie éternelle.

14. Mort d'Augnoflède et chants des anges.

(8) Une autre vierge, en ce même temps, du nom d'Augnoflède, exhalant son dernier souffle, reçut en échange de la perte de cette vie les richesses de la vie éternelle [1] et

7. De même WALBERT, *Reg.* 23 (cf. 17). Voir aussi COLOMBAN, *Reg. mon.* 4,1. Clairvoyance à l'heure de la mort : GRÉGOIRE, *Dial.* IV, 27, 1.
8. Cf. II,11 (2); GRÉGOIRE, *Dial.* IV, 12,4 et 15,4.
9. Ps 135,1-2, avec l'*aeternum* de la Vulgate (Romain : *saeculum*).
10. Comme Sisetrude en II,11 (2); cf. II,10 (18).

1. Répète à peu près la fin de II,13 (7).

s'échappa, joyeuse, des liens de la chair; elle mérita, en quittant ce monde, d'avoir de semblables chants au moment de son décès. Car des sœurs qui étaient loin de sa dépouille [2] entendirent clairement, de leurs oreilles, des chants qui disaient ces mots : «Tu m'aspergeras avec l'hysope et je serai purifié; tu me laveras et je deviendrai plus blanc que neige; tu me feras entendre une parole de joie et d'allégresse, et mes os humiliés exulteront [3].»

15. Mort de Deurechilde. Les cieux lui sont ouverts.

(9) Si l'Inventeur de tous biens [1] ne cesse d'augmenter au cours des siècles la splendeur de sa majesté par les âmes justes et pleines du don de l'innocence, c'est assurément afin d'accroître et de renouveler ses encouragements à la vie parfaite. Il arriva donc que, dans le susdit monastère, une petite adolescente appelée Deurechilde se convertit en même temps que sa mère. Elles avaient déjà passé bien des jours dans le susdit monastère, lorsque le tentateur s'approcha de la mère afin de lui fermer le chemin du céleste royaume où elle s'était engagée. Mais lorsque la mère, manquant de force, se laissait persuader par faiblesse, les reproches de sa fille adolescente, au contraire, détruisaient la coalition du mal.

Depuis longtemps déjà, l'âme de la vierge consacrée à Dieu dès son adolescence rendait à son Créateur des fruits abondants. Un jour, elle vit les cieux ouverts [2], et contemplant de ses yeux le Semeur éternel de tous biens, attentive à la lumière de la gloire céleste, elle mérita également d'entendre ces paroles : «Viens à nous, et délivrée des liens de ton corps, reçois la vie éternelle.» Les sœurs alors présentes, étonnées, cherchent à connaître en toute exactitude ce qui

2. Cf. II,17 (12). Chant perçu par les sœurs comme en II,11 (2).
3. Ps 50,9-10 (Psautier Romain; la Vulgate omet le dernier *et*).

1. *Rerum repertor* : voir II,5 (6) et note 1.
2. Comme Attale en II,6 (7). Cf. Ac 7,56.

vient de se produire, ce qu'elle regarde les yeux fixés au ciel; car elles ont beau remuer les paupières [3], elles ne voient rien qui puisse être l'objet de sa contemplation. Deurechilde répond alors qu'on l'appelait là-haut et qu'elle était délivrée des liens de cette vie.

(10) C'était un samedi. Le lendemain dimanche, dès le point du jour, la petite adolescente saisie de fièvre attendait son départ. Anxieuse, sa mère, voyant la mort fondre sur son unique enfant, demande au milieu de ses cris et de ses sanglots que sa fille soit rendue aux vivants, si toutefois cela est possible, ou bien, si elle touche au terme de sa vie, d'être attirée sans tarder à sa suite hors de cette vie [4], car elle ne saurait vivre après son départ. Mais Deurechilde lui dit : « Charnels sont les désirs qui te poussent à ces demandes répétées; cependant si je le peux, me montrant favorable à tes prières, après les remèdes d'une pénitence convenable, je t'attirerai à moi [5], si le Christ m'en accorde la faveur. »

Sans retard, parvenue à sa dernière heure, elle demande la Mère du monastère. Comme celle-ci arrivait en toute hâte pour rendre les derniers honneurs à l'âme qui sortait de ce monde, la jeune fille, l'apercevant, la remercia pleine de joie, et lui disant adieu ainsi qu'à toutes ses compagnes [6], lui confia sa mère. Sur ce, elle demanda qu'on fît silence. Toutes donc attendaient silencieuses le départ de son âme, lorsqu'elle s'écria : « Faites place ! mon Créateur vient à moi, mon Sauveur s'avance [7]. » Puis elle dit à la Mère de l'aider à réciter l'Oraison dominicale et le Symbole [8], car ses lèvres

3. Ou « ses paupières ne remuant pas » (regard fixe de la voyante). *

4. Dans *Vita Euphrasiae* 32-34, Julia obtient de mourir 5 jours après Euphrasie.

5. Cf. GRÉGOIRE, *Dial.* IV,14,4 : Galla demande que Benedicta « s'en aille avec elle ».

6. Dernier adieu comme en II,10 (18) et 11 (2).

7. De même chez GRÉGOIRE, *Dial.* IV,17,2, Tarsilla mourante s'écrie : « Retirez-vous ! Retirez-vous ! Jésus vient. »

8. A l'office du coucher, appelé *Ad pacem* (cf. *Reg. coen.* 14,2), on récitait le Symbole et l'Oraison dominicale (*Antiphonaire de Bangor* 35-36, 597 B-C), sans doute en prévision d'une mort nocturne, comme l'explique FRUCTUEUX, *Reg.* 2 (1,28-32 Campos), qui parle seulement du Symbole. *

tremblantes étaient incapables d'en prononcer les paroles d'une voix assurée. Ces prières achevées, dans la cellule inondée d'une délicieuse lumière, elle rendit joyeuse son âme au Créateur.

Aussitôt, sa mère tomba malade et, durant l'espace de quarante jours [9], subit d'affreuses tortures physiques. Le cycle de ces quarante jours étant écoulé, elle fut d'abord terrifiée par de terribles visions diaboliques [10] ; ensuite, consolée par la libéralité de Dieu, elle déclara que l'intercession de sa fille lui avait obtenu son pardon; puis elle rendit au ciel son âme [11] délivrée des liens de la chair. Il nous est donné par là de comprendre que celle qui n'avait pu, par ses propres mérites, échapper aux ravages du siècle, avait dû à l'intervention de sa fille d'être sauvée à bref délai par la pénitence, en supportant les châtiments qui lui furent infligés.

16. Domma et les deux petites filles qui virent un rayon de lumière briller dans sa bouche.

(11) Si les faits que nous rapportons servent au progrès et à l'avancement des justes, ou même à l'amendement des pécheurs, nul ne doit y voir une compilation de détails inutiles [1]. Il n'est pas douteux, en effet, que les châtiments des uns servent d'avertissement à beaucoup et les rendent plus vigilants pour acquérir les biens célestes.

Un dimanche, Burgondofare, dont nous avons souvent parlé, suivait avec la communauté des servantes de Dieu la célébration de la messe. Déjà, elles participaient à la communion du Corps sacré. L'une d'elles, Domma, venait de recevoir le Corps du Seigneur et de boire son Sang, et mêlée

9. Cf. II,10 (18) et 11 (1). Chez GRÉGOIRE, *Dial.* IV,14,4-5, Benedicta suit Galla au bout de 30 jours seulement.
10. La crainte purifie les mourants : GRÉGOIRE, *Dial.* IV,48.
11. Même formule en II,10 (18).

1. Réponse aux détracteurs comme en I,15 (23) et II,25 (24).

au chœur sacré, elle chantait avec ses compagnes : « Recevez en vous ce Corps sacré du Seigneur, ce Sang du Sauveur pour la vie éternelle [2].» Or, dans sa bouche brillait un globe de feu d'un éclat étincelant. Aucune des religieuses présentes ne remarqua l'apparition de ce feu, mais deux petites filles, placées près de Domma et que leur innocence rendait toutes pures, virent les rayons qui sortaient de la bouche de la susdite Domma briller [3] d'un éclat extraordinaire pendant les modulations du chant. Incapables de se taire, elles s'écrièrent : « Regardez, regardez ce globe rutilant qui brille dans la bouche de Domma ! » A ces paroles, la Mère leur imposa sévèrement le silence [4], de peur que la vanité (comme il advint, en effet) ne souillât le cœur de celle dont la bouche, débordant de grâce, laissait échapper une douce lumière. Mais gâtée par sa faiblesse, après avoir joui des dons de l'Esprit-Saint, elle se prit à aimer les aiguillons de l'orgueil et de la superbe, à se buter dans l'obstination [5], à faire montre de hauteur et d'arrogance, au point de mépriser la Mère, de dédaigner ses compagnes et de ne tenir aucun compte de leurs avertissements.

Aussitôt elle est prise de fièvre ; réduite à toute extrémité, elle ne cherche cependant pas à se corriger.

Quant à celles qui avaient été témoins du prodige, l'une, nommée Ansitrude, est saisie d'un mal de tête, l'autre de la fièvre, et parvenant à leurs derniers moments, elles attendent leur trépas. Déjà la cohorte des vierges, leurs compagnes, s'est assemblée auprès d'elles et s'apprête à psalmodier au moment de leur départ, lorsque l'une des mourantes commence à chanter pieusement de douces mélodies,

2. Chant *Ad communicare* dans *Antiphonaire de Bangor* 112 (606 A).

3. Cf. SULPICE SÉVÈRE, *Dial.* II,2 : pendant la messe, un globe de feu s'élève au-dessus de la tête de Martin. Seuls, dans la foule, cinq consacrés le voient briller.

4. Cf. SULPICE SÉVÈRE, *Dial.* I,10 : un abbé corrige deux enfants qui ont fait un miracle, pour chasser d'eux la vanité. Voir aussi GRÉGOIRE DE TOURS, *Hist. Franc.* 4,34.

5. Écho de COLOMBAN, *Reg. mon.* 1,4.

inconnues jusqu'alors aux oreilles humaines [6], et à prier le Créateur avec des paroles admirables, des prières inouïes, des mystères ineffables, tandis qu'un parfum d'une étrange suavité remplissait la cellule. C'était la neuvième heure du jour quand ce parfum très suave remplit la cellule; une odeur balsamique s'échappait de sa poitrine [7], et toute la nuit, puis tout le jour qui suivit, jusqu'à la neuvième heure de ce nouveau jour, la suavité de ce parfum et les modulations du chant persévérèrent [8]. Enfin, toutes deux demandent à la Mère de chanter, annonçant qu'elles étaient sur le point de partir. En même temps que leur dernier souffle disparut le parfum odorant.

Ce qui donne à croire, indubitablement, que Domma eût, elle aussi, mérité la même gloire d'un si beau départ, si elle ne l'eût perdue par le vice d'orgueil et d'arrogance.

17. Wilsinde et sa prophétie. Chant des anges.

(12) D'autres encouragements à mériter cette gloire ont été encore donnés dans ce monastère, afin que la manifestation de la divine bonté rende plus attirantes les richesses de la vie éternelle. Wilsinde, une Saxonne [1], se convertit dans ce monastère. Elle y avait mené la vie religieuse durant de nombreuses années, lorsqu'un certain jour, alors qu'elle travaillait au jardin dans la clôture du monastère, elle dit à ses compagnes : «Bientôt, l'une de nous qui cultivons des légumes dans cette terre partira; aussi devons-nous être prêtes, de crainte que la tiédeur et la négligence n'engendrent la privation de la vie éternelle.» Elles lui demandèrent qui ce serait, mais elle ne voulut en aucune manière le leur dé-

6. Cf. 1 Co 2,11. Connaissances surnaturelles imparties à un mourant : GRÉGOIRE, *Dial.* IV,27,11-12.

7. De même en II,12 (5). Cf. GRÉGOIRE, *Dial.* IV,15,5 ; 17,2.

8. Odeur et chant : même couple chez GRÉGOIRE, *Dial.* IV,16,7 (cf. 15,4-5).

1. D'Allemagne (GUÉROUT, *Faremoutiers*, col. 537) plutôt que d'Angleterre (Krusch). *

voiler. L'attente ne fut pas longue : elle fut prise d'une douleur physique.

Elle était tourmentée de multiples angoisses quand elle se mit à tourner vers le ciel un visage joyeux, et à réciter des pages des Écritures jusque-là ignorées d'elle [2], commençant par les Livres de Moïse suivant leur ordre depuis le début, puis disant de mémoire toute l'Écriture, livre par livre. Après l'Ancien Testament, elle prononça les mystères vivifiants de l'Évangile et des Apôtres. Elle dit aussi à celles qui devaient lui survivre de ne pas s'adonner à la tristesse; bien vite le Seigneur tirerait vengeance de leurs ennemis, promesse lui ayant été faite qu'elles recevraient cette consolation [3].

Le monastère avait en effet un ennemi en la personne d'Éga, homme d'une situation éminente, auquel Dagobert mourant avait confié son fils Clovis et son royaume [4]. Cet Éga nuisait au monastère, en violait les limites et persécutait, chaque fois qu'il en trouvait l'occasion, tous les familiers qui vivaient à l'entour [5]. Mais il ne jouit pas longtemps du fruit de son entêtement, car peu après la promesse de vengeance, il fut frappé de mort [6].

Ensuite, les prières et les supplications relevant de l'office des prêtres, Wilsinde se mit à les chanter doucement. Toutes celles qui l'assistaient s'émerveillaient grandement, mais elle apostrophe l'une d'entre elles [7] : « Rejette, dit-elle, rejette loin de toi ces ordures ! » Et comme les autres cherchent ensemble ce qu'elle peut bien vouloir dire, elle répond : « Ne voyez-vous pas de combien de souillures son âme est encombrée et polluée, ne s'étant nullement appliquée à

2. Charisme de mourante comme en II,16 (11).
3. Le châtiment du méchant console : II,9 (10) et 12 (3-4).
4. Cf. FRÉD. 79 (janvier 639). Portrait d'Éga : FRÉD. 80.
5. D'après FRÉD. 83, le gendre d'Éga tua, vers le début de 641, un comte Aenulfe qui est probablement Chagnulfe, fils de Chagnéric et frère de Fare (cf. GUÉROUT, *Jouarre*, p. 24-25). Les deux familles étaient donc en conflit. *
6. Éga meurt à Clichy au début de 641, quelques jours après le meurtre d'Aenulfe (note précédente) : FRÉD. 83 (cf. 80). *

nettoyer par la confession le champ de son cœur que, étant encore dans le monde avant de se cloîtrer ici, elle avait profané de toute sorte d'immondices ?»

Transpercée de crainte, saisie de honte et démasquée par la lumière de l'Esprit Saint, celle à qui de telles paroles avaient été adressées se prosterne sur le sol et découvre à la Mère, par la confession, ses fautes cachées.

Ensuite, celle qui attendait la fin de sa vie se prit à demander [8] qu'on voulût bien s'écarter et faire place à de nouvelles venues. On lui obéit. Alors, le visage souriant, la tête inclinée, elle dit : «Benedicite, mesdames, benedicite, mesdames [9].» Celles qui l'entourent lui demandent à qui elle adresse ce salut, et elle de répondre [10] : «Ne voyez-vous pas celles de vos sœurs qui, de votre compagnie, ont émigré au ciel ?» Toutes, l'interpellant, cherchent à savoir si elle les reconnaît. A Ansetrude, l'une d'elles, elle dit d'un ton de reproche : «Toi, au moins, ne reconnais-tu pas ta sœur Ansilde, partie pour le ciel depuis peu et qui est là au milieu des élus ?» Ce disant, son âme s'échappe de son corps, et aussitôt envolée, un chant angélique se fit entendre dans les airs [11].

Or, certaines qui étaient parties assez loin de la cellule où reposait le corps inanimé entendirent le chœur des anges résonner et chanter dans les airs. A ce chant, elles comprirent que Wilsinde était délivrée des liens de la chair [12]. Elles accoururent et trouvèrent la défunte dont le chœur des sœurs faisait les obsèques; et de constater que la psalmodie entendue de leurs oreilles dans les airs avait complété [13] ses funérailles.

7. Dénonciation prophétique de mourante comme en II,13 (7).
8. Demande (ou plutôt ordre : *rogat*) comme en II,13 (7). *
9. Cf. GRÉGOIRE, *Dial.* IV,18,3 : Musa baisse les yeux et dit à la Vierge : «Me voici, Madame, je viens.» *
10. Dialogue avec l'assistance : II,11 (2) et 13 (7); GRÉGOIRE, *Dial.* IV, 12,4. *
11. Chants célestes comme en II,11 (2) et 14 (8); cf. 13 (7).
12. Cf. GRÉGOIRE DE TOURS, *Mir. S. Mart.* 1,4 : de Cologne, Séverin entend les chants des anges qui emportent Martin au ciel.
13. *Supplementum fuisse* : largesse divine honorant le saint. *

18. Leudeberte et sa vision du bienheureux Pierre, prince des Apôtres.

(13) Après ces événements, la Bonté généreuse ajouta encore un surcroît à sa munificence à propos d'une autre vierge nommée Leudeberte, qu'elle ne laissa pas de pourvoir d'avertissements salutaires et des avis d'un aïeul céleste [1]. De fait, après avoir mené une sainte vie en ce monastère durant un certain temps, Dieu ne tarda pas à l'avertir pendant son sommeil de se mieux préparer à quitter cette vie. Pendant que dans le sommeil elle délassait ses membres, elle entendit une voix lui dire de ne s'écarter en rien des conseils de la Mère, car bientôt elle serait séparée des vivants. Et le Dieu très bon, dans sa bienveillance, ne tarda pas longtemps à mettre le comble à l'accomplissement de la faveur promise : il la frappa de maladie; visiblement, il la conduisait au suprême départ. Comme déjà la Mère et les sœurs se tenaient prêtes à lui rendre les derniers honneurs, tout à coup, après un long silence, elle élève la voix et dit : «A quelle heure, glorieux Pierre, prince des Apôtres [2], veux-tu que nous partions ?» A ses sœurs qui demandaient ce qui se passait, elle réplique : «Ne voyez-vous pas votre patron, le prince des Apôtres, debout au milieu de vous, qui veut me conduire hors de cette vie ?» Juste le temps de prononcer ces dernières paroles; elle les regarde toutes d'un air joyeux, exhale son dernier souffle, et quittant la terre elle est entraînée vers les joies éternelles.

Ainsi donc le Semeur de toutes choses permit après un long silence à sa langue de se délier pour articuler ces faibles paroles [3], afin de provoquer les autres à suivre les exemples de sa vie et de montrer aux vivants, par la sura-

1. Ou peut-être «de fréquents enseignements célestes». *
2. Patron d'Éboriac, comme de Bobbio et de nombreux monastères contemporains. Cf. GRÉGOIRE, *Dial.* IV,12,4 : avec Paul, il vient chercher un mourant, qui comme ici l'interpelle et répond ensuite aux questions des assistants; 14,4 : il visite Galla.
3. *Vocem flebilem.* Autre sens en II,12 (4) : «voix pleine de larmes». *

bondance de ses dons, comment il ne cesse d'enrichir celles qui émigrent de la lumière terrestre dans sa crainte et son amour.

19. Punition de coupables et damnation de fugitives.

(14) La malice du diable s'était enflammée contre ce peuple du Christ [1] ; et comme il le voyait plein de vertus, il s'efforça par ses tentations de souiller celles qu'une vocation récente rendait plus crédules, de les détourner de la compagnie de leurs sœurs et de leur faire violer la clôture du monastère. Il les pressa de regretter la vie pernicieuse du siècle [2] et de désirer, comme des chiens, retourner à leur vomissement.

Déjà, à la faveur de l'ombre épaisse et du silence d'une nuit obscure, elles aspiraient à exécuter leur vain projet et tentaient de passer la clôture à l'aide des barreaux d'une échelle [3]. Subitement, s'échappant du milieu du dortoir, une masse incandescente de forme cylindrique éclaira et illumina toute la maison, puis, se divisant en trois globes, s'avança avec un grand fracas de tonnerre par les embrasures des portes. La maison avait en effet trois portes, par où le feu envoya autant de globes [4]. Le bruit du tonnerre éveilla les dormeuses et rappela au devoir celles qui franchissaient la clôture du monastère. Quelques-unes d'entre elles avaient déjà mis les pieds hors de la palissade [5], et terrifiées par un si grand bruit, elles voulaient les remettre en clôture, mais elles ne pouvaient y parvenir car ils étaient lourds comme du plomb. Le diable, en effet, par ses artifices, s'efforçait d'alourdir celles que la punition divine ne voulait pas laisser périr. Confuses, donc, elles reconnurent leurs culpabilité, et de retour vers la Mère, la lui révélèrent en confession.

1. Attaque du diable comme en II,15 (9) ; cf. II,1 (2) et 9 (6).
2. Même désir en II,13 (7). Ensuite, cf. Pr 26,11 ; 2 P 2,22.
3. Fuite nocturne : CASSIEN, *Inst.* 4, 6 ; *Vita Patrum Iurensium* 79-81 ; CYRILLE DE SCYTHOPOLIS, *Vita Euthymii* 19.
4. Dieu intervient par la foudre comme en II,10 (15).
5. *Vallum.* Sur ce terme caractéristique, voir *Reg. coen.* 8,7 et note.

(15) Revenant à la charge, l'antique serpent assiégea de tentations deux autres sœurs qui, par (l'époque de) leur conversion, étaient plus novices et beaucoup plus faibles que les autres, les détournant d'abord de jamais ouvrir la bouche pour une confession sincère. La coutume et la règle du monastère [6] voulait en effet que, trois fois le jour, chaque sœur purifiât sa conscience par la confession, réparant ainsi dans un pieux épanchement de cœur les fautes où sa faiblesse l'avait entraînée.

Ainsi donc les traits diaboliques avaient plongé dans ce gouffre l'âme de ces jeunes sœurs, afin que nulle confession sincère ne sortît de leur bouche, tant pour les fautes commises autrefois dans le siècle que pour celles où leur fragilité les entraînait chaque jour en pensées, en paroles et en œuvres, de peur que cette confession sincère, grâce au remède de la pénitence, ne leur fît retrouver la santé. Lorsque le serpent meurtrier eut insinué peu à peu son venin dans leur cœur pour les endurcir et se fut assuré que leurs âmes, trompées par sa malice, lui étaient soumises, il fit (un nouvel) assaut pour les décider à fuir nuitamment l'enceinte du monastère et à retourner chez elles. Sorties donc au milieu d'une nuit profonde [7], elles ne pouvaient en raison de l'ombre épaisse reconnaître leur chemin. Le diable alors, se tenant à leur gauche, simula par ses artifices une lumière en forme de lampe, leur montra la route du retour vers le siècle, augmentant leur assurance par ses subterfuges. Parvenues au lieu de leur destination, comme elles étaient poursuivies et que nul ne s'opposait à cette poursuite, elles revinrent au monastère, la mine déconfite.

(16) A leur retour, interrogées sur le motif qui les avait contraintes à s'éloigner, elles répondent qu'elles ont été poussées dehors par les traits du diable et que leurs âmes ne peuvent absolument pas se redresser.

6. Plutôt que COLOMBAN, *Reg. coen.* 1,1 et DONAT, *Reg.* 19,2-3 (cf. 23,4), cités par Krusch, voir WALBERT, *Reg.* 6, seul texte complet.
7. Écho de CASSIEN, *Inst.* 4,6 : *densissimas tenebras nocte*.

Longtemps, elles reçurent des reproches de toute la communauté sans retirer aucun profit de ces réprimandes; mais toutes deux, frappées par la justice divine, apprirent à subir des châtiments bien mérités. Anxieuse, la Mère du monastère, déjà souvent nommée, en cherchait la cause, et ne pouvant leur arracher la vérité, les exhortait de nouveau à révéler leur crime, du moins à leur dernière heure. Mais leur cœur endurci refuse ce remède, et dans leurs tortures elles s'écrient : « Différez un peu, différez; ne nous pressez pas ainsi, attendez ! » Les sœurs leur demandent alors qui elles prient ainsi d'attendre. « Ne voyez-vous pas, répondent-elles, cette troupe d'Éthiopiens qui s'approche, qui veut s'emparer de nous et nous emporter [8] ? » Saisies par cette terrible réponse, leurs compagnes entendent au-dessus de la cellule un fracas qui fait résonner le toit [9] ; la porte de la cellule est ouverte de force et leur laisse voir au-dehors les ombres noires debout; elles entendent aussi des voix répéter à grands cris les noms des deux coupables. Si bien que toutes les sœurs présentes, armées du signe de la croix [10] et vaquant à l'office de la psalmodie, peuvent à peine rester à leur poste.

En ces circonstances si douloureuses et affligeantes, la Mère presse les (mourantes) de dévoiler leur faute par la confession et de se fortifier par la communion du Corps sacré. En entendant parler du Corps sacré, elles commencent à grincer des dents, à frémir de rage, à pousser des cris stridents : « Demain, demain [11] », entrecoupant ces cris de ceux rapportés plus haut : « Attendez, attendez, différez un peu, différez [12] ! » Et, en prononçant ces paroles, elles exhalent leur dernier souffle.

8. Calqué sur GRÉGOIRE, *Dial.* IV,19,3 (cf. 12,4), avec des « Éthiopiens » au lieu de « Maures ».

9. Cf. GRÉGOIRE, *Dial.* III,30,3 (à Sainte-Agathe de Rome).

10. Même expression en I,8 (15), où Colomban se signe le front.

11. *Cras, cras*, cri du pécheur, imitant celui du corbeau : AUGUSTIN, *En. Ps.* 102,16 ; CÉSAIRE, *Serm.* 18,6 et 20,2. *

12. De même GRÉGOIRE, *Dial.* IV,40,8 (cf. 40,11).

(17) La Mère du monastère, ne pouvant consentir à leur donner une sépulture au milieu des autres sœurs, ordonne de les inhumer à part, de les ensevelir à l'extrémité (du cimetière). Sur leurs tombes, un globe de feu en forme de bouclier apparut souvent pendant trois ans [13], surtout pendant le carême, jusqu'à l'approche de la sainte Pâque, et de plus en la vigile de Noël il apparaissait plus étincelant. En même temps retentissaient les voix tumultueuses d'une grande foule. Parmi ces voix, deux vociféraient en hurlant comme on a coutume de crier dans les tortures : «Malheur à moi, malheur à moi, malheur à moi [14] !» La Mère du monastère, voyant en cela la juste sentence du juste Juge sur des âmes injustes, tenta d'avoir une preuve plus manifeste de leur condamnation : s'approchant du tombeau, elle voulut savoir si les cadavres, même putréfiés, demeuraient dans le sépulcre. Six mois s'étaient alors écoulés depuis que les corps des défuntes avaient été mis en terre, et voici qu'elle retrouve l'intérieur du sépulcre consumé par le feu. Il ne restait absolument plus rien des cadavres dans la terre, sinon la trace de leurs cendres [15]. La rigueur de cette sentence persista trois ans. Ainsi, la terreur inspirée par les damnées provoqua la crainte de celles qui demeuraient ici-bas, et la peine infligée à des mortes servit à amender les vivantes; ainsi, par la négligence, la tiédeur, voire même l'endurcissement de celles qui périrent, le salut, dont la source se trouve dans l'esprit religieux et l'effort assidu, fut procuré aux survivantes.

13. Cf. GRÉGOIRE, *Dial.* IV,33,3 : la tombe d'un pécheur brûle longtemps, jusqu'à combustion complète.

14. Cf. GRÉGOIRE, *Dial.* IV,56,1 : cris d'un damné («Je brûle»).

15. Plus rien dans la tombe : GRÉGOIRE, *Dial.* IV,56,2; traces de feu : *Dial.* IV,53,2.

16. *Vigoris studio.* Cf. *uigor christianus* en I,2 (6); II,8 (15).

20. Mort de Landeberge et chant des anges.

(18) Après un laps de temps survinrent d'autres consolations. Une vierge, nommée Landeberge, attendait les dernières heures de cette vie. Elle était tellement environnée de toute sorte d'angoisses et percée par les aiguillons de ses douleurs qu'elle attendait la fin de sa vie comme son unique soulagement. Déjà, alors qu'à travers la nuit silencieuse se faisait entendre l'appel [1] et que toutes celles qui la veillaient, recrues de fatigue, s'étaient endormies, une seule, Gernomède, épuisée par la maladie, était demeurée éveillée là, au milieu de ses compagnes. Landeberge attendait donc – disions-nous – ses derniers moments, quand un épais nuage traversé d'une sorte d'éclair éblouissant [2] couvrit sa couche, tandis que des voix chantaient et exultaient : « Chantons au Seigneur, car il a fait éclater sa gloire [3]. » Dès que Gernomède entendit résonner les voix qui chantaient, elle s'empressa de réveiller ses compagnes. Mais comme elle n'arrivait à en réveiller aucune, elle attendit la fin du prodige avec une attention redoublée. Elle vit le nuage se soulever peu à peu de la couche et l'âme elle-même s'échapper du corps. Le nuage s'était déjà élevé dans les airs, ses oreilles n'entendaient plus les voix chanter [4], lorsque enfin la malade parvint à réveiller ses sœurs; elle les avertit de s'acquitter des chants dus à la défunte. Elle-même, prise de violents accès de fièvre durant sept jours, mourut le huitième [5].

21. Afflux d'huile et eau changée en une autre matière.

(19) Après cela donc l'Auteur de toute bonté et de tous les dons ne cessa de prodiguer encore des témoignages

1. *Vocatio*. Même nom de la mort en I,17 (titre) ; II,10 (18).
2. C'est la nuée divine de l'Exode (Ex 14,19-20; cf. 13,21-22). Son éclat (*rutilus fulgor*) est celui du soleil de l'au-delà en II,25 (18).
3. Ex 15,1 (VL), accompagnement approprié de la nuée.
4. Cf. II,11 (2); GRÉGOIRE, *Dial.* IV,16,7.
5. Morts successives comme en II,15 (10). Cf. GRÉGOIRE, *Dial.* I,8,4.

de sa tendresse. Une jeune fille appelée Bithilde s'était convertie, encore toute jeunette, dans le moutier dont nous parlons. Longtemps elle se soumit sans regimber au frein [1] de la discipline régulière, tant elle désirait les récompenses célestes. Il arriva que le juste Juge voulut placer au ciel [2] cette âme juste, remplie de toute justice. Arrivée à ses derniers moments, elle demanda qu'on allumât une lampe devant elle durant les heures de la nuit [3], et qu'on lût en sa présence les enseignements de l'Écriture sainte [4]. Une de celles qui l'assistaient remplit un vase d'huile et d'eau; puis toutes succombèrent au sommeil, si bien que jusqu'à la fin de la nuit, la malade fut privée du soutien de ses compagnes.

Au petit jour, après avoir chanté au Seigneur les laudes matutinales, celle qui avait rempli la lampe d'huile et d'eau vit le liquide changé en lait [5] et chercha à savoir si quelqu'une de ses sœurs avait fait ce changement. Celles-ci de lui répondre : «Ne sais-tu donc pas qu'il n'y a pas eu de lait ici ? – Je vous en prie, dit la malade, ne vous tourmentez pas à cause de ce lait et cessez de chercher.» Mais elles, mettant plus d'ardeur encore à savoir, appellent la Mère et lui racontent ce qui s'est passé. Pour se rendre compte avec plus de certitude, celle-ci ordonne de séparer l'huile du lait. Après avoir séparé l'huile, et alors que rien ne restait à la surface du lait, à nouveau l'huile se mit à monter et à déborder abondamment du vase [6]. Alors, toutes celles qui étaient là présentes reconnurent enfin la puissance de Dieu. Avec un soin extrême, elles recueillirent cette huile et, à dessein, la conservèrent dans le sanctuaire [7]. Sont témoins

1. *Habenis* (litt. «rênes»). Voir I,19 (33) et n. 9; II,1 (1) et n. 5.
2. Même formule en II,13 (7). «Juste» répété : II,19 (17); 22 (20).
3. Cf. GRÉGOIRE, *Dial.* IV,14,3 : Galla se fait éclairer la nuit.
4. Lecture continuelle : BAUDONIVIE, *Vita Radeg.* II,8-9 (cf. *Vita Caesarii* I,45).
5. L'eau versée dans une lampe se changea en huile à Jérusalem (RUFIN, *Hist. Eccl.* 6,9,2-3) et à Ancône (GRÉGOIRE, *Dial.* I,5,2). *
6. Même miracle chez SULPICE SÉVÈRE, *Dial.* III,3 (cf. 1 R 17,6).
7. Ou sacristie, trésor sacré *(sacrario)*. De même, l'huile miraculeuse de Jérusalem fut mise en réserve (RUFIN, *Hist. Eccl.* 6,9,3). *

de ce fait, Burgondofaron, évêque de Meaux [8], et Walbert, abbé du monastère de Luxeuil.

Bien mieux, plusieurs malades, au contact de cette huile, recouvrèrent la santé [9]. Quant à Bithilde, pleine de joie, elle attendait un heureux trépas [10]. Après qu'elle eut rendu son âme au ciel, un parfum d'une telle suavité remplit la cellule qu'on aurait cru que des baumiers y distillaient.

Qu'y eut-il pour changer cette matière de l'eau en la nature du lait et ordonner à l'huile de se multiplier en coulant, sinon que la Miséricorde divine voulut montrer aux autres comment, cette nuit-là, sa bonté visita la malade ? Et tandis que Bithilde cachait à ses compagnes la vision [11], le Tout-Puissant laissait l'empreinte de son passage et de sa puissance.

22. Vision de bête à propos d'une faute alimentaire.

(20) Puisque nous n'avons pas omis de faire connaître à la postérité les dons magnifiques accordés à la vertu et à l'esprit religieux, nous croyons devoir également communiquer un fait qui, nous en avons la preuve, en inspirant à une âme endurcie et veule une crainte salutaire, lui a été grandement profitable [1].

Une jeune fille de noble race [2] vint au susdit monastère courber la tête sous la discipline régulière [3]. Remarquant

8. Frère de Fare et successeur de Gondoald; cf. II,7 (2). Peut-être n'était-il pas encore évêque, ni Walbert abbé, à l'époque du miracle, qu'ils semblent avoir constaté (avant 629 ?). *
9. Même mode de guérison en II,8 (4) et 23 (11). Cf. Mc 6,13; Jc 5,14.
10. Cf. *Introd.*, I, n. 65. Parfum de baume : II,12 (5) et 16 (11).
11. Miracle caché : II,23 (9); 25 (20). Voir II,2 (3) et n. 10.

1. Mini-prologue rappelant celui de II,16 (11).
2. Comme Gibitrude et Ercantrude : II,12 (3) et 13 (6).
3. Même formule en II,1 (1), avec *habenis* en plus.

en elle une conduite vertueuse et une vie religieuse exemplaire, l'antique serpent fit un nouvel effort pour la faire sortir du paradis par une désobéissance [4]. Il excita sa gourmandise, et elle se mit à se rassasier en mangeant en cachette. Pendant un certain temps, elle put commettre cette faute sans être découverte et sans qu'aucune de ses compagnes ne s'en aperçût. Mais comme la gloutonnerie souillait son âme depuis longtemps, le juste Juge prononça une juste sentence sur cette âme injuste [5] : il châtia son très grave forfait par une peine plus grave encore. Il inspira à son corps fatigué le dégoût de la nourriture permise, et, l'esprit troublé, elle ne pouvait plus rien manger, si ce n'est des cosses, des feuilles et un mélange d'herbes sauvages [6]. Déjà, depuis bien des jours, ce châtiment demeurait sur cette âme séduite par la désobéissance, lorsque au moment du repas, demandant qu'on lui apportât la susdite nourriture, elle vit une espèce de gros sanglier manger avec elle, et à la manière d'une truie fangeuse, de son groin fouiller la nourriture. Interdite, la sœur lui demanda ce qu'elle était. La bête lui répondit : «Je suis ce que je suis. Ces aliments que tu as mangés jusqu'ici par désobéissance, je les ai mangés avec toi; et maintenant, sache-le bien, toute une année tu auras cette nourriture.» Cette nourriture lui resta donc jusqu'à la fin de l'année en cours : elle ne mangeait absolument rien autre chose que des cosses, des feuilles d'arbre, des herbes sauvages ou de la lie provenant des résidus de la bière.

Pourquoi cette âme faible, convaincue d'une misérable désobéissance, en fut-elle reprise par la voix du diable, sinon pour que la grandeur des peines présentes la préservât d'être ensuite condamnée aux tourments éternels [7] ? Et la divine bonté voulut faire servir l'instigateur même de la faute à

4. Cf. Gn 3,1-24. Même tentation (gourmandise, vol) et chute d'un moine dans *Vita Patrum Emeritensium* 2, avec relèvement analogue.

5. Cliché comme en II,19 (17); 21 (19); 22 (21). Cf. SISEBUT, *Vita Desiderii* 6 : *illam iniuste Iustam et iuste dicam iniustam*. Sentence du juste juge : II,10 (18).

6. Châtiment de Nabuchodonosor (Dn 4,12-30).

7. Intervention salutaire de Satan : cf. 1 Co 5,5.

la confusion de celle qui lui avait donné son consentement, et qu'elle fût avertie par celui que, séduite par ses insinuations perfides, elle avait eu longtemps pour maître, apprenant ainsi, après les tourments infligés, que la créature devait obéissance non au diable, mais au Créateur.

(21) Pareillement, une autre jeune fille du nom de Beractrude avait longtemps vécu dans le susdit monastère sans faire tous ses efforts pour observer les préceptes de la discipline régulière. Le diable alors mit dans son esprit gâté par la désobéissance la pensée de manger en cachette tout ce qu'elle pourrait dérober. Cette désobéissance souillait son âme depuis longtemps, lorsque le juste Juge tira d'elle une juste vengeance : la fièvre s'empara d'elle, et brûlée par ses feux, elle s'écria : « Malheur à moi [8] ! » Après avoir poussé ce cri, elle tomba dans un tel engourdissement que toutes la crurent morte. Bien des heures après, comme elle respirait avec peine, elle s'écria : « Que la Mère vienne ! Que la Mère vienne [9] ! » Donc, d'un pas rapide, celles qui se trouvent là vont appeler la Mère Burgondofare. En la voyant arriver, la mourante, dans un effort suprême, lui dévoile par la confession toutes ses fautes accumulées [10]. Les sœurs, à ses côtés, attendaient la fin de sa vie ; mais son état s'améliora et elle se remit. Ensuite, elle demeura en vie quelque temps, rongée par la fièvre, et alors enfin elle mourut.

[FIN DES MIRACLES D'ÉBORIAC]

8. Cris des damnées en II,19 (17).
9. Même appel de mourants en I,17 (29) ; II,11 (2) et 15 (10).
10. Cf. II,19 (14). On finit sur une note d'espérance.

23. Vie de l'abbé Bertulfe.

(1) D'âge en âge, la corporation des lettrés [1] a pris soin de transmettre à la postérité le souvenir glorieux des justes. Ce qui s'est accompli de nos jours, nous ne devons donc pas le passer sous silence, en nous laissant aller à un sommeil paresseux. De même que les exemples de nos prédécesseurs stimulent notre vie religieuse, de même il faut que les actes de notre temps fassent progresser après nous nos descendants. Au reste, en proposant aux autres des exemples à imiter, nous remettons sous nos propres yeux ce qui mérite d'être souvent rappelé.

Non, nous ne saurions nous dispenser de faire connaître aux générations à venir une aussi grande figure que celle du vénérable Bertulfe, le supérieur déjà mentionné [2] du monastère de Bobbio. Mais auparavant il nous faut raconter comment il sortit du monde pour se faire moine.

(2) Il appartenait à une famille noble mais barbare [3], et il était apparenté au bienheureux Arnoul, évêque de Metz. Quand il vit qu'Arnoul, l'évêque dont nous venons de parler, après les honneurs de la cour, les insignes pontificaux [4] et les pompes de ce monde (se mettait) aux pratiques des religieux [5] et n'aspirait plus qu'à la vie religieuse, il s'efforça lui aussi de fouler aux pieds les biens de la terre et de chercher ceux du ciel. Il abandonna son père et sa terre natale, ainsi que les pompes d'ici-bas. Selon la parole de l'Évangile [6], après s'être débarrassé de ses biens et dépouillé de tout, il prit la croix, se renonça lui-même et suivit le Christ. Il re-

1. *Doctorum ordo*. Cf. I,1 (5), préface similaire à celle-ci.
2. Voir Prol. (1); c'est Bertulfe qui a commandé l'ouvrage.
3. *Gentilis* : «païen» (JONAS, *Vita Vedastis* 7, etc.) ou «étranger, barbare» (JÉRÔME, *Vita Pauli* 6; GRÉG. DE TOURS, *Hist. Franc.* 4,50). Cf. ci-dessous (6) et note 18. *
4. *Infulas* (cf. *Vita Arnulfi* 8). Conseiller de Clotaire et de Dagobert, Arnoul se démet de l'épiscopat en 629 (FRÉD. 40) et se retire à Remiremont. A ce moment, d'après Jonas lui-même (voir *infra*), Bertulfe était déjà moine depuis longtemps.
5. *Ad cultum religionis* comme WALBERT, *Reg.* 1. Cf. I,10 (17) et n. 2.
6. Mt 10,37-38; 16,24. «Dépouillé» *(nudus)* : JÉRÔME, *Ep.* 52,5, etc.

joignit l'évêque Arnoul, mentionné plus haut, et demeura un peu avec lui. Ensuite, il se rendit à Luxeuil, auprès du vénérable Eustaise [7]. Il y resta longtemps, soumis à la sainte règle et aux observances religieuses, aimé de tous.

(3) Puis le bienheureux Attale arriva d'Italie et l'adjoignit à sa communauté, avec l'accord du vénérable Eustaise, auquel il resta uni par le lien de la paix [8]. Car les deux abbés n'étaient qu'un cœur et qu'une âme, et il n'y avait pas trace de discorde entre eux quand ils échangeaient l'un avec l'autre tels de leurs sujets. Bertulfe s'en alla donc à la suite du vénérable Attale. Arrivé en Italie [9], il resta au monastère de Bobbio sous l'obédience du bienheureux Attale. Et quand l'Inventeur du monde transféra le susdit Père Attale, après les tristesses d'ici-bas, dans le royaume des cieux [10], toute l'assemblée des moines, à l'unanimité des voix et des cœurs, éleva Bertulfe à la dignité paternelle [11]. Pendant treize ans, il mit toute sa diligence et tous ses soins à enseigner sa communauté et à lui inculquer les préceptes du salut. Mais il nous faut maintenant raconter ce qu'il fit durant cette période.

(4) Il gouvernait donc la communauté, en se conduisant lui-même parfaitement, avec un mélange de bonté et de fermeté, guidé par un vrai savoir [12], quand l'antique serpent se mit à diriger des coups hostiles contre son âme paisible. Il suscita un nommé Probus, évêque de Tortone [13], qui faisait tous ses efforts pour soumettre à son autorité l'abbé, ainsi que le monastère entier. Il commença par se concilier par des présents les gens de la cour et les évêques voisins. Quand il eut la satisfaction d'en avoir fait ses alliés,

7. Mort en 629, l'année de la retraite d'Arnoul.
8. Ep 4,3. Ensuite, cf. Ac 4,32 (*Introd.*, III, n. 46).
9. Ici et plus haut *Ausonia*. Cf. Prol. (4) et note 15.
10. Mêmes expressions en II,5 (6). C'était sans doute en 626.
11. Élection abbatiale : *RB* 64, mais aussi COLOMBAN, *Ep.* 4,9.
12. Cf. Ps 118,66, cité à l'abbesse par WALBERT, *Reg.* 1.
13. A 68 km N.-O. de Bobbio; cf. II,25 (16). Ce conflit rappelle ceux de Lérins-Fréjus (vers 450) et de l'abbé Pierre avec l'évêque de Byzacène (Carthage 535).

il entreprit de se servir d'eux pour persuader le roi. Le roi des Lombards était alors Ariowald [14]. Mais la seule réponse qu'ils obtinrent du roi fut qu'il fallait examiner, d'après le droit de l'Église, si les monastères éloignés des villes [15] devaient se soumettre à la juridiction épiscopale. Alors Probus gagna à sa cause tous ceux qu'il put.

(5) Sur ces entrefaites, un des courtisans fit savoir secrètement à Bertulfe ce qui se tramait. L'abbé envoya des émissaires au roi pour sonder ses dispositions. Ariowald leur répondit : «Ce n'est pas à moi de trancher entre des prêtres [16]. Leurs affaires doivent examinées et tranchées par un synode.» Ils lui demandent s'il approuve les menées de leurs adversaires. Non, dit-il, il n'approuve nullement ces gens qui voudraient causer des ennuis au serviteur de Dieu. Certes, le roi était un barbare et un sectateur de l'Arianisme. Mais en l'entendant parler ainsi, ils lui demandent le soutien de la puissance publique pour pouvoir se rendre à Rome auprès du Siège Apostolique [17].

(6) Cette faveur accordée, l'abbé Bertulfe voyagea jusqu'à Rome en équipage royal et se présenta au pape Honorius. J'étais moi-même dans sa suite. Quand il eut exposé l'affaire au pape, celui-ci s'enquit soigneusement de la discipline régulière en usage au monastère. L'abbé s'étant empressé de la décrire au pontife dans tous ses détails, le bienheureux Honorius fut bien impressionné par l'observance régulière, les modalités de la vie religieuse et les marques d'humilité. Il retint donc Bertulfe durant quelque temps, s'efforçant de le confirmer par des conversations quotidiennes dans la résolution de ne pas abandonner sa laborieuse entreprise et de ne pas renoncer à pourfendre du glaive de

14. Avant de régner (626-636), il a combattu Bobbio : II,24 (12-15).

15. COLOMBAN, *Ep.* 2,6 (aux évêques) soulignait que ses monastères étaient «dans les forêts».

16. *Sacerdotum*. Bertulfe était *presbyter* (privilège d'Honorius).

17. Au lieu de traiter l'affaire en concile, comme l'avaient fait Fauste de Lérins et l'abbé Pierre (n. 13) et comme le suggérait le roi, Bertulfe recourt à Rome. Il n'ose affronter les évêques, comme Eustaise le faisait à Mâcon au même moment. *

l'Évangile l'abominable hérésie arienne. Le vénérable pontife Honorius était en effet un esprit avisé, aux décisions énergiques, à la doctrine lumineuse, à l'âme pleine de douceur et d'humilité. Il était heureux d'avoir trouvé en cet étranger [18] un ami avec qui échanger de doux entretiens, et il ne lui plaisait pas du tout d'être si vite séparé de sa compagnie.

(7) Mais les grandes chaleurs de l'été ne permettaient pas de prolonger le séjour. Il accorda donc la faveur souhaitée et concéda un privilège du Siège Apostolique [19], aux termes duquel aucun évêque ne devait prétendre exercer son autorité au monastère, à quelque titre que ce fût. Ayant donc obtenu la faveur souhaitée, nous nous mîmes en marche pour rentrer au pays.

(8) Nous avions déjà fait une partie du trajet, et, dépassant la Toscane, atteint les Apennins, quand, auprès d'un bourg appelé Bismantum [20], Bertulfe fut pris d'une fièvre si violente que nous crûmes absolument qu'il allait être emporté par la mort. De fait, il était déjà malade en quittant la Ville. Nous étions tous accablés à la fois par la fatigue du long voyage et les souffrance de notre Père malade. Ayant perdu tout espoir de le sauver, nous dressâmes une tente et campâmes en ce lieu désolé, assiégés de tous côtés par la tristesse et n'espérant plus du tout que le Père guérirait. C'était la veille de la passion des bienheureux Apôtres Pierre et Paul. Il faisait déjà nuit noire quand le malade, brûlé par la fièvre, m'appela. Préoccupé, il me questionna sur la vigile nocturne. Je lui dis que tout était prêt. Il me dit : « Reste éveillé toute la nuit près de mon lit jusqu'au point du jour. » Ayant donc veillé jusque vers minuit, je fus tellement accablé par le sommeil que je n'avais plus la force de garder la tête levée. Tous ceux qui couchaient autour de la tente, des bagages et des chevaux étaient également accablés de sommeil [21].

18. *E gentibus* (cf. *supra*, n. 3), non *egentibus* (Krusch et Tosi). *
19. Voir *PL* 80,483, en corrigeant la date (11 juin 628).
20. Près de Castelnuovo, à 50 km S.-O. de Reggio (Émilie).
21. Comme en II,20 (18), le sommeil cache le miracle aux assistants. Visite de Pierre, patron de Bobbio comme d'Éboriac : cf. II,18 (13).

(9) Un silence total régnait donc, quand le bienheureux Pierre, prince des Apôtres, survint et se tint au-dessus du lit où gisait notre Père malade. «Debout, dit-il, rejoins sain et sauf ta communauté.» Bertulfe lui demanda qui il était. «Pierre, répondit-il. C'est ma fête qu'on célèbre aujourd'hui dans le monde entier.» Cela dit, il s'en alla. Pris de peur, le cœur anxieux et tremblant, Bertulfe s'empresse de me demander ce que signifiait la vision. Il croyait en effet que j'avais entendu le message et vu le personnage. Et comme je lui disais que je n'avais rien vu ni entendu, «Ne vois-tu pas [22], dit-il, la lumière dorée du côté où s'en va l'Apôtre Pierre ?» Je lui dis que je ne voyais rien du tout. Alors il se tut. Ayant compris de quoi il s'agissait, j'obtins enfin, mais non sans peine, à force de prières, qu'il me révélât la vérité. Il l'aurait entièrement gardée pour lui, s'il n'avait cru que j'avais vu et entendu.

(10) Un jour, après la psalmodie de l'office, il sortait avec les frères, à la deuxième heure [23], de l'église du bienheureux Pierre, quand un nommé Victorin [24], possédé d'un démon furieux, vint à sa rencontre. A cette vue, il leva les yeux au ciel, demandant au Créateur d'exaucer son désir et de guérir le patient du mal démoniaque en considération de ses prières. Puis il commanda au démon de sortir de l'homme avec sa violence furieuse et de ne plus jamais souiller l'image de Dieu. Déchirant [25] l'homme pitoyablement, le malin pervers prit la fuite, et la santé revint aussitôt. Sain et sauf, Victorin sortit de l'église avec les frères. Voyant qu'il demeurait indemne, il rendait grâces au Créateur, qui, exauçant promptement son serviteur et obéissant à la prière de celui-ci, l'avait délivré de ses tourments.

22. Question comme en II,18 (13); cf. 11 (2), etc. Ensuite, la pudeur du miraculé rappelle II,6 (7); 21 (19); 25 (20). *

23. *Secunda* (office de prime retardé) : cf. AURÉLIEN, *Reg. uirg.* 38; DONAT, *Reg.* 19,2; WALBERT, *Reg.* 6 (cf. 9 et 12); *Antiphonaire de Bangor* 16-17 (595), etc.

24. Selon un ms. de Krusch et celui de Metz. Krusch : *Viatorinus*, et plus loin *Domnicus.* – Yeux levés au ciel comme en I,15 (28) et 22 (42); cf. Mc 7,34.

25. *Discerpendo* : voir I,21 (40) et n. 1. Cet exorcisme et le suivant rappellent aussi I,25 (49).

Quelque temps plus tard, un petit enfant nommé Dominique, fils d'un certain Urbain, qui souffrait cruellement d'un mal démoniaque, accourut auprès de lui pour être guéri. Après de longs exorcismes, Bertulfe le guérit et fit sortir de sa victime humaine le mal cruel.

(11) Suivit un autre prodige. Un lépreux, couvert de lèpre maligne et ayant perdu tout espoir de recouvrer la santé par des moyens médicaux, vint trouver le vénérable Bertulfe et le supplia de lui obtenir par ses prières le secours de la divine miséricorde. Voyant cet homme atteint d'un terrible châtiment, Bertulfe, plein d'assurance, pousse un soupir [26] et lui dit de rester auprès de lui jusqu'à ce qu'il retrouve la santé. Dès lors il s'employa, en homme qui a l'expérience du miracle [27], à pénétrer au ciel spirituellement et à attirer l'attention du Créateur du monde sur ses prières. Après deux jours de jeûne [28], il versa de l'huile sur les membres pleins d'ulcères. Aussitôt ces membres pourris en profondeur se mirent à recouvrer la santé et à revenir au bel état où on les voyait avant. Le malade fut si bien guéri qu'il ne resta même plus trace de lèpre en son corps.

C'est ainsi que le Créateur de l'univers intervient en faveur de ses serviteurs, afin que, puissamment soutenus par la force de ses prodiges [29], ils foulent aux pieds les vanités passagères et s'efforcent sans cesse de mettre en pratique les avis qui nous viennent du ciel.

26. Cf. Mc 7,34 (guérison du sourd-muet).
27. *Mens uirtutum conscia*. Peut-être simplement «vertueux» comme en II,10 (12).
28. Comme Eustaise en II,8 (4). Huile : II,21 (19) et n. 9.
29. *Vigore uirtutum*. Sur *uirtus*, voir *supra*, n. 27. Quant à *uigor*, cf. II,19 (17) et n. 16. Non mentionnée, la mort de Bertulfe (639) se déduit du temps de son abbatiat, indiqué plus haut (3).

24. Un moine est vengé des Ariens.

(12) Souvent nous avons constaté d'éclatants miracles opérés par des moines. Aussi nous paraît-il bon d'en insérer ici quelques-uns.

Un jour, le prêtre Blidulfe, mentionné plus haut [1], fut envoyé à Pavie par le bienheureux Attale. Arrivé en cette ville, il marchait dans la rue qui traverse la cité par son milieu, quand il rencontra le duc lombard Ariowald, personnage de la plus haute noblesse, gendre d'Agilulfe et cousin d'Adalwald. Sectateur de l'arianisme, il allait, à la mort d'Adalwald, lui succéder comme roi des Lombards [2]. Voyant Blidulfe, Ariowald dit : «Voilà un des moines de Colomban ; il refuse de nous rendre notre salut.» Quand il fut près de lui, il le salua le premier par manière de dérision. Blidulfe répondit : «Je te saluerais, si tu ne donnais ton soutien à ceux qui te trompent et à leurs doctrines erronées. Vous les appelez encore prêtres, mais c'est un titre mensonger. Mieux vaudrait confesser l'ineffable Trinité et l'unique déité, non trois puissances mais trois personnes, non une personne sous trois noms, mais trois personnes véritables, Père, Fils et Saint Esprit [3], qui ne sont qu'une puissance, une volonté, une essence.»

(13) Ariowald écouta un instant ces paroles, puis il continua son chemin et demanda pourquoi il n'avait pas de serviteurs assez cruels pour guetter, la nuit tombée, le retour de ce moine, l'assommer à coups de bâtons et d'épieux, le tuer. Alors l'un d'eux, plus furieux que les autres, se déclara prêt à faire le coup, si le maître le voulait. «Si tu le fais, dit celui-ci, je te donnerai le lendemain de riches présents.»

1. Voir II,5 (6). Pavie *(Ticinum)* est la capitale du royaume lombard.
2. Cf. II,23 (5). Agilulfe : voir I,30 (59) et note 2.
3. Cf. COLOMBAN, *Instr.* 1,2 : *Deum... unum potentia, trinum persona, unum natura, trinum nomine* ; et plus loin : *De ueritate autem personarum Patris, Filii et Spiritus Sancti...*

Il s'en va donc prendre pour complice un individu de son espèce, et la nuit tombée, monte la garde au bord du chemin. Le moine-prêtre, qui passait par là, rentrant après le dîner auquel l'avait convié un chrétien, tomba soudain sur les deux compères. Frappé à la tête et meurtri dans tous ses membres, il succomba sous de terribles coups de bâton et d'épieu. Personne au monde ne s'en douta, car le lieu était à l'écart et la victime ne put même pas pousser un cri, accablée aussitôt de coups mortels. Les deux hommes achevèrent donc le cadavre, inanimé depuis longtemps, pensaient-ils, et s'en allèrent annoncer à l'instigateur du crime que le forfait était accompli.

(14) Cependant l'hôte qui hébergeait le moine-prêtre – il était prêtre lui-même et s'appelait Juste –, voyant qu'il tardait à rentrer et ignorant ce qui s'était passé, craignit qu'il ne fût tombé aux mains des Ariens. Prenant son bâton, il marche dans sa direction et le trouve gisant à terre. Le croyant endormi, il essaie de le réveiller. Lui se lève sain et sauf, comme on sort du lit ; à peine voyait-on des traces de coups. Ils retournent ensemble au logis. Quand Juste lui demande ce qui s'est passé, Blidulfe répond qu'il ne lui est jamais arrivé chose plus agréable ; jamais il n'a eu, atteste-t-il, sommeil plus doux. – Mais n'a-t-il pas de douleur quelque part ? – A cette question, il répond qu'il ne s'est jamais senti si bien ; si un malheur est arrivé, il n'en sait rien. Ayant donc accompli sa mission, il regagne le monastère.

Cependant l'homme qui s'était proposé pour faire le coup, dès que le moine s'éloigne de Pavie, est envahi par un démon et, torturé de divers châtiments qui le brûlent, avoue le crime pendable qu'il a commis. Aux oreilles de tous il proclame que quiconque fera aux moines de Bobbio ce qu'il a fait lui-même, subira le même châtiment, et que quiconque se laisse persuader par les Ariens essuiera pareil courroux du juste Juge.

(15) Voyant que Dieu avait dévoilé le forfait, le misérable Ariowald, confus et redoutant pareil sort pour lui-

même, envoie sous escorte au bienheureux Attale le possédé horriblement tourmenté, en le priant de lui pardonner sa propre faute : il se déclare prêt à rendre tous les services [4], si l'on voulait bien accepter ses dons. Voyant que le tort fait à son moine [5] a été vengé par Dieu, le bienheureux Attale invite tous les frères à prier pour le possédé, afin que la puissance de l'Ennemi soit expulsée de ce malheureux. Quant aux présents, jamais, jamais, répond-il, il n'en acceptera d'un hérétique impie [6].

A la prière de tous, le Seigneur fit grâce au meurtrier pour un temps. Guéri, il s'en retourna aussitôt sain et sauf, mais il ne jouit pas longtemps de la vie récupérée. Un jour qu'il était chez lui et qu'on lui demandait, sur un ton de reproche, pourquoi il avait fait pareil coup, il dit par manière de bravade qu'il l'avait fait de son propre mouvement : pourquoi lui en vouloir ? Aussitôt il fut pris de fièvre brûlante, et hurlant au milieu de l'incendie qui le torturait, il perdit la vie. N'osant pas l'ensevelir près des autres tombes, on le déposa loin de tous [7], en un lieu bien en évidence, de façon que les passants disent : « Ci-gît le misérable qui maltraita cruellement, dans sa légèreté, un moine de Bobbio. »

25. Le moine Mérovée est vengé. Mort du moine Agibod et de Théodoald. Baudachaire et Léobard.

(16) A la même époque, un autre moine, nommé Mérovée [1], envoyé à Tortone par le bienheureux Attale, arriva

4. De fait, devenu roi, il aidera Bertulfe ; cf. II,23 (5-6).
5. Litt. « son membre ». Cf. I,20 (37) et 21 (40) : Colomban souffre dans ses « membres ».
6. De même Colomban en I,19 (23), où il cite Si 34,23 (« présents des impies »). D'après II,23 (5), Bertulfe sera moins intransigeant et demandera à Ariowald, resté arien, son aide pour le voyage de Rome.
7. Même sanction pour les réprouvées d'Éboriac en II,19 (17).

1. Nom franc (GRÉG. DE TOURS, *Hist. Franc.* 4,28 ; 7,24, etc.). On retrouvera Mérovée plus loin (23).

en cette ville. L'affaire pour laquelle il était venu l'ayant conduit assez loin de la ville, il parvint à un village situé au bord de la rivière Ira [2]. En marchant, il vit là un sanctuaire païen avec des arbres autour. Il y mit le feu et entassa le bois en hauteur pour former une sorte de bûcher [3]. Voyant cela, les dévôts du sanctuaire empoignent Mérovée et le bâtonnent longuement. Roué de coups, ils essaient de l'enfoncer dans la rivière Ira. Mais l'eau n'osait pas recevoir le moine, bien qu'il fût tout à fait prêt à mourir pour une pareille cause. Voyant qu'ils ne pouvaient le submerger, car la miséricorde du Seigneur le gardait, ils eurent une idée qui fut vaine : ils le couchent sur l'eau et accumulent du bois par-dessus, pour que le poids énorme le fasse enfoncer sous l'eau. Pensant avoir consommé leur crime, ils laissent là ce qu'ils croyaient être un cadavre, et s'en retournent chez eux. Quand ils furent partis, Mérovée, n'éprouvant aucun dommage, se lève et sort indemne de la rivière. Brisant ses liens, il entre à Tortone sain et sauf, puis prend le chemin du retour et arrive au monastère.

Dès que Mérovée se fut mis en marche, le châtiment divin s'abattit sur ses bourreaux. Tous ceux qui avaient participé à ce méfait furent affligés de différents maux : les uns devinrent aveugles, d'autres furent brûlés par les flammes, d'autres eurent les jambes paralysées, d'autres des infirmités dans tous leurs membres, bref chacun subit son tourment particulier [4]. Cependant, quand ils apprirent que Mérovée était rentré à Bobbio sain et sauf, quelques-uns de ces malades se firent conduire auprès de lui [5]. Mais très peu s'en tirèrent par les remèdes de la pénitence. Tous les autres moururent de ces châtiments.

2. L'Ira est l'actuelle Staffora (Krusch, p. 289, n. 1), qui passe à 15 km E. de Tortone. Mérovée est donc revenu de cette ville en direction de Bobbio.

3. Lutte antipaïenne comme en I,27 (53). Détruire les temples est dangereux : SULPICE SÉVÈRE, *Vita Mart.* 13-15; BAUDONIVIE, *Vita Radeg.* II, 2.

4. Châtiments variés comme en II,1 (2) et 10 (15).

5. Encore un trait qui rapproche cette histoire de la précédente.

(17) Admirable don que l'Inventeur du monde accorde à ses serviteurs [6] ! Quand ils ont pâti dans leur chair et subi des atteintes à leur corps, il les fortifie de son soutien dans la vie présente et les couronne de gloire après leurs combats dans le monde à venir, les voyant accepter de grand cœur ici-bas d'être malmenés, surtout à cause de son nom.

En ce même monastère de Bobbio, nous avons vu d'autres moines dont la vie fut heureuse et le trépas plus heureux encore. Pour l'encouragement de ceux qui restaient sur terre, ils ont, en quittant ce monde, laissé divers exemples dont il nous faut consigner quelques-uns, en vue d'affermir le courage des vivants qui imiteront leur vie [7].

(18) Un jour, le moine Agibod, mentionné plus haut [8], qui faisait marcher le moulin du monastère au temps du bienheureux Attale, était à l'agonie et attendait l'heure de son trépas. Déjà les frères s'étaient assemblés auprès de lui pour rendre les derniers hommages à l'âme qui sortait de ce monde, et ils s'apprêtaient à chanter les psaumes d'usage. Cependant l'âme s'échappa du corps et vit la lumière éternelle qui lui était préparée [9], un soleil rouge-or qui flamboyait splendidement. Ce que voyant, Agibod disait qu'il n'avait jamais vu pareil soleil, ni splendeur qui pût lui être comparée. Alors un habitant du ciel s'approcha de lui et lui demanda ce qu'il regardait si attentivement. Il répondit que l'éclat du soleil faisait son admiration : jamais il n'en avait vu un pareil. L'autre lui dit : « Sache qu'aujourd'hui même tu vas venir chez nous. Tu habiteras cette lumière dorée. Tu resplendiras sept fois plus que ce soleil [10], parmi les chœurs des justes. Retourne, dis adieu à tes frères réunis, et ensuite tu reviendras chez nous. »

6. Conclusion rappelant II,12 (5) et 18 (3).
7. Petit prologue comme en II,23 (1); cf. 18 (13).
8. Renvoi à II,2 (3). De nouveau, le nom n'est pas romain.
9. Enlèvement avant la mort comme en II,11 (1) et 12 (4). L'intervalle très court fait penser à *Vita Patrum Emeritensium* 1; cf. la vision d'Attale mourant en II,6 (7).
10. Cf. Is 30,26. *Fuluae lucis* : II,11 (2) et note 8.

(19) L'âme rentra dans le corps, et Agibod dit son dernier adieu à tous. Un des assistants lui demanda où il était resté si longtemps entre vie et mort. Il expliqua la chose comme elle était, décrivant ce qu'il avait vu, la gloire immense qui lui était promise, et annonçant qu'il allait partir à l'instant même [11] : il n'était revenu que pour recevoir le viatique et dire adieu aux frères. Ayant reçu le Corps sacré du Seigneur et donné à tous le baiser de paix [12], il demande qu'on rende à son corps les devoirs de la charité. Bientôt sa prédiction s'accomplit, et en trépassant heureusement, il ne laissa aux vivants que des regrets.

Si Celui qui récompense les saints a voulu que ce fait demeure en exemple pour la postérité, c'est seulement afin que, connaissant la couronne qui lui avait été promise avant son trépas, nous imitions en tout sa pureté et son esprit religieux. Dès l'enfance, en effet, il avait reçu sa formation à l'école de la discipline régulière, ayant quitté le siècle et fait sa conversion sous le bienheureux Colomban. Parmi les frères, il passait pour simple et parfaitement bon, il brillait par l'obéissance et l'esprit religieux. Comme le veut l'Évangile [13], il était tout à fait «enfant quant à la malice». Pourquoi, dans sa clémence, le Créateur de l'univers a-t-il voulu lui montrer, à l'heure où il sortit de ce monde, ce qu'il allait être dans l'au-delà, sinon pour que ceux qui passent leur vie dans la même simplicité et qui se soumettent à l'obéissance ainsi qu'à la mortification volontaire [14], s'attendent à recevoir la même récompense et obtiennent la gloire de l'éternelle lumière ?

(20) Un autre, nommé Théodoald, lui ressemblait par l'obéissance, la piété, la douceur. Nous l'avons vu aussi

11. Selon le ms. de Metz, «ce jour même», comme en II,10 (18).

12. Indiqué seulement ici et en I,17 (29), cet *osculum* s'identifie sans doute aux «adieux», mentionnés plus haut et en II,6 (7); 10 (18); 11 (2); 13 (7); 15 (10). Viatique : I,17 (29); II,10 (18); 13 (6-7); 19 (16).

13. Mt 18,3-4 et 19, mais «malice» fait allusion à 1 Co 14,20.

14. Mentionnée en I,4-5 (9 et 11); II,1 (2) et 13 (7), la *mortificatio* est longuement inculquée par COLOMBAN, *Reg. mon.* 9, qui la fait consister dans l'obéissance.

s'éloigner heureusement de la vie présente et partir d'un pas rapide, plein d'allégresse et d'exultation [15], pour les joies de l'éternité. Couché sur son lit, le cœur allègre, il demande à tous de venir et leur dit à tous son dernier adieu : à l'instant même il va sortir du corps. Mais comment avait-il vu son trépas ? Il ne voulut pas nous le dire. Après avoir dit adieu à tous, il demanda le viatique [16]. L'ayant reçu, il entonna lui-même le chant antiphoné en disant : «Les saints iront de vertu en vertu. Le Dieu des dieux sera vu en Sion [17].» Quand le chant antiphoné fut terminé, joyeux et comblé de toute satisfaction, il rendit son âme à Celui qui la lui avait donnée. A nous qui étions là [18], ce spectacle donnait clairement à entendre qu'il était rempli de la vision de la gloire et de la joie de la récompense qui lui était promise.

(21) Sous l'abbé Bertulfe, un autre moine, nommé Baudachaire, avait reçu l'ordre de garder la vigne au temps de la vendange pour empêcher oiseaux et bêtes d'y pénétrer et de faire des dégâts. Surviennent trente frères, venus pour enclore la vigne. Plein de charité, il les prie de se reposer de leur travail fatigant en prenant de la nourriture [19]. Tout ce qu'il avait, c'était un peu de pain qu'il avait apporté pour lui-même. Le supérieur le reprit, lui disant de ne pas y songer, puisqu'il ne pouvait se procurer du pain. «Abondantes sont mes provisions, dit-il; il y en a assez pour rassasier tout le monde et bien davantage.» Le supérieur lui demandant où elles étaient, il répondit que le Seigneur lui avait donné un volatile, celui que, d'après le verbe «nager»,

15. Cf. Ps 44,16 : *afferentur in laetitia et exultatione*.
16. Contrairement à I,17 (29) et II,25 (19), l'adieu précède ici le viatique. Celui-ci précède la psalmodie, comme chez GRÉGOIRE, *Dial.* IV,11,4 et 36,2, qui ne parle pas d'adieux. Les trois rites se succèdent dans le même ordre qu'ici chez EUGIPPE, *Vita Seuerini* 43.
17. Ps 83,8 (Vulgate, sauf *sancti*). Le mourant «impose lui-même l'antienne» comme chez GRÉGOIRE, *Dial.* IV,36,2.
18. Aveu de présence comme en II,12 (5). Ensuite, cf. II,6 (7).
19. De même Colomban en I,12 (20) et 17 (28).

on appelle couramment un canard [20]. L'autre lui dit : «Eh bien, fais comme tu veux, donne à manger aux frères.» Il se met à l'œuvre et divise l'animal en trente parts. Tous furent rassasiés, comme ils ne s'étaient peut-être jamais remplis de nourriture, disaient-ils. Ce qui manquait aux provisions, la foi l'ajouta.

(22) Un autre moine, nommé Léobard, affecté un jour à la garde du vignoble, y trouva un renardeau qui mangeait les raisins. Il l'en reprit avec des menaces et lui interdit formellement d'y toucher désormais. Quand il fut parti, l'animal revint, habitué qu'il était à vivre d'aliments volés. Mais dès qu'il eut pris dans sa gueule l'aliment interdit, il expira [21]. Peu après, Léobard fit consciencieusement la ronde autour du vignoble et trouva le renard crevé, tenant dans sa gueule l'aliment interdit.

(23) Une autre fois, le même Léobard, en compagnie de Mérovée, que nous avons mentionné plus haut [22], rendait plus épaisse et renforçait la clôture du vignoble. A coups de hache, ils abattirent un arbre et en mirent les branchages dans la clôture pour la rendre plus épaisse. Quand ils eurent dépouillé le tronc de ses branches, l'idée leur vint de se jeter à terre et de demander au Seigneur de leur donner assez de force pour transporter le tronc d'arbre entier jusqu'à la clôture. La prière achevée, ils se relèvent, et invoquant le nom sacré du Dieu tout-puissant, s'emparent de l'arbre, qu'ils cherchent à porter au lieu souhaité. Ce que toute une équipe n'aurait pas réussi à traîner jusqu'à cet endroit, deux hommes armés de foi [23] le portaient d'un pas léger. Plus tard, toute une équipe de frères réunis essayèrent de le remuer. Incapables de le soulever, ils durent reconnaître

20. *Anas a nando*, d'après Varron; cf. ISIDORE, *Etym.* 12,7,51. Autres mots «vulgaires» en I,15 (30) et 27 (53); cf. I,15 (25) : *wantos*; 16 (26) : *tiprum... duciclum.* La volaille est permise : I,27 (54); BÈDE, *Vita Cuthberti* 36.

21. Rappelle GRÉGOIRE, *Dial.* I,9,15 (chenilles renvoyées du jardin) et surtout 18 (renard voleur, puni de mort).

22. Voir (16). On «clôt la vigne» comme en (21).

23. Comme Colomban et Eustaise en I,13 (21) et II,8 (4). Ce miracle répète celui de I,30 (60).

le miracle du Tout-Puissant. Ce miracle, quand ils arrivèrent, Léobard et Mérovée le leur révélèrent en secret l'un et l'autre, chacun l'attribuant à son compagnon sans s'imputer à lui-même aucun mérite [24].

Mais peut-être tel lecteur nous blâme-t-il et nous critique-t-il, nous jugeant et nous condamnant pour avoir raconté pareilles choses. Cependant, s'agissant de la gloire de Dieu, nous ne saurions nous taire. Que le lecteur juge plutôt si ces dons du Créateur sont à accepter par lui, qui refuse pareilles choses, ou à rejeter par lui, qui ne croit pas que la foi ait accompli ces miracles [25].

24. Assaut d'humilité comme chez SULPICE SÉVÈRE, *Dial.* I,11; GRÉGOIRE, *Dial.* II,7,3.

25. Ultime justification comme en I,15 (23) et II,16 (11), où l'adversaire s'en prenait à la petitesse des faits et à leur caractère négatif (fautes punies). Ici, c'est le miracle lui-même qu'on refuse et que Jonas défend au nom de la foi, dernier mot de l'œuvre (cf. SULPICE SÉVÈRE, *Dial.* I,26).

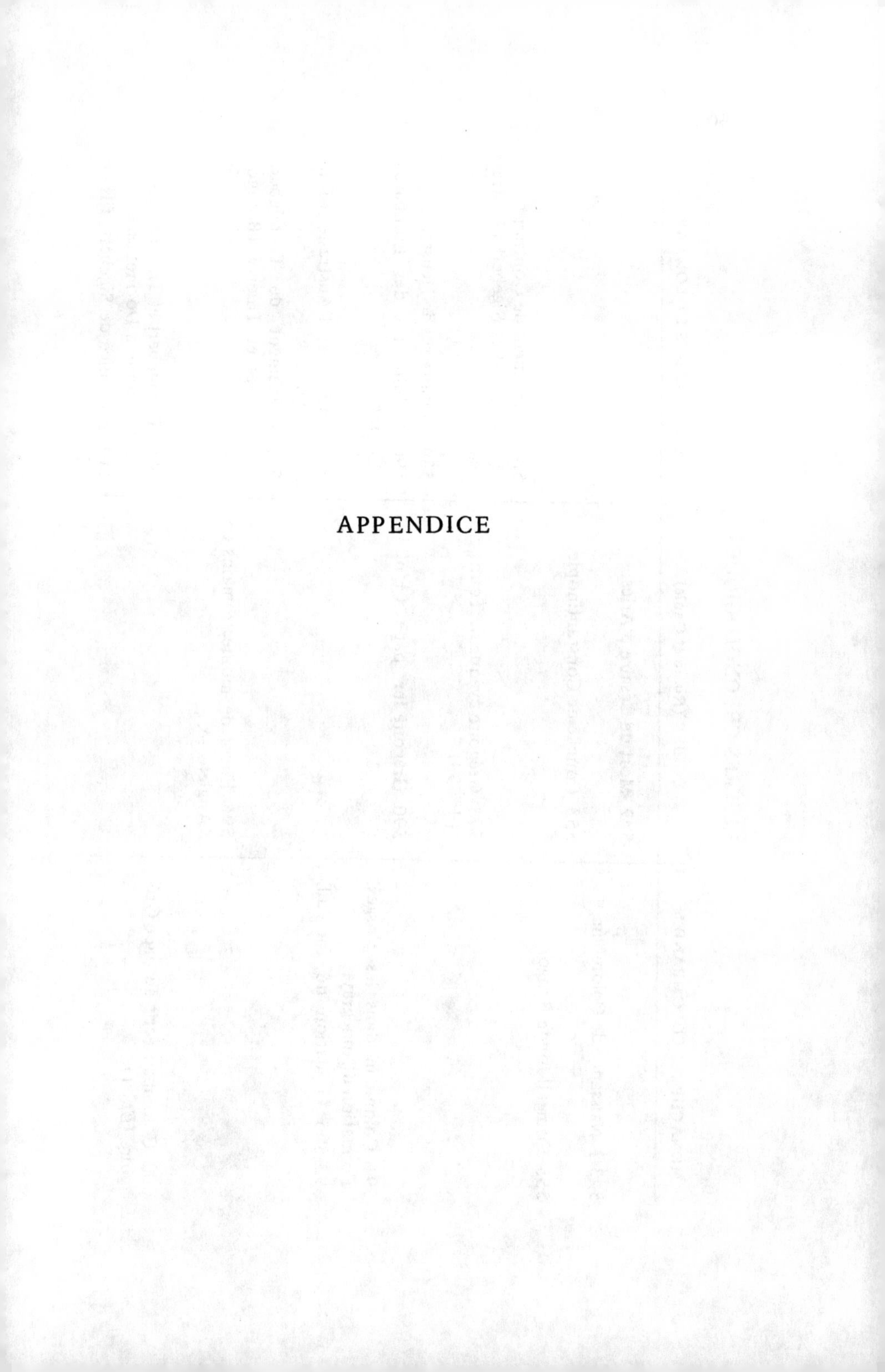

APPENDICE

REPÈRES CHRONOLOGIQUES

MONACHISME COLOMBANIEN	ÉGLISE (Rome et Gaule)	ROIS FRANCS ET LOMBARDS
	542 Mort de Césaire d'Arles.	
543 ? Naissance de Colomban.		
	553 Concile de Constantinople.	
555 Comgall fonde Bangor.		
		561 Avènement de Gontran (Bourgogne) et Sigebert (Austrasie).
	573 Grégoire évêque de Tours (+ 593).	
		584 Clotaire roi de Neustrie.
	590 Grégoire Ier pape (+ 604).	590 Agilulfe roi des Lombards (+ 616).
591 Colomban dans les Vosges. Fondation d'Annegray.		
593-595 Fondation de Luxeuil.		593 Childebert d'Austrasie roi de Bourgogne.
		595 Avènement de Théodebert (Austrasie) et Thierry (Bourgogne).
	596 Envoi de moines romains en Angleterre.	
600 Colomban écrit au pape Grégoire (*Ep*. 1).		600 Théodebert et Thierry battent Clotaire à Dormelles.
		601 Naissance de Sigebert, fils de Thierry.

603 Colomban écrit aux évêques francs (*Ep.* 2).	603 Concile de Chalon : Didier de Vienne est déposé.	
604 ou 607 Colomban écrit au pape pendant une vacance (*Ep.* 3).	604 Sabinien pape (+ 606).	604 Mérovée, fils de Clotaire, est battu par Thierry près d'Étampes.
	607 (mai) Didier de Vienne est mis à mort.	607 Thierry épouse puis renvoie Ermenberge.
	608 Boniface IV pape (+ 615).	
610 Expulsé par Thierry, Colomban écrit de Nantes à Luxeuil (*Ep.* 4).		610 Théodebert prend l'Alsace à Thierry.
612 Colomban passe de Bregenz en Italie.		612 Thierry bat Théodebert à Toul et à Zulpich.
613 Colomban écrit au pape Boniface (*Ep.* 5).		613 Clotaire prend Austrasie et Bourgogne ; mort de Brunehaut.
614 Clotaire envoie Eustaise à Colomban.	614 Concile de Paris.	
615 (23 nov.) Mort de Colomban ; Attale abbé.		
		616 Adalwald roi des Lombards (+ 626).
617 (début) Jonas entre à Bobbio.		
		623 Clotaire nomme Dagobert roi d'Austrasie.
	625 Honorius pape (+ 638).	
626-627 Mort d'Attale ; Eustaise défend la Règle à Mâcon.	626-627 Conciles de Clichy et de Mâcon.	626 Ariowald roi des Lombards (+ 636).

MONACHISME COLOMBANIEN	ÉGLISE (Rome et Gaule)	ROIS FRANCS ET LOMBARDS
628 Bertulfe va à Rome.		
629 Mort d'Eustaise; Walbert abbé.	629 Arnoul de Metz se retire à Remiremont.	629 Mort de Clotaire; Dagobert roi de toute la Gaule (+ 639).
	630 Amand baptise Sigebert, fils de Dagobert.	
632 Éloi fonde Solignac.		
		633 Dagobert nomme Sigebert roi d'Austrasie (+ 656).
637 Charte de Faron pour Rebais fondé par Ouen.		
639 Jonas commence la *Vie de Colomban;* mort de Bertulfe; Bobolène abbé.		
	641 (mai) Éloi évêque de Noyon, Ouen évêque de Rouen.	641 (début) Mort d'Éga, maire du palais de Neustrie.
642 Jonas dédie la *Vie de Colomban* à Walbert et à Bobolène.		
647 Rictrude fonde Marchiennes où Jonas sera abbé.		
	649-651 Amand évêque de Tongres-Maastricht.	
		650 (environ) Chronique dite de Frédégaire.
		657 Clotaire III roi de Neustrie-Bourgogne sous la régence de Bathilde.
659 (nov.) Jonas écrit la *Vie de Jean de Réomé*.		

LES ROIS MÉROVINGIENS (Généalogie simplifiée)

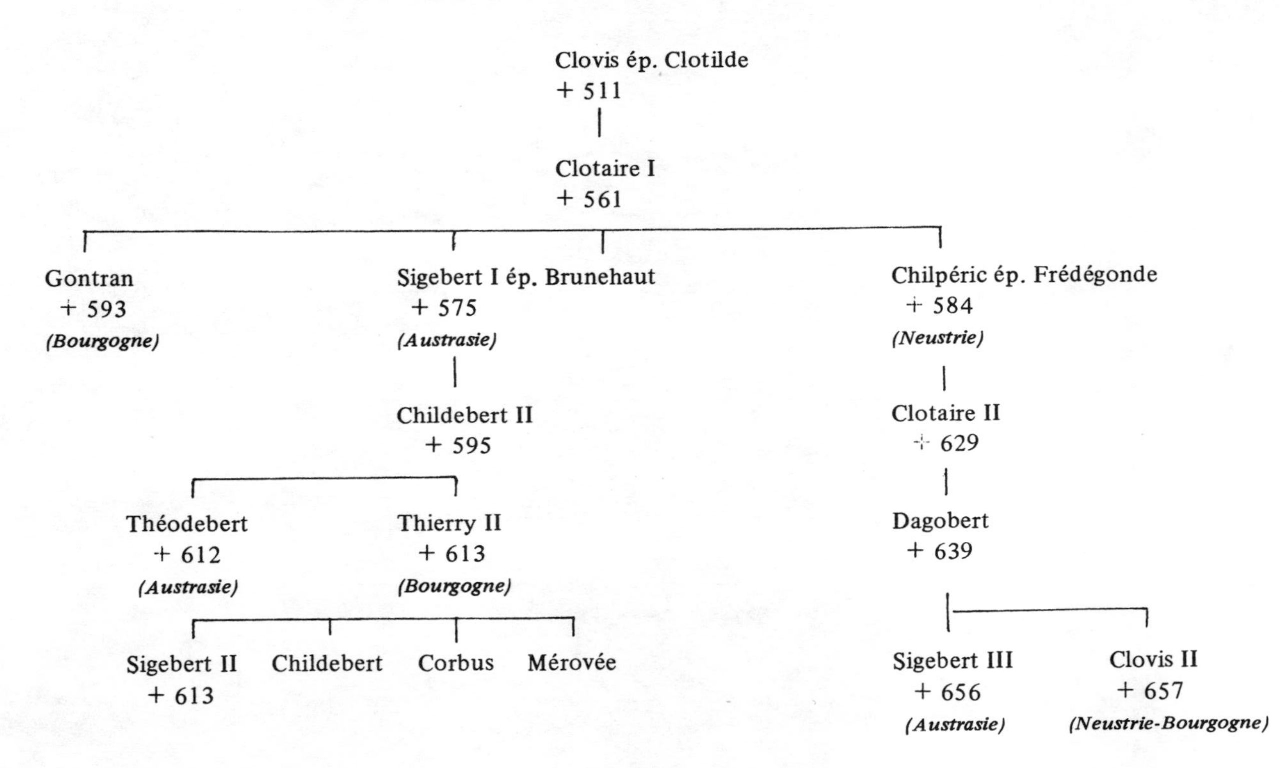

CARTES

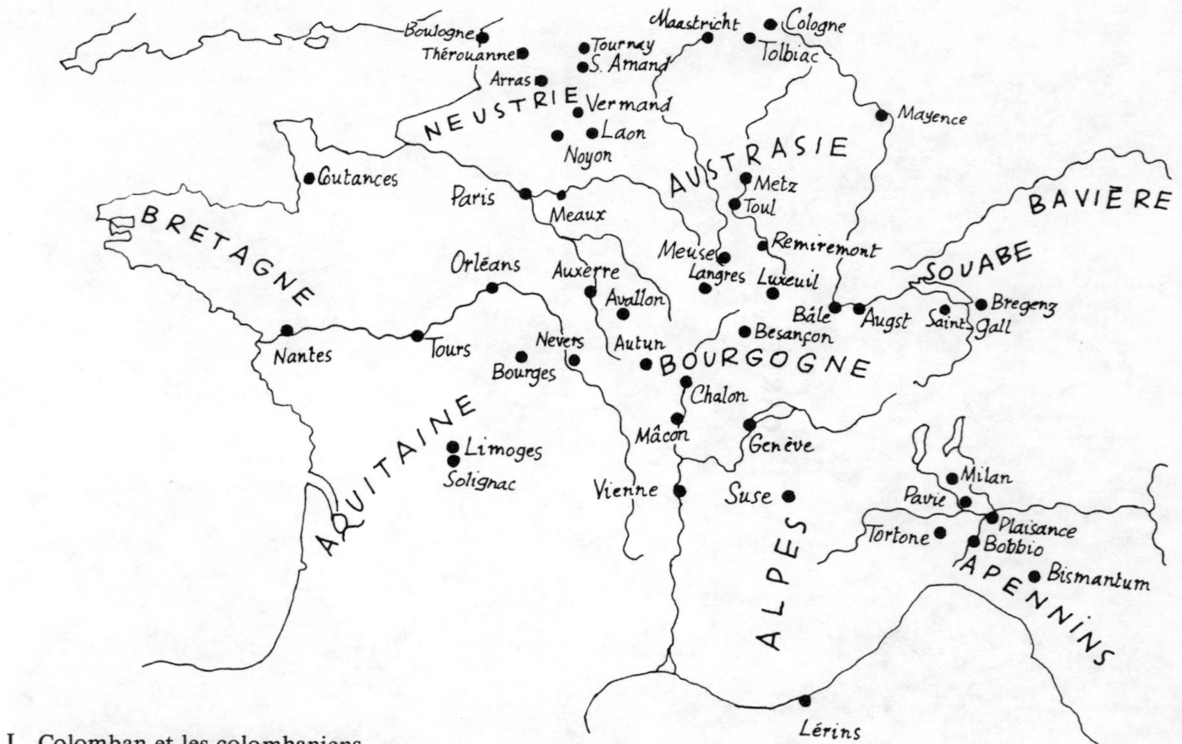

I. Colomban et les colombaniens

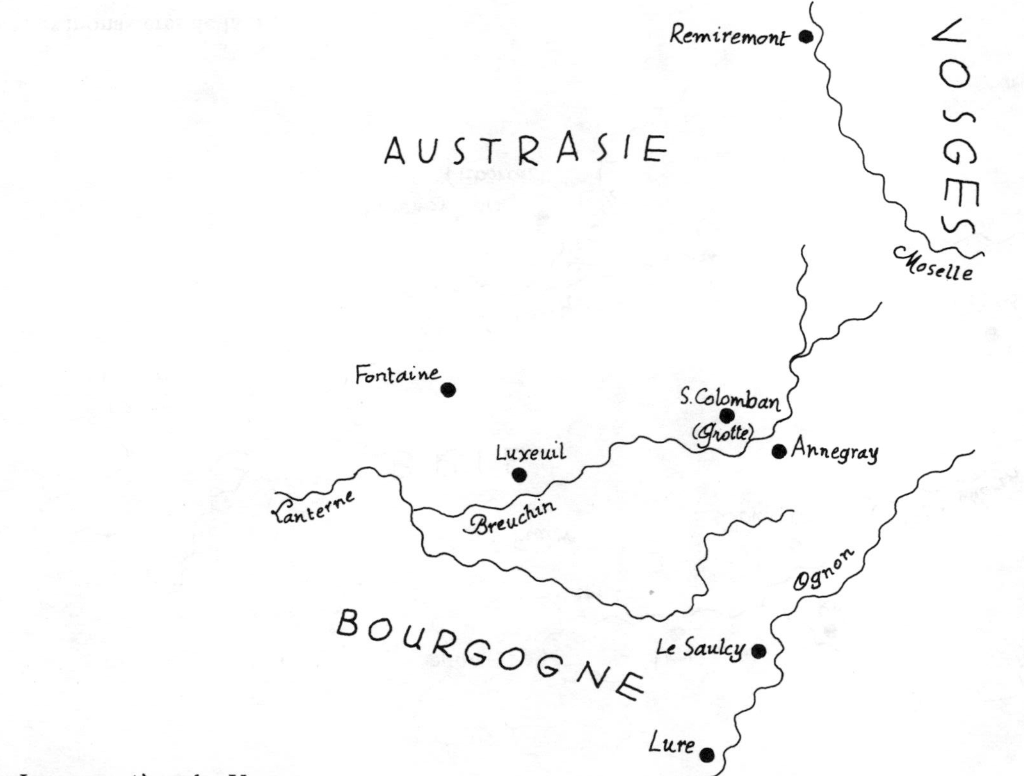

II. Les monastères des Vosges

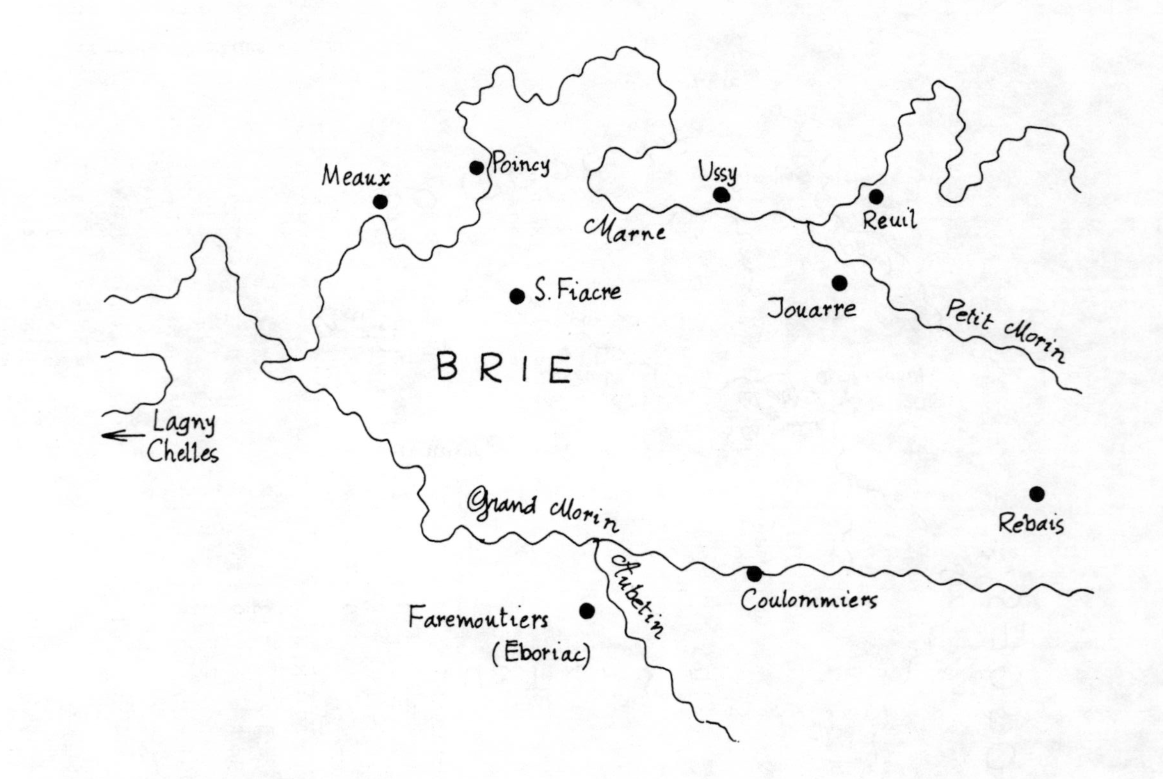

III. Les monastères de la Brie

INDEX

I. CITATIONS DE L'ÉCRITURE

Les citations formelles de Jonas sont signalées par un astérisque.

II. AUTEURS ANCIENS

III. NOMS PROPRES

Les références au Livre (chiffre romain), au chapitre et au paragraphe (entre parenthèses) indiquent les noms figurant dans le texte de Jonas. Cap désigne les Tables des chapitres, H les Hymnes.

IV. MOTS LATINS (choix)

TABLE DES MATIÈRES

Pages

APPENDICE

Achevé d'imprimer
sur les presses de
l'Imprimerie Graphique de l'Ouest
Le Poiré-sur-Vie (Vendée)
N° d'imprimeur : 7875
Dépôt légal : avril 1988

AUX ÉDITIONS DE BELLEFONTAINE

Collection « SPIRITUALITÉ ORIENTALE »

Monachisme primitif

1. *Les Apophtegmes des Pères (série alph.), trad. J.C. Guy (épuisé)*
2. L'esprit du monachisme pachômien *(Pachomiana latina)* (intr. P. Deseille, trad. Solesmes)
3. I. HAUSHERR, Solitude et vie contemplative
4. *P. RAFFIN, Les rituels orientaux de la profession monastique (épuisé)*
7b. ABBÉ ISAIE, Recueil ascétique (trad. par L. Regnault et H. de Broc)
8. *N. DEVILLIERS, Antoine le Grand (épuisé)*
9. *Vie de sainte Synclétique (épuisé)*
19. S. ANTOINE, Lettres (trad. moines du Mont Cats, intr. Dom A. Louf)
22. L. BOUYER, La vie de S. Antoine (Essai)
24. S. JEAN CLIMAQUE, L'Échelle sainte (trad. P. Deseille)
26. L. LELOIR, Désert et communion
28. S. ATHANASE, Vie d'Antoine (trad. B. Lavaud, intr. G. Couilleau)
30. A. GUILLAUMONT, Aux origines du monachisme chrétien
31. D. CHITTY, «Et le désert devint une cité»
36-37. J. GRIBOMONT, Saint Basile. Évangile et Eglise (Mélanges)
38. La Vie de saint Pachôme (trad. A. Veilleux)
39. Joie de la Transfiguration d'après les Pères d'Orient (présentation M. Coune)
40. Les Homélies spirituelles de saint Macaire (intr. et trad. P. Deseille)
41. MARC LE MOINE, Traités spirituels et théologiques (intr. K. Ware, trad. C.A. Zirnheld)
42. Lettres des Pères du désert (trad. B. Outtier, A. Louf, M. van Parys, C.A. Zirnheld)
43. Sentences des Pères du désert (série des anonymes) (trad. et prés. L. Regnault)
44. P. MIQUEL, Lexique du désert
47. Les moines acémètes. Vies des saints Alexandre, Marcel et Jean le Calybite (intr. et trad. par le Fr. J. Baguenard) *(à paraître)*

Orient contemporain

5. SILOUANE, Écrits spirituels (extraits)
6b. J. SERR et O. CLÉMENT, La prière du cœur
10. *LE PÈLERIN RUSSE, Trois récits... (Seuil)*
11. *I. GORAINOFF, Séraphim de Sarov (DDB)*
12. T. COLLIANDER, Le chemin des ascètes
13. A. SCHMEMANN, Le Grand Carême
14. *(Collectif) La douloureuse joie (épuisé)*
15. G. DROBOT, Icône de la Nativité
16. A. SCHMEMANN et O. CLÉMENT, Le Mystère pascal
17. O. CLÉMENT, Le Christ, Terre des vivants
18. Higoumène CHARITON, L'art de la prière
20. P. EVDOKIMOV, La nouveauté de l'Esprit
21. P. DESEILLE, N. ARSENIEV et V. LOSSKY, La paternité spirituelle en Russie
23. *R. de FÉRAUDY, L'icône de la Transfiguration (Étude) (épuisé)*
25. G. MALONEY, La spiritualité de Nil Sorsky
27. JEAN DE CRONSTADT, Ma vie en Christ (extraits) (prés. L.A. Lassus)
29. A. ELTCHANINOFF, Écrits spirituels
32. Saint Nil Sorsky, La vie, les écrits... (prés. et trad. S.M. Jacamon)
33. E. BEHR-SIGEL, Prière et Sainteté
34. J.B. DUNLOP, Le starets Ambroise d'Optino
35. I. BRIANTCHANINOV, Approches de la Prière de Jésus
45. V. ROCHCAU, Saint Séraphim, Sarov et Divéyevo (Études et Documents)
46. R. JOANTA, Roumanie. Tradition et culture hésychastes

Collection « PHILOCALIE DES PÈRES NEPTIQUES »

1. CALLISTE et IGNACE XANTHOPOULOI, Centurie spirituelle
2. PIERRE DAMASCÈNE, Livre
3. HÉSYCHIUS DE BATOS, Discours... - JEAN CARPATHIOS, Cent chapitres
4. NICÉTAS STÈTHATOS, Trois centuries
5. MACAIRE L'ÉGYPTIEN, Cent chapitres. - SYMÉON LE NOUVEAU THÉOLOGIEN, Chapitres pratiques et théologiques
6. MAXIME LE CONFESSEUR, Sur l'amour; Sur la théologie ; Interprét. du Notre Père
7. THALASSIUS, Sur l'amour... - THÉOPHANE, Échelle. - JEAN DAMASCÈNE, Discours. - THÉOGNOSTE, Sur l'action et la contemplation. - ÉLIE L'ECDICOS, Florilège. - PHILOTHÉE, Quarante chapitres
8. ÉVAGRE LE PONTIQUE (extraits des œuvres ascétiques). - NIL L'ASCÈTE, Discours ascétique. - DIADOQUE DE PHOTICÉ, Cent chapitres sur la connaissance
9. PSEUDO-ANTOINE, ISAIE, MARC LE MOINE, THÉODORE D'ÉDESSE *(à paraître)*

Collection « VIE MONASTIQUE »

Monachisme ancien

3. *P. DESEILLE, Regards sur la tradition monastique (épuisé)*
4. *A. de VOGÜÉ, Autour de saint Benoît (épuisé)*
7. JULIENNE DE NORWICH, Une révélation de l'amour de Dieu
8. L. VERHEIJEN, Nouvelle approche de la Règle de saint Augustin
9. Règles monastiques d'Occident (IVe-VIe s. d'Augustin à Ferréol) (intr. V. Desprez)
12. A. de VOGÜÉ, S. Benoît, sa Vie et sa Règle
14. GRÉGOIRE LE GRAND, Vie de saint Benoît (trad. P. Antin, comm. A. de Vogüé)
17. P. CATRY, Parole de Dieu, amour et Esprit Saint chez S. Grégoire le Grand
19-20. Aux sources du monachisme colombanien
I. JONAS DE BOBBIO, Vie de saint Colomban et de ses disciples (intr. et trad. A. de Vogüé);
II. *(à paraître)* SAINT COLOMBAN, Règles et pénitentiels monastiques

Spiritualité monastique contemporaine

1. *Principes de spiritualité monastique (épuisé)*
2. *Dom BRASO, Sentier de vie (épuisé)*
5. Fr. FRANÇOIS et Fr. PIERRE-YVES (Taizé) Méditation de l'Écriture et Prière des Psaumes *(en réimpression)*
6. *J. WINANDY, Vie érémitique (épuisé)*
10. Dom BRASO, L'humble et noble service du moine
11. S. JACAMON, Saint Benoît à la lumière de la spiritualité orientale
13. *P. MIQUEL, La liturgie. Une œuvre d'art (épuisé)*
15. E. BIANCHI, Prier la Parole
16. *B. ROLLIN, Vivre aujourd'hui la Règle de saint Benoît (épuisé)*
18. P. MIQUEL, La voie monastique
21. Fr. FRANÇOIS et Fr. PIERRE-YVES (Taizé), La grâce de ta Loi (lecture spirituelle du Psaume 118)

Éditions Monastiques
Abbaye de Bellefontaine - F 49122 Bégrolles-en-Mauges
Diffusion mondiale Brepols